歴代ローマ教皇の権勢と
ヴァティカン機密文書

Dr. José Koichi Oizumi
大泉 光一 著

文眞堂

（上）ローマ・ヴァティカン・サン・ピエトロ寺院（大聖堂）
（下）向かって左側の建物がヴァティカン機密文書館（ASV）
出典：ASV。

ヴァティカン機密文書館（ASV）のラテン語表記ロゴマーク
出典：ヴァティカン機密文書館（ASV）。

つ地下書庫が増設されている。ここは世界で最も重要な歴史研究センターの一つである。ＡＳＶが一般の研究者に開放されるようになったのは、教皇レオⅩⅢ世時代の１８８１年であり、今日では年間千人ほどのヴァティカン外部の研究者が訪れている。所蔵文書を知るには、総合目録（Schedario Garampi）、ヴァティカン台帳（Registra Vaticana）、ラテラノ台帳（Registra Lateran-ensia）、教皇会計（Thesaurarius apostolicus generalis）、枢機卿会議（Consistorium）関連文書などの厳選されたカタログがあり、３万５千巻がまとめられている。索引は、索引室で調べ、元の場所に戻さなければならない。索引の一部または全部の出版は禁止されている。

■ヴァティカン機密文書館の利用規定と原文書の閲覧方法

ＡＳＶの利用規定はかなり厳格で、古文書読解能力を持つ研究者による学術研究に対してのみ、入館が許可される。外国人研究者が利用証を発行してもらうためには、身分証明書（パスポート、ＩＤカード）、博士号学位証明書、歴史研究所か科学研究所の推薦状、研究テーマの内容と、所蔵文書の

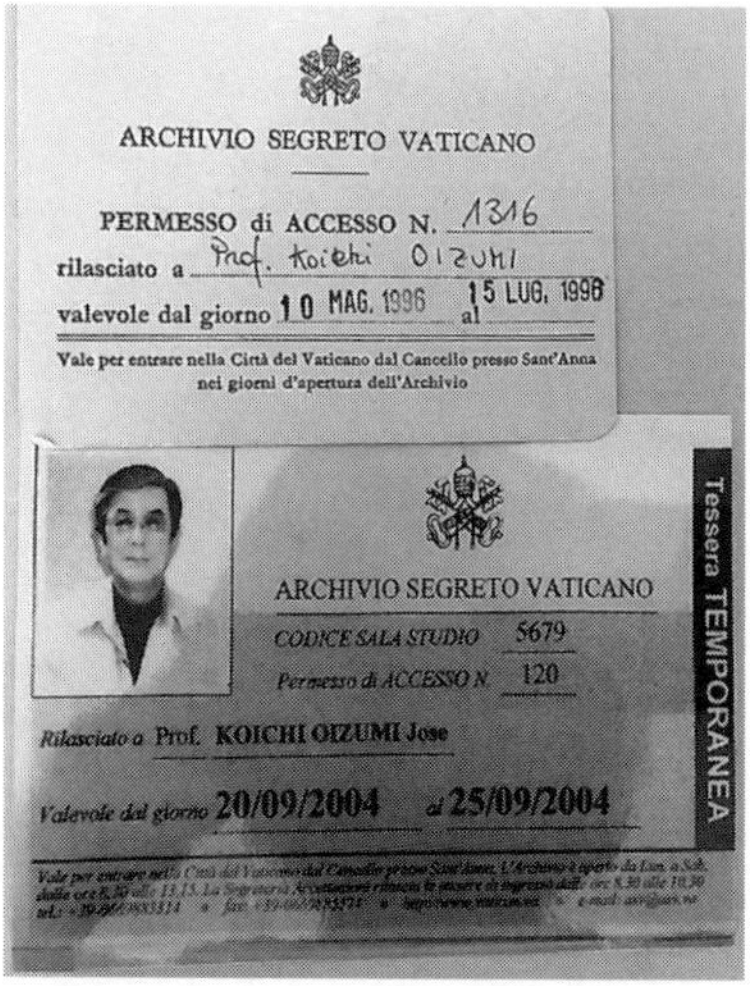

著者に与えられたヴァティカン機密文書館（ASV）**への入館許可書**（Permèsso di Accesso）

利用目的を記した理由書などを提出しなければならない。

それらをクリアして、希望する文書を閲覧するには、まず、ＡＳＶの建物正面入り口左側奥にある入館許可申請事務所で閲覧室への入室証を発行してもらう。その後エレベータか階段で３階の閲覧室受付に行く。索引室の隣に閲覧室がある。閲覧室の受付でロッカーの鍵を渡し、鍵の番号と到着時間、氏名を記入する。受付には史料請求用紙があるので、そこで申請書に閲覧したい文書の閲覧番号と書棚群名を記入する。15分から20分待つと、職員が申請時に指定された閲覧席まで、原文書を持ってきてくれる。なお、閲覧室では、ボールペンの持ち込み禁止などの厳しいルールが存在する。ウエブサイトにある目録（Indice dei Fondo ē relativi mezzi di descrizione ē di ricerca dell'Archivio Segreto Vaticano）で予め必要な史料の分類や略記を調べておいて記入する。

史料請求は午前中（12時まで）３点、午後の閲覧のため13時までにさらに2点まで可能である。

著者がはじめてＡＳＶを訪れたのは、１９９１年（平成３年）７月のことであった。目的は、慶長18年９月（１６１３年10月）に仙台藩主伊達政宗が家臣支倉六衛門常長ら伊達藩士と当時の日本のキ

ヴァティカン機密文書館（ASV）内の書庫
出典：ASV。

外部からの一般研究者の閲覧室
出典：ASV。

リスト教徒の代表者3人をローマやスペインへ派遣した「慶長遣欧使節」に関係のある記録文書を博捜するためであった。古典ラテン語や古典イタリア語で書かれた4百年前の原文書を直接自分の手にとった時の感触、感動は今でも忘れられない。その後、年に一度の割合でＡＳＶを訪れて、同使節関係の文書を中心に採録調査を行っている。

■ＡＳＶ所蔵の世界の歴史上の著名人の自筆文書

ＡＳＶに所蔵されている文書には、驚くべきものが多い。

たとえば、後述するが、モンゴル帝国が発令した実物の勅書としては碑文史料を除くと現存する最古の文字史料といわれるモンゴル帝国太祖チンギス・ハーンの孫の第3代皇帝グユクがローマ教皇インノケンティウスⅣ世に宛てたペルシャ語の勅書。コロンブスのアメリカ大陸発見を受けて教皇アレクサンデルⅥ世が出した勅書。英国王ヘンリーⅧ世と王妃キャサリン（カタリーナ）との婚姻破棄（離婚）を認証してもらうために、英国議会議員連盟の85人の議員が連名で、ローマ教皇クレメントⅦ世に宛てた1530年の印章付の嘆願書。結局、教皇はこの離婚は認めず、カトリックから英国教会が分離する。また、宗教改革者マルティン・ルター（1483～1546）に対する1521年の破門状。さらに、「王権神授説」を信奉し、議会と対立して処刑された英国王およびスコットランド国王チャールズⅠ世がローマ教皇インノセンソⅩ世に宛てた自筆のラテン語書簡、地球が太陽の周りを回っているという地動説を唱えたイタリアの天文学者ガリレオ・ガリレイ（１５６４～１６４２）が異端審問にかけられた際の、１６１６から１６３３年までの１１２０ページに及ぶ裁判記録などが所蔵されている。２０１２年２月、ヴァティカン機密文書館開設を記念してこれまで門外不出だったこれらの歴史的文書約百点がローマのカピトリー美術館で初めて一般公開された。

本書に登場する歴代のローマ教皇は、様々な顔を持っていた。その一つがカトリックの世界における「神（キリスト）の代理人」、二つ目が使徒の頭（聖ペトロ）の後継者であり、三つ目はカトリック教会の首長（最高位聖職者）であり、そして四つ目がローマ司教であり、五つ目が教会首杖を持つ司教であった。現在の第２６６代教皇フランシスコ聖下は、これらの昔からの伝統的な役職に加え、世界最小国〝ヴァティカン市国〟の元首という肩書を持っている。

第266代ローマ教皇フランシスコ聖下
出典：ヴァティカン図書館。

宗教改革運動の時代も含め、ローマ教皇庁（ヴァティカン）の精神的権威と影響力を保持されてきた。とくにヨーロッパの歴史においては、政治、経済。思想、芸術など、社会、全般にわたり隠然たる影響を及ぼしてきた。

コンスタンティヌス大帝（２７２～３３７）は４世紀に東ローマ帝国をつくったが、ローマ教皇に対して西ローマ帝国の支配者としての世俗支配権を譲った。ローマ教皇庁の世俗支配権は中世になってさらに強化され、ヴァティカンが領土と軍隊を保持するようになった。

専制封建君主としてのローマ教皇の神聖性は世俗権力が統治の正当性を獲得するうえで欠くべからざる存在だった。フランク王国は、ローマ帝国以降初めて統一的な王国を築き、紀元800年、ローマ教皇レオⅢ世によって初代神聖ローマ帝国皇帝としてカール大帝（742〜814）が、戴冠された。このときカール大帝はドイツ、フランス両国の始祖的英雄と見なされた。

ヴァティカンが世界において大きな影響力を持つに至ったのは、教皇聖下を頂点とするカトリックの総本山であるローマ教皇庁として宗教的権威を保持していることから、歴史的にヴァティカンは世界中の諸国家や民衆に耳を傾けさせてきたのである。

教皇の言動は、しばしば、教皇自身の予想を上回る力を持つ。現代社会において教皇は世界13億人のカトリック信徒の指導者であるだけでなく、前述したようにヴァティカン市国という国家の元首でもある。

さて、本書のテーマは、著者がＡＳＶで採録した前述の世界の歴史上の著名人が歴代ローマ教皇に宛てた門外不出の自筆の原文書を翻刻（翻字）・翻訳して知られざる世界史の裏側を明らかにすることである。なお、本書で引用する関連原文史料は、ＡＳＶ所蔵だけでなく、スペインのインディアス総文書館（ＡＧＩ）およびシマンカス総文書館（ＡＧＳ）、ウイーン国立図書館、英国国立公文書館（英公文書館）などに所蔵されているものである。

本書で紹介する世界史上の著名人がローマ教皇に宛てた原文書は、それぞれの時代の知られざる政治・経済、科学、外交面における闇の世界史が浮き彫りにされる。

まず第1章では、昭和天皇裕仁とローマ教皇との交誼の動機と、その後の皇室とローマ教皇庁の交流について紹介する。昭和天皇は皇太子時代の大正10年（1921年）3月~9月までの6カ月間訪欧した際、カトリック教徒で東宮御学問所御用掛けのフランス語通訳山本信次郎海軍少将の仲介で、当時のローマ教皇ベネディクトXV世と史上初めて会見した。その時、昭和天皇はローマ教皇の権勢と世界に及ぼす政治的な影響力を初めて認識し、日本を愛し皇室を守るためにローマ教皇と手を携えることを決意した。そして天皇に即位した後も積極的にローマ教皇との交誼を続けたのである。本章では昭和天皇と教皇ベネディクトXV世との会見内容やASVに所蔵されている、昭和天皇が教皇ピウスXII世に宛てた書簡の中身等について初めて概観する。

第2章では、コロンブスのアメリカ大陸発見に伴う、領有権を巡るローマ教皇アレクサンデルVI世の勅書の内容について解説する。

第3章では、ASVに残されている駐サント・ドミンゴ教皇大使が1877年9月10日付で教皇ピオIX世に宛てた「コロンブスの遺骸の発見・調査報告書サント・ドミンゴのコロンブスの遺骸の発見・調査報告書」の中身と、スペインのセビィリャ大聖堂に安置されているコロンブスの遺骸と、サント・ドミンゴに埋葬されている遺骸の真贋を巡る論争について検証する。

第4章では、ASVに所蔵されているモンゴル帝国第3代皇帝グユク・ハーンがローマ教皇に宛てた前代未聞のペルシャ語による勅書を通して、両者の確執と当時のモンゴル帝国の強権と威厳について解説する。

第5章では、英国国王ヘンリーⅧ世とスペインのカトリック王の娘カタリーナ（キャサリン）の婚姻の解消を求めてローマ教皇クレメントⅦ世に宛てた英国議会議員連盟の85人の議員の印章付き署名入り嘆願書の趣旨について、初めて紹介する。

第6章では、英国国王チャールズⅠ世がローマ教皇インノケンティウスⅩ世に宛てた「アイルランド・カトリック同盟」との交渉人で側近のグラモーガン侯の信任を求めた自筆のラテン語親書について解説する。

第7章では、中国の南明朝の皇族一族とイエズス会の宣教師との交誼について概観し、最後の皇帝永暦帝が清朝攻略の目的で、軍事援助を要請するためにローマ教皇とイエズス会総長へポーランド人イエズス会士を団長とする使節団を派遣するまでの経緯と結末について検証する。

第8章において著者の半世紀以上に及ぶライフワークの「支倉六右衛門常長慶長遣欧使節」研究の総集大成としてまとめたものである。とりわけ、「奥州王伊達政宗が教皇パウルスⅤ世に宛てた親書」の意義と内容について検討し、伊達政宗のローマ教皇庁への遣欧使節団派遣の真の目的を明らかにする。また、パウルスⅤ世から伊達政宗に宛てたラテン語返書の内容についても原文を通してこれまでの解釈とは異なる視点から考察してみる。

第9章では、伊達政宗の早期のキリスト教への改宗を求めたローマ教皇グレゴリウスⅩⅤ世が伊達政宗に宛てた書簡の趣旨について詳細に検証する。

最後のプロローグ《歴史研究の真髄―5．間違いだらけの平川新著『戦国日本と大航海時代』論考―客観的証左の乏しい謬説を糾す―》では主として、平川新著『戦国日本と大航海時代』論考に数多く散見される見逃せない論難箇所を率直に指摘し、著者が客観的な史料（証左）を提示して、それらの間違いを論駁する。

2020年4月

学校法人青森田中学園
青森中央学院大学・大学院教授
国際関係学博士　大泉　光一

目　次

目　次

目　　次

第1章　昭和天皇裕仁とローマ教皇の交誼
―昭和天皇、教皇ピオⅫ世の教皇就任を祝う書簡で相互の友情と交誼を誓う―

第1節　昭和天皇、皇太子時代にローマ教皇庁を訪れ、教皇ベネディクトⅩⅤ世と会見

(1)　皇太子裕仁親王殿下の訪欧計画

明治期には皇族の外国留学や外遊が行われるようになり、皇族が見聞を広めるため外遊を行うことが好ましいとされた。

皇太子裕仁親王殿下をヨーロッパ各国へ渡航させるという計画は、1919年（大正8年）の秋頃から検討され始めた。裕仁親王は将来の天皇となる身であり、病身である父親の大正天皇の摂政となる可能性も高いと見られていた。裕仁親王に君主制各国の王室との交友を深めてもらい、見聞を広めてもらうという元老山縣有明が提案したこの計画に、元老松方正義や西園寺公望、原敬首相も賛意を示した。

外務省記録『皇太子裕仁親王殿下御訪欧一件』上巻（註1）によると、1921年（大正10年）3月3日から9月3日までの6カ月間ヨーロッパ各国の歴訪のため、皇太子裕仁親王殿下訪欧一行は、3月3日、横浜港において原首相、原内閣閣僚ら参列のもと出発式が行われ、午前11時30分にイギリスで建造された裕仁親王御召艦「香取」と供奉艦で旗艦「鹿島」の2隻による遣欧艦隊が就航した。両親の大正天皇と貞明皇后は小磯浜に出御し、出港を見送った。

皇太子裕仁親王殿下の訪欧には輔導役として皇族で陸軍大将の閑院宮載仁親王殿下が同行したほか、供奉長・宮内省御用掛で英語に堪能であった珍田捨巳ら14名の供奉員が随行した。また御召艦「香取」と「鹿島」の2隻には、司令長官の海軍中将小栗孝三郎以下約千8百人の兵員が乗り組んでいた。

皇太子訪欧一行が横浜港を出発した時点では訪問国は英国以外決まっていなかった。他の訪問国については、出発後、本国から電報で指示することになっていた。そして、最終的な訪問国として、英国のほかにベルギー、オランダ、フランスとイタリアを歴訪することが決まった。皇太子裕仁殿下が訪問予定に入っていなかったローマ教皇庁を突然訪問することになったのは、供奉員の一人で、皇太子と教皇とのフランス語の通訳を務めることになる山本信次郎海軍大佐の仲介で実現したものである。

山本はイタリア大使館付海軍武官を務めていた1914年（大正3年）から3年間教皇庁に頻繁に出入りし、山本の母校暁星中学を運営している男子カトリック修道会マリア会本部の仲介で個人的に

3代の教皇に謁見を許されるなど積極的な交流を図っていた。その経験から山本は、皇太子に是非とも世界の全人口の約5分の1の3億人の信徒と間接の政治的勢力を持つローマ教皇に会ってもらいたいと考え、その必要性を強く説いたのである。

(2)　皇太子裕仁親王、ローマ教皇庁を訪れる

大正10年（1921年）7月15日午後4時半、当時20歳になったばかりの皇太子裕仁親王殿下は陸軍正装に身を包み、ローマ市のテベレ川右岸のローマ教皇庁（ヴァティカン）を訪れていた。ローマ教皇庁が「ヴァティカン市国」として正式に独立するのはこの8年後のことだが、世界中の約3億人（当時）のカトリック教徒を束ねるカトリックの総本山である。聖ピエトロ大聖堂の北側、ヴァティカン宮殿の一角に教皇の執務室がある。

皇太子裕仁親王殿下（昭和天皇）（当時18歳）
出典：宮内庁所蔵。

皇太子と皇太子一行は、教皇庁国務省のピエトロ・バルガス（Pietro Gasparri）長官（枢機卿）（1852〜1934）の案内で宮殿内の大広間に向かった。そこには、スペイン、フランス、ブラジルなど教皇庁駐在外交使節団の大使、公使など数10人が待機しており、皇太子に拝謁した。皇太子やそ

皇太子裕仁親王殿下が会見したローマ教皇ベネディクトXV世
出典：ヴァティカン図書館蔵。

の一行は、教皇庁の一声でこれだけ多くの外交団が集まるところにローマ教皇の力を思い知ることになった。

第124代の天皇となる皇太子殿下と第258代の教皇、建国以来、世界に冠たる伝統を誇る日本の皇位継承者とキリストの弟子、ピエトロ以来2千年近く、綿々とその地位を築いてきたローマ教皇との初めての出会いだった。

皇太子裕仁親王殿下と教皇ベネディクトXV世との会見内容について、日本ではあまり報じられなかったが、当時、皇太子の東宮御学問所御用掛けとして仕え、ヨーロッパ5カ国訪問に随行し、教皇ベネディクトXV世との会見実現に尽力した、山本信次郎海軍少将が、ヨーロッパ訪問から帰国後の1921年（大正10年）9月5日、東京女子高等師範学校（現在のお茶の水女子大学）において「東宮殿下の教皇庁御訪問」と題して、会見内容について講演を催している。それによると、教皇からは、国家間の儀礼上のルールであるプロトコールは省かれ、最初からかなり突っ込んだ政治的な発言があったと証言している。教皇がまず取り上げた話題は、1919年（大正8年）3月1日に起きた朝鮮半島での「3・1独立運動」だった。

皇太子裕仁親王殿下のローマ教皇庁訪問とローマ教皇ベネディクトXV世聖下との劇的な会談の様子については、日本国内でも大きく報道された。当時の『河北新報』（大正10年7月18日付、2面2段）に「羅馬法王御訪問　高貴護衛兵の迎接」という見出しで次のように報じられた（括弧内は著者が記す）。

「【羅馬15日發】 皇太子殿下は15日午後日本大使館より羅馬法王廳に赴かれ、護衛兵の1隊は法王宮の入口にて陸軍禮式を施し宮殿護衛兵（スイス護衛兵）は殿下を宮廷内にて迎接し　更に高貴護衛兵をして殿下を法王の正座に御案内申上げ　多數の高僧（枢機卿）之れに侍（はべ）れり殿下と法王との御對面は最も慇懃にして　右御對面後殿下及び法王は圖書館（教皇執務室）に席を移し半時間會談あらせられ　次で殿下は随員を御紹介申上げ各員は法王と自由に會話せり　尚追って殿下は高貴護衛兵に護衛せられガスタニ大僧正（ピエトロ・バルガス（Pietro Gasparri）枢機卿）御訪問あらせられたり　御訪問せられ　御退出前セントピーター寺院（サン・ピエトロ寺院（大聖堂）を御参観あらせられたりなほ殿下には16日ローマ法王廳（教皇庁）の諸博物館及び美術館を参観せらる。」

尚、ローマ法王は日本皇太子殿下の随員16名に勲章（記念メダル？）を贈呈せらりたり。

さらに同紙は「殿下の言辞は詩的で　古代羅馬の思想感化を　受けおられる」という見出しで、イタリア紙に掲載された論評を紹介している。

「【羅馬15日發】ジューナル伊太利紙は日本皇太子殿下の御来遊を論評し殿下は御愛嬌ある方なりといひ裕仁親王は伊太利に於て最も良好なる印象を與へ且何處（いずこ）にても称讃の念を惹起したりと説き殿下の言辞は非常に詩的にして常に古代羅馬及現伊太利に於けるが如き思想の感化を受け居らるる事を示し會（かつ）て伊太利に来遊せられたる貴顕にして殿下如き熱心を以て伊太利の起源に遡って之を祖述せられたるはないと指摘し政治的には日英（伊カ）両國は利害の衝突せるもののみならず兩國人民間は協同の思想と眞正の獨立心ありと述べたり[註2]」

⑶　皇太子裕仁親王殿下との会見で教皇が話題にした「3・1独立運動」

日本の朝鮮植民地支配は明治43年（１９１０年）の韓国併合によって完成し、以後は朝鮮総督府による分断性政治が行われていた。その植民地支配に対する朝鮮で起きた独立運動が「３・１独立運動」であった。この独立運動は第一次世界大戦の末期に起こった第二次ロシア革命によって世界最初の労働者政権が成立したこと、また大戦によってドイツ帝国ハプスブルク帝国などが倒れ、民族自決の気運が一挙に高まってきたこと、という流れの中で起こったもので、アジアにおいて前年の日本の米騒動、同年に起こった中国の５・４運動と連動した帝国主義に対する民衆と非抑圧民族の蜂起であった。

日本は明治43年（１９１０年）韓国を併合、ソウルに朝鮮総督府を設置し、朝鮮半島を統治下に置いた。当時の日本には韓国を併合する合理的な理由があった。しかしながら、朝鮮人のこれに対する

ヴァティカン宮殿内の執務室での教皇ベネディクトXV世
出典：ヴァティカン図書館蔵。

反発や独立を求める声は強かった。それが表面化したのが1919年（大正8年）3月1日の「3・1独立運動」だった。朝鮮総督府は武力鎮圧に乗り出し、同年5月頃までにほぼ治まった。

「3・1独立運動」は日本の韓国植民地統治35年の間で最も大きな韓国民族の独立運動事件であった。しかしこの事件に対する日本当局の認識は、一部の過激な韓国人による「騒擾事件」であるというものだった。それはこの運動の価値を下げる目的もあったし、世界の世論を意識したものであった。そして、当時の日本キリスト教徒の多数意見もほとんど同じであった。

当時韓国にプロテスタントの宣教師として駐在していた渡瀬常吉は「騒擾事件」について次のよう証言している。(註3)

「この騒擾は日本が朝鮮を併合したという「併合」其のものに対する反抗であろうか。若し「併合」其のものを非とするものであったなら、併合当時に於いて激烈なる反抗として勃発せねばならぬ。併合後約10年一日と進歩発展を遂げ、実際世評には善意の悪政などの取沙汰もあったが、今日迄進み来たのであり、且つ歴史的関係から考えて見ても「併合」其のものに反対しての運動とは思われぬ。固より日本の羈絆を脱して独立を為すが如きは彼らの望む所たらんも、事件に於いて不可能なることは彼らの能く之を知了し、半島の何人も之を認め、世界の何れと併合するよりも日本との併合を希望し居ることは疑う余地のない処であるから吾人は今回の騒擾を目して「併合」そのものに対する反対運動とは解することは出来ぬ」という内容である。

この独立運動が起きた主な原因の一つとして、韓国のキリスト者たちの間違った民族運動や政治活動が指摘されている。

話を戻すが、「3・1運動」が起きた際、独立運動で、プロテスタントの牧師が、教会の地下室で抗議文書の印刷をさせたとか、暴徒に資金援助をしたとか言われているが、ローマ教皇ベネディクトXV世は、カトリック信徒が動かなかったことに触れ、「カトリックは確立した団体、政体の変更を許さない。世界の平和維持・秩序保持のため過激思想に対し、奮闘しつつある最大の有力団体」と述べた。たとえ日本がカトリック国になっても、天皇制は微動だにしないですよ、と説いたのである。

これに対し皇太子裕仁親王は、当時、共産主義とファシズムという二つの全体主義が台頭するなか、日本を愛し皇室を守るためにローマ教皇と手を携えようと決意したのである。

皇太子裕仁親王殿下が会見した教皇ヴェネディクトXV世（在位：1914〜1922）は、1914年9月、第258代教皇として就任した。彼は第一次世界大戦という未曽有の惨劇を乗り越え、世俗国家の仲介者としての新しいカトリック教会のあり方を模索したことで知られる。そのため教皇ヴェネディクトXV世は第一次世界大戦中に和平を促す回勅をだしたり、戦後のヴェルサイユ条約の内容を批判するなど、国際政治に対して鋭い発言をしていた教皇だった。

１９２１年には、これまで反教会的なフランス政府は教皇庁に大使を派遣するに至った。その後、教皇ベネディクトXV世の説いた法による平和確立の思想は、１９２４年の国際連盟総会で、教皇の説いた５ヶ条が国際法に採用される宣言がなされた。

教皇ベネディクトXV世は、１９１９年１月30日に使徒の書簡「マキシムム・イルドMaximum Illudo（最大イルド）」を出して、宣教地での司祭養成などに力を入れた。一方、宣教事業を助ける一般信徒の信心会を広めることにも努力し、信仰広布

皇太子裕仁親王殿下が教皇ベネディクトXV世との会見した後の記念撮影

写真中央：軍服姿の皇太子裕仁親王殿下と閑院宮載仁親王殿下、右から４人目は教皇庁国務省長官ピエトロ・ガスパリ枢機卿、左から３人目山本信次郎海軍少将（1921年７月15日、ヴァティカン宮殿にて）。

出典：宮内庁所蔵。

会、使徒聖ペトロの会など戦後各国に広まった。

第2節　皇太子裕仁親王殿下（昭和天皇）のローマ教皇との会見実現の立役者 山本信次郎海軍少将

—暁星中学でフランス語を学び、裕仁親王殿下の「御用掛」に—

皇太子裕仁親王殿下と教皇ヴェネディクトXV世の会見を実現させた山本信次郎海軍少将は、1877年12月相模国鎌倉郡片瀬（現・神奈川県藤沢市片瀬）で生まれた。小学校卒業後、禁教令廃止後に開設されたカトリック教会系（フランス・マリア会経営）暁星中学校に進学した。当時はキリスト教に対する敵視が根強く、彼自身も当初は軽蔑していた。だが学校を運営しているマリア会の修道士と過ごしているうちにキリスト教を次第に理解するようになる。

信次郎はカトリックに入信することに大反対していた父を説得し、校長のアルフォンス・ヘンリック師のもとで公教要理とフランス語を学んだ。とくに山本のフランス語は、在学中の4年間の寮生活をマリア会の修道士たちと生活を共にして学んだことから、かなりできたといわれる。

そして山本は1893年（明治26年）12月24日のクリスマス前夜に洗礼を受け〝ステファノ〟という霊名を授かった。暁星中学を卒業後ヘンリック神父から軍人を志すように勧められた。1898年（明治31年）海軍兵学校を卒業し、海軍軍人としての第一歩を踏み出すこととなった。彼のその後の

山本信次郎海軍少将（大正５年１月、ローマで撮影）

出典：山本正『父・山本信次郎伝』中央出版社。

海軍生活は、海軍省勤務の参謀、副官、海外出張、外国勤務といった華やかなコースをたどった。特に彼は、常備艦隊付を発令され、常備艦隊司令長官、東郷平八郎海軍中将（後の元帥）幕僚として、その知遇を得た。

１９００年（明治33年）海軍少尉に任じ、昇進して海軍少将となる。１９０４年（明治37年）日露戦争が起こると、海軍士官として参戦し、日本海海戦には旗艦「三笠」分隊長として参戦した。とくに山本は、秋山真之とニコライ・ネボ少将の降伏交渉の際フランス語で通訳したことで知られている。

１９０９年（明治42年）海軍大学校を卒業し東郷平八郎附属副官、１９１４年（大正３年）12月から、１９１７年（大正６年）までの３年間イタリア大使館付海軍大佐武官などを歴任した。(註４)

第3節　山本信次郎と日本人最初の司教早坂久之助長崎教区長との出会い

(1)　早坂久之助神父日本人初の司教に叙階される

長崎純心女子大学理事長・学長の片岡千鶴子氏（「よきおとずれ（カトリック教報）」第1012号）（カトリック長崎大司教区報、2013年12月1日発行）によると、山本信次郎と日本人最初の司教早坂久之助神父[註5]（1883年（明治16年）～1959年（昭和34年））が最初に出会ったのは、山本少将がイタリア大使館付武官として赴任した時、早坂司教はローマ教皇庁立ウルバノ（現ウルバニアノ）大学在学中の神学生の時であるとされている。ところが、早坂司教が旧制第二高等学校卒業後ローマ教皇庁立ウルバノ大学に留学していた期間は、1905年（明治38年）～1911年（明治44年）の6年間であり、山本少将がイタリア大使館付海軍武官としてローマに赴任していた時期の1914年（大正3年）～1917年（大正6年）には早坂司教はローマで司祭に叙階されて日本へ帰国し、1911年～1921年（大正10年）まで宮城、青森、北海道、福島などで宣教・司牧活動をしていた。したがって、両人の出会いはその以前の1908年（明治41年）に山本少将が教皇ピオX世に謁見するためにローマを訪れた時か、あるいは早坂司教がローマ留学を終えて帰国後に日本で出会ったと推察される。両人の交流は、早坂司教が1927年（昭和2年）に44歳で教皇ピオXI世より直接司教に叙階される前の1921年から1925年（大正14年）までの4年間、第2代ローマ教皇庁使節マリオ・ジャルディーニ大司教の特派使節付け秘書だったころである。この間の1924年10

山本海軍少将とイタリアで親交を結んだ日本人最初の司教早坂久之助初代長崎教区長
出典：「純心女子学園」ホームページ。

月11日、早坂司教は山本海軍少将を招き、宮城県大河原公会堂で「摂政官殿下（後の昭和天皇）の日常について」と題して講演会を催している。

１９２０年代の日本はヴァティカンと正式の外交関係が樹立しないにもかかわらず、日本政府のヴァティカン外交重視策が進められ教皇使節は大使と同格待遇をもって遇された時代であった。教皇使節秘書とは、教会行政の第一線に立つことになる早坂司教は山本少将が母校の暁星中学の卒業生を中心に結成して１９２０年（大正９年）から会長を務めていた信徒・使徒職の団体「公教青年会」の活躍にも深くかかわることになる。ちなみに、山本少将は自宅を開放して若者たちを集め、その育成に当たって「公教青年会」は、その後全国組織となり、東京麹町に公教青年会館を建設、日本のカトリック教会の発展に寄与した。

一方、早坂久之助司教は、１９２７年（昭和2年）10月、日本人として最初の司教として聖ピエトロ大聖堂において教皇ピオⅪ世より直接叙階されることが決まった時、山本少将は「早坂司教表慶会」を組織して、全国的な慶祝運動を起こして拠金を集めて大いに祝福したのである。

⑵　早坂司教、女子教育修道会創立のために２人の若い教育者をフランスへ派遣

さて、話は本題から外れるが、早坂久之助司教といえば、わが国で最大のカトリック信徒数を擁する長崎教区の邦人最初の司教というだけでなく、長崎の兵器工場に動員されていた214名の「純女学徒隊」の生徒たちが原爆によって殉死したことでよく知られている「長崎純心高等女学校」と「長崎純心聖母会」の創立者として高名である。

早坂司教は、着任した長崎教区司祭団から長崎においてカトリックの教育理念に基づく女子の高等女学校を設立して欲しいという強い要望を受けた。これに応えて早坂司教はまず純心教育に生涯を捧げて奉仕する女子修道院を設立し、その修道会を設置母体に学校を創立することを計画し、準備に着手した。学校を設立するには、①教員免許を持ち教育の経験がある優れた人材が必要であり、さらに、②修道会を設立するには深いカトリックの信仰を持ち、③同時に修道会入会の希望を持っている人物が必要であった。そこで早坂司教は、２人の若い教育者をその候補者として考え、積極的に説得するようになる。その内の一人は、1899年（明治32年）２月15日、島根県簸川郡久木村にて父文之助・母ユウの第６子三女として生まれた江角ヤス女史（当時31歳）（以下敬称略江角と表記）である。江角は島根女子師範学校を経て、1920年（大正９年）３月、東京女子高等師範学校（現在のお茶の水女子大学）理科を卒業後、1926年（大正15年）３月、東北帝国大学理学部数学科を卒業して京都府立第一高等女学校数学教諭を３年間勤め、東京の雙葉高等女学校のベテラン数学教諭だった。なお、江角は東北帝大在学中の1924年（大正13年）６月、25歳の時に、女高師時代に知

り合った漢学者岡麑泉《げいせん》の次女岡はじめに勧められ、仙台市カトリック畳屋町教会で受洗している。もう一人の候補者は、早坂司教がローマ留学から帰国後、主任司祭を務めた宮城県柴田郡大河原カトリック教会の熱心な信者で、地元大河原で米問屋「渡辺屋豊吉商店」を営み宮城県米穀商同業組合評議員・同大河原支部長だった大泉豊吉・でんの第13子五女として１９０５年（明治38年）１月４日に生まれた大泉かつみ女史（当時25歳）（以下敬称略かつみと表記）である。かつみは幼児洗礼を受け、14歳で炬燵の中で一酸化炭素中毒死した長女を除いた３人の姉たち[註6]が高等女学校出身という当時としては稀有な教育環境に恵まれた家庭で育った。そのせいか幼い頃から勉強が得意で、小学校は首席で通し学年で唯一人の高等女学校進学と言うので先生が県立高女の受験を奨められたが自らカトリックの私立仙台高等女学校に入学した。舎監の鞍貫千代修女はしつけの厳しいので有名だった。同先生は女学生時代のかつみを次のように語っていた。

宮城県米穀商同業組合評議員の叙勲記念
後列右側がかつみの父豊吉（大正 13 年頃）
出典：著者個人所有。

「大泉さんは、勝気で非常に強い性格の持ち主でしたが、それでいて誰にも好かれました。本校在学中は、2年から卒業の時まで首席で通した才媛でした」

（昭和3年朝日新聞より）

彼女はフランス・シャルトル聖パウロ修道女会が創立した仙台高等女学校（現在の仙台白百合学園）を1921年（大正10年）3月、第14回生として首席で卒業した。仙台高等女学校卒業後は江角と同じ東京女子高等師範学校家事科（家政科）を卒業し、母校の教諭をしていた。当時日本では、女子の高等教育の進学率は1％以下で、国立の学校は東京女子高等師範学校と奈良女子高等師範学校の2校だけであった。

なお、かつみは仙台高等女学校在学中の4

東京女子高等師範学校家事科卒業写真（大正15年3月卒業）
最前列左から2人目が大泉かつみ（当時21歳）
出典：お茶の水女子大学デジタルアーカイブズ。

年間の寄宿舎（寮）生活を山本海軍少将と同様にフランス人のシスターたちと起居を共にしてかなりハイレベルのフランス語を習得している。

ところで、かつみが幼児洗礼を受けた大河原カトリック教会は、日本カトリック史上に名を残した浦賀奉行所組与力細渕新之丞の長男として生まれ、キリスト教禁教令下時代の1872年（明治5年）にカトリック教の洗礼を受け、伝道師となった細渕重教で知られている。細渕伝道師は、大正時代の「平民宰相」原敬内閣総理大臣とも親交があり、1898年（明治31年）から大河原町を中心とする仙南地区での宣教活動と教会活動に身を捧げ生涯を伝道師として全うした人物である。

かつみは仙台高等女学校で教諭をしていたころから修道者になることを志していたようだが、早坂司教が特に熱心なカトリック信仰者であった母でんを介してかつみが修道女になるように勧進したのである。早坂司教と大泉家が特別の間柄であっ

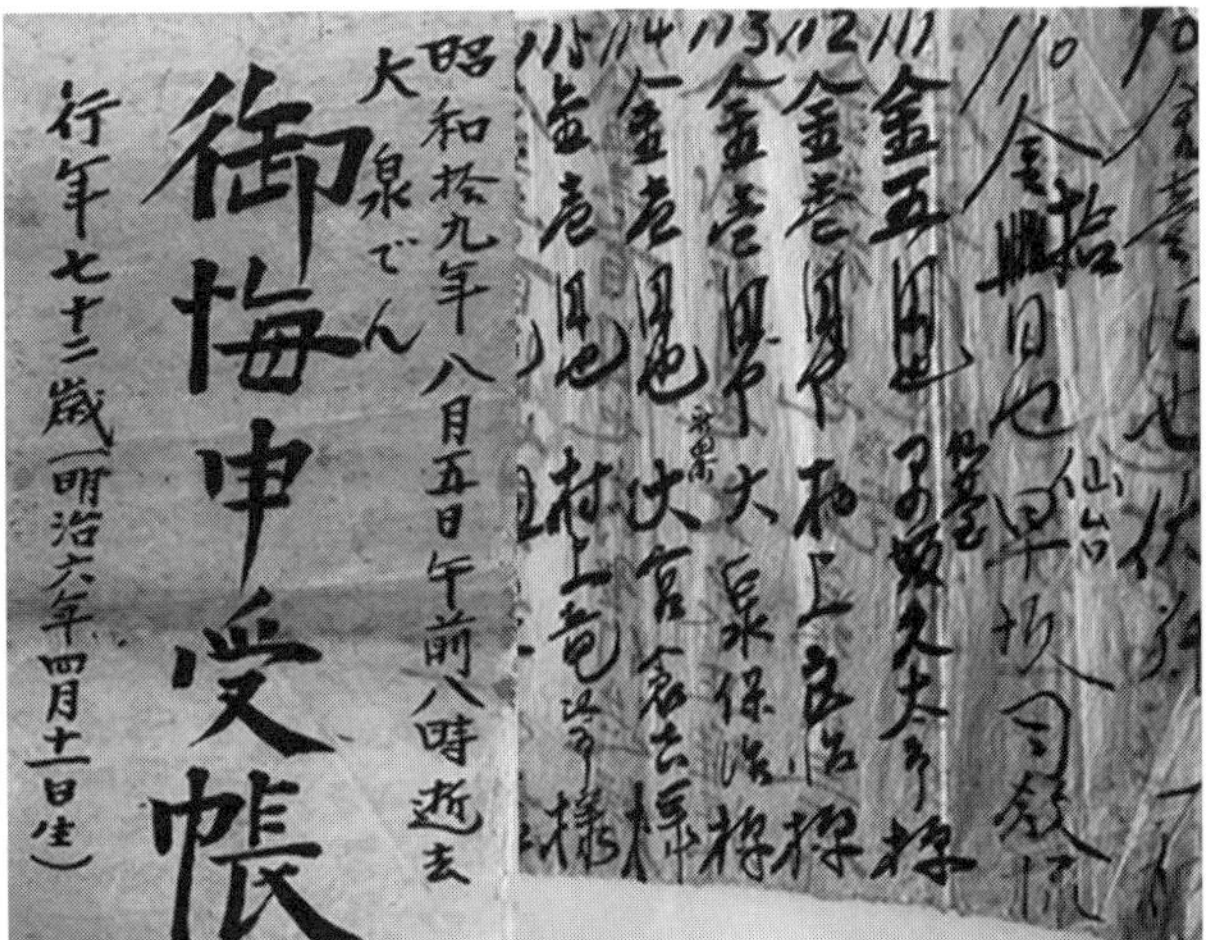

大泉かつみの母の葬儀の「御悔申受帳」（早坂司教の名前が記されている）
出典：著者個人所有。

たことは、1944年（昭和19年）8月5日、享年72歳で逝去したでんの葬儀の「御悔申受帳」の10番目に『金拾円也　早坂司教様』と、早坂司教が当時としては高額の香典を送ったことが記録されていることから分かる。ちなみに、地元で古くから代々続いた素封家の家柄だった大泉家の当主徳四郎の子息のうち長男徳治（受洗時19歳）と次男福治（受洗時15歳）兄弟は、1881年（明治14年）2月～1883年（明治16年）にかけて、仙台元寺小路教会でブロートラン神父から宮城県仙南地区で最初にカトリックの洗礼を受けた。その後、2人の兄の影響を受けて、三男の徳三郎ら弟たちが相次いで受洗した。大河原カトリック教会は当初、こうした大泉家の親族を中核にして小さな信者共同体を形成していた。一族からカトリックの司祭や修道女になったのは、かつみの従兄妹のイエズス会士で上智大学理事長・第5代学長であった大泉孝神父[註7]（大河原町名誉町民）、長崎純心聖母修道会副会長だったかつみの妹シスタークララ大泉はる[註8]、かつみの甥で姉ちめの長男野上貢神父[註9]などである。

⑶　選ばれた2人の女性は女子教育修道会設立目的でフランスへ留学
—4年後の帰国直後の2人の命運とは—

こうして選ばれた2人の若い教育者は共に早坂司教が求めていた理想的な人物であった。そして、彼女らは女子教育修道会設立のために必要な専門知識と女子教育視察（文部省嘱託）のために1930年（昭和5年）5月26日、フランス国郵船ゼネラル・メッチンゲル号で神戸港を出港し、マルセイユを経由してフランス・マルムチェ（Marmoutier）の聖心修道会（修練院）（Soears du Sacre Coeur)

に留学した。

２人は４年間のフランス留学中に修道女になるための修練を積み重ねながら、女子修道会設立や女子教育に関する調査と情報収集に励み、早坂司教に逐次報告したのである。

２人ともフランスの聖心会修練院で修道女としての初誓願（貞潔の誓願）を立て、ヨーロッパ各国視察の旅費や滞在費用を賄うために文部省嘱託となり、１９３３年（昭和８年）９月〜１９３４年（昭和９年）６月までの約８カ月間、フランス国内、英国、イタリアのカトリック系学校における女子教育を視察した。

１９３４年４月、２人は教皇庁福音宣教省長官ピエトロ・フマゾーニ・ビエンディ（Pietro Fumasoni Biendi）（１８７２年〜１９６０年）枢機卿の案内でヴァティカン宮殿において教皇ピオⅪ世の特別謁見を受けた。そして同年４月

２人の日本人シスターが特別謁見をした教皇ピオⅪ世（1922〜1939）
出典：ヴァティカン図書館蔵。

フランス留学直前に帰郷した際に撮影した和服姿のかつみ（当時25歳）（昭和５年（1930年）５月撮影）
出典：著者個人所有。

長崎純心聖母会共同設立者・初代学園長
江角ヤス会長
出典：「純心女子学園」ホームページ。

29日、ナポリから日本郵船香取丸に乗船、上海で日華連絡船長崎丸に乗り換えて6月1日に帰国した。帰国して約1週間後の同年6月9日、日本の保護者聖母マリア汚れなき御心の祝日に早坂司教は、大浦天主堂の信徒発見のサンタマリアの御像の前で「純心聖母会」創立を宣言し、江角（当時35歳）を修道会会長に、かつみ（当時29歳）を修練長に任命した。この電撃的ともいえる人事はシスター大泉にとっては「寝耳に水」であった。この時同じ使命と志をもって苦楽を共にした（？）2人の同志の運命を大きく分けた瞬間でもあった。

地元で誉高い才色兼備だったかつみにはたくさんの縁談話があったそうだ。そうした縁談話を断り、結婚を諦めて、早坂司教と交わした帰国後の女子教育修道会会長と学園長就任の約束を頑なに信じ、フランスへ留学したのである。その夢を帰国してわずか一週間で挫かれ、生きる目標を失った精神的なショックは想像を絶するものであった。カトリック教会には昔から厳格な身分階級制度があり、下位聖職者（修道女）は高位聖職者（司教）に対して絶対服従でなければならない。そのため、約束されていたことが守られず、このような理不尽で残酷な人事が行われても何ら異議を申し立てることはできなかったのである。つまり、上位聖職者の言葉（命令）は神の言葉同然であり、すべて疑問を抱くことなく受け入れなければならなかったのである。

⑷　２人のシスターの命運を分けた真相とは

今となっては、こうした人間関係を険悪にするような人事が行われた真相を知るすべはないが、はっきりしていることは２人が日本へ帰国する前に修道会と女学院の設立準備が整っていて、既に人事も決められていたのである。かつみにとって電撃的および衝撃的であった帰国後わずか１週間で人事が決められた本当の理由は何だったのだろうか。当時の『状況判断』を基にして真実を推察してみる。

① 江角はかつみより6歳年長だったからという年齢差と東京女子高等師範学校と東北帝国大学理学部卒という学歴を重んじた。ちなみに、２人とも教員免許を持ち、高等女学校での教歴は江角が6年、かつみが5年でほぼ同等であった。

② かつみの修道会会長及び女学院院長としての資質に問題があった。

③ 両人相互の嫉妬心による目に見えない激しい対立があった。

④ 早坂司教の病気発症によって同司教の「邦人初の女子修道会及び純心女学院の創立者」という実績作りに焦りがあった。ちなみに、早坂司教は２人がまだフランス留学中の１９３３年（昭和8年）10月に脳溢血で倒れ、１９３７年（昭和12年）２月８日長崎教区長を引退している。

などが挙げられる。

これらのうち②のかつみの修道会会長および女学院院長としての資質に関する疑問については否定的といえる。なぜならば、彼女が純心聖母会を脱会後、当事者を標榜中傷するような批判的な言動や行動をとったという第三者の証言や記録は何一つ残されていないからである。彼女は死ぬまで沈黙を守ったのである。このような場合、大半の人は自分の本当の気持ちを第三者に打ち明けたい心境に陥るものである。しかしながら、かつみはそれを肉親も含めて誰にも批判めいたことを書き残したり、公言することはなかったようだ。逆に指導者や教育者に求められる厳しさと優しさを兼ね備えた心の広い気骨な人物であったといえる。

③の江角とかつみのお互いの嫉妬心による対立の可能性については、誰もが否定的に考えるであろう。しかしながら、「嫉妬心」はカトリック教会における「7つの大罪（傲慢（superbia）、強欲（avaritia）、嫉妬（indivia）、憤怒（ira）、色欲（luxuria）、怠惰〈acedia〉、暴食（gula））」の罪源（Septem Peccata Mortalia）の一つにも挙げられている感情である。つまり「嫉妬心」は、人間誰しも持ち得るものであり、ごく自然の感情であるといえる。つまり、「嫉妬」とは「誰かが何かいい思いをしていたり、自分が望んでいるものを先に手に入れたりしている時に湧く感情である」。心理学的に厳密にいえば「他人を羨ましい」と思う感情を「羨望」と呼んでおり、「嫉妬」とは区別されるべきものとして定義しているが、最近では、この両者は混同して語られることが多い。ちなみに、教皇フランシスコは、「羨望や嫉妬、対立は人間の本能から生じるが、そうしたことはキリスト教的ではなく、そこから信者間に生まれる分裂は悪魔の仕業である」（２０１４年9月7日付「カトリック

新聞」)、と指摘している。

生前の2人をよく知る関係者の証言によると、一見、温厚な性格の江角と負けず嫌いの勝気な性格のかつみは極めて対照的であり、見方によっては「水と油」の関係に近かったといえる。修道女も含めすべての女性はどんな環境にいても、何歳になっても「嫉妬心」を抱くといわれる。この観点から、両者間には私たちが想像する以上の凄まじい「確執」があったと考えるべきである。

江角が修道院長兼学園長で、かつみは江角の部下として修練長の職務を遂行することを、仮に2人がフランスへ留学する以前にお互いが了解していたならば、かつみはいかなる困難や障害があっても、最後まで江角を支えたと思われる。少なくとも後述するように、突然自らも設立に参画した修道会を脱会してまで世の中と縁を切って観想修道院へ飛び込んだりはしなかったはずである。

人間は誰でも創造的活動をしたいという『自己実現の欲求』を満たそうと懸命に努力する。しかしそれが実現できないということになれば、生き甲斐を失うものである。

そもそも、早坂司教が一つの修道会組織のトップを選ぶのに2人の候補者に同等の使命を与えて4年間も留学させたことが間違っていたのではなかろうか。つまり一つの組織に2人の指導者は必要がないことは最初から分かっていたはずである。少なくとも長崎と他の地域に同じような女子修道院と女学院を設立して各々に運営を任せるとか、あるいは修道会会長と学園長のポストを各々分けて決めるべきであったと思われる。または、数カ月〜1年間程度の期間、2人の組織運営能力や管理能力、教育者としての資質（人間性）面などにおいて競合させ、司教だけの独断専行ではなく、第三者を交えて公平に選考すべきであった。

かくして、1935年（昭和10年）、中町教会敷地内において「純心女子学院」が発足し、1936年（昭和11年）4月「長崎純心高等女学校」が設置され、江角が初代校長に就任し、かつみは江角校長の下で教諭（教頭職）として短期間であったが学園発展のために尽くした。ところが、その4年後の1938年（昭和13年）4月9日、新学期が始まって間もない時期に、誰も予期していなかったことであるが、かつみは突然、「純心聖母会」を脱会し、「純心女子学院」の教諭を辞職して、世俗生活とは全く縁のない厳律観想修道院（観想修道院とは、基本的に修道院の中だけで祈りと労働を中心とした生活を送る修道会であり、外部社会とは全く関わりを持たず、外来者（家族も含む）との接触は格子越えに行い、外部者も修院内には自由に出入りできない厳格な規律がある）「ベルギー系盛岡・ドミニカンロザリオの聖母修道院」へ飛び込んだのである。おりしも、1936年（昭和11年）にベルギーのディナンから6人のドミニコ会の修道女が来日し、1939年（昭和14年）に盛岡市上田蝦夷森に修道院を建てる準備を進めていたのである。

本書の執筆を始めたばかりの頃に、著者の従妹で群馬県桐生市在住の飯野（旧姓大泉）マリエ女史がかつみの観想修道院入会の経緯について、母親の田鶴子が生前彼女に話してくれたこととして語ってくれた。その話とは、かつみの弟秀次郎の妻田鶴子に大泉でんが生前（昭和13年（1938年）5月頃）話したことである。それによると、

『かつみがフランスへ留学する前に早坂久之助司教からかつみが修道女になるように説得してくれと頼まれたという。その時早坂司教はかつみをフランスへ留学させて帰国した際には、長崎に新設する修道会会長と女学院院長に就任させてあげると約束されたという。ところが、帰国後早坂司教に裏切られその約束は果たされず、一緒にフランスへ行ったシスター江角がそれらの役職に就いた。そのことでかつみは精神的に大きな衝撃を受け耐えられなくなって、盛岡の観想修道院へ入ってしまったのである。その精神的なショックがあまりにも大きかったことと、修道女になることを強く勧めた母のことが恨めしかったのか母に会うことも躊躇い、『純心聖母修道会』を脱会して、列車で長崎から盛岡へ向かう途中、東北本線沿線に最愛の母や親族が住む故郷『大河原（駅）』がある。生まれ育った懐かしいはずの故郷に途中下車もせず、そのまま素通りして盛岡の修道院へ行ってしまった。』

と、嘆き悲しんでいたという。この証言から、早坂司教がかつみとの約束を破棄したことは明らかなようである。かつみは昭和5年5月にフランス留学へ旅立つ前に母と会ったが、それ以後は二度と会うことはなかったのである。

かつみは観想修道院に入会することで、すべての夢と人間関係を断ち切って新しい生活を始めたのである。ちなみに、創立したばかりの当時の観想修道院の収入源は、主として、ベルギー本国からの経済的援助のほか、ベルギー銘菓「ガレット」の製造販売、和洋服の仕立てなどであったが、彼女は修道院内では、若い修道女たちに裁縫と典礼ラテン語を教えながら、大学機関や研究所などから依頼されたフランス語の専門書の翻訳代で収入を得ていた。

１９６３年（昭和38年）８月20日午前２時20分、シスター・スール・ローズかつみは子宮がんのため修道院内で享年58歳の若さで安らかに逝去した。かつみが逝去した日、生れ故郷大河原町の実家の庭の赤い薔薇の花が真っ黒に変色する奇跡が起きたのである。院内での葬儀ミサ・埋葬式の司式・侍者はかつみの２人の甥、野上神父と著者が務めた。そして、かつみは臨終の僅か５日前に修友たちに、次のような「かたみの言葉（過去を思い出す材料となる言葉）」を残している。

「修道院で生きるは楽しく、死するはやすらかなり、
人間の語りうる最も真実な言葉は祈りである
その他はすべて空しい」

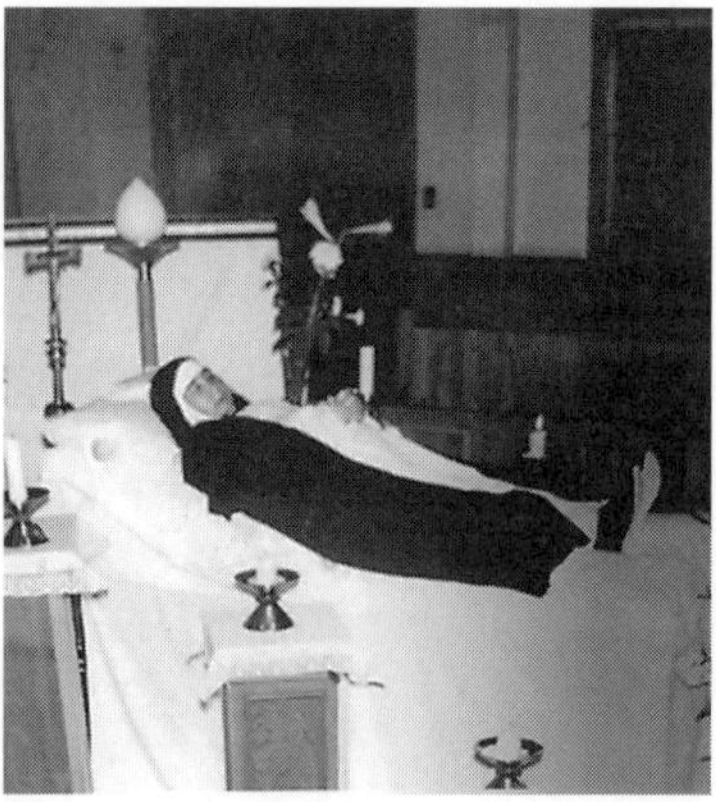

修道院内の聖堂に安置されたかつみの遺体
出典：著者個人所有。

亡くなる５日前（昭和38年８月15日）に撮ったシスター大泉かつみ（当時58歳）
出典：著者個人所有。

著者はこの「かたみの言葉」をかつみはなぜ死ぬ5日前に残したのか疑問に思っていた。まず、かつみは最初から観想修道院へ入会する考えはなかったはずであり、生涯の夢を断ち切られ裏切られた気持ちをどうすることもできず、誰も信じられなくなって、衝動的に世俗生活や人間関係を断ち切って観想修道院へ入会したと考えるのが妥当であろう。少なからず盛岡での24年間の修道生活は祈祷中心の穏やかな生活を送ることが出来た安住の地であった、しかし「人間の語りうる最も真実な言葉は祈りである」には、何か深い意味が込められているように思えた。これには早坂司教の言葉を頑なに信じて裏切られた悔しい気持ちが込められているようであり、その気持ちを神に祈ることで克服し、自分が強く望んで実行しようとしたことはすべて空しいことであったと反省したのであろう。

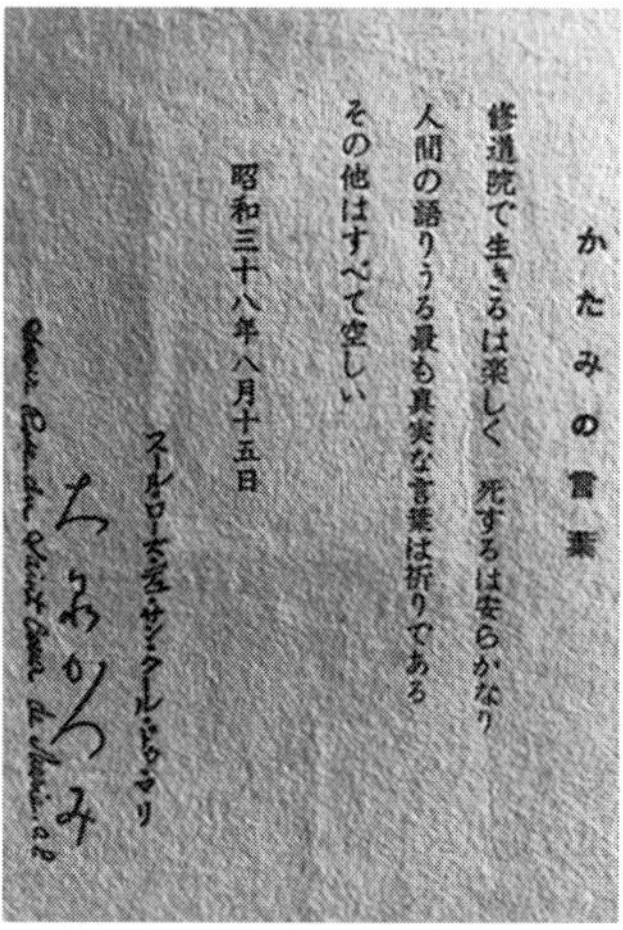
かたみの言葉
修道院で生きるは楽しく　死するは安らかなり
人間の語りうる最も真実な言葉は祈りである
その他はすべて空しい
昭和三十八年八月十五日
スール・ローズ・サン・クール・ド・マリ
かつみ

シスター大泉かつみが帰天する5日前に遺した「かたみの言葉」
出典：著者個人所有。

■悲劇のシスターの名誉回復を！

現在公表されている「宗教法人純心聖母修道会」と「学校法人純心女子学園」の学園紹介（学園の歴史）に関するホームページを見ると、「（創立者の）早坂司教は江角ヤスと同志となった大泉かつみを4年間フランスに留学させて新しい教育事業の準備にあたらせました。」とだけ紹介されている。かつみの功績に関しては何も触れられていない。1980年（昭和55年）6月3日、江角が純心聖母会修練院における修練者に対する講和の中で、次のように証言している。

かつみさんから「早坂司教様が新しい教育修道会を創るということだからあなた入りませんか…」と誘いの手紙をもらった」と述べている。したがって、ホームページで紹介されている「同志となった」ではなく、早坂司教が最初にかつみを説得し、他に誰か適任者はいないかという話になってかつみが友人の江角を誘ったのである。そのあと早坂司教が江角を説得するための手紙を書いたのである。というわけで、前に述べたように2人とも最初から同じ使命を帯びてフランスの聖心会修練院へ派遣されたのである。そこで修道女となる修練を重ねて、修道院設立や女子学園設

シスター大泉かつみが24年間の修道生活を送った当時の「盛岡・ドミニカンロザリオの聖母修道院」
出典：著者個人所有。

修道院内部（当時）の裁縫作業場で働く修道女たち
出典：著者個人所有。

立に関する様々な知識を得て帰国しているのである。とくに、文部省の嘱託で約8カ月間に及ぶフランス国内のほか、英国、イタリアのカトリック系学校における女子教育視察での専門的な調査（情報収集）では数学者であった江角より日本を発つ前からフランス語と英語に堪能であったかつみの果たした役割は大きかったといえる。その功績に付いては後世に語り継がれるべきである。また、帰国後4年間も江角の下で修道院と学園設立の基盤づくりに大きく貢献したのである。修道者としての使命と責任の重大さを最後まで強く感じていたかつみは与えられた使命を完全に果たしたい、と熱望していたであろう。したがって、かつみはかっての江角の同志というだけでなく、紛れもなく『純心聖母修道会』と『純心女子学園』の「共同設立者」であることは明白である。そして、関係のない過去の人物として歴史の闇に葬るのではなく、後世に真実を永久に伝えるべきである。

第4節　山本少将と「歩く聖人」中村長八神父

余談が長くなったので、話を戻すことにするが、1918年（大正7年）12月には、さらに講和全権委員随員として、首席全権西園寺公望氏の下に、パリのベルサイユ宮殿で開かれた第一次欧州大戦講和会議に赴いた。その帰途、南洋群島宣教師問題の解決を、教皇庁との間に計るべき使命を帯びて、独り全権団を離れて単独ローマに赴き、時の教皇ベネディクトXV世との間に、両者満足の行く合意に達し、教皇聖下より大聖グレゴリウス勲章を親授された。

その後、1919年（大正8年）から1937年（昭和12年）まで東宮御学問所「御用掛」として当時皇太子だった昭和天皇に仕え、フランス語御進講を行った。そして、1921年（大正10年）、ヨーロッパ5カ国訪問に付き添い、ローマ教皇ベネディクトXV世との会見実現に尽力した。また、政府との仲介を務め神社参拝問題の解決に努め、教皇庁特派使節として

ドミンゴス中村長八神父
出典：ペドロ大西著『ドミンゴス中村長八神父』聖母の騎士社、2007年。

ピウスXI世に謁見し、南洋諸島の宣教者問題の解決に尽くしたのである。

話は変わるが、1938年（昭和13年）7月、山本は教皇ピウスXI世の代理としてローマ教皇庁からブラジルに派遣され、サンパウロ市にて邦人司祭として1923年（大正12年）～1940年（昭和15年）の死去までブラジルで司牧生活を送ったドミンゴス中村長八神父（1865～1940年）に「大グレゴリオ勲章」を授与した。ちなみに、中村長八神父は長崎県五島列島出身で17年間にわたりブラジル在住の日本人移民・日系人の司牧活動に取り組んだ初の海外派遣日本人司祭であり、生前にすでに「生ける聖人」と呼ばれていた。ブラジルでの17年間の宣教活動中に1750名（日本人1304名／ブラジル人440名／混血児6名）に洗礼を授けた。2002年より列福調査が始まった。現在、日本人または日本で活動した人物のうちで列福調査が進められている数人の一人である。

ローマ教皇庁よりカトリック教会の高位聖職者でもない一軍人の山本が教皇代理という大役を任じ

られた背景には、歴代教皇から特別な知遇を得たからだけでなく、彼個人の修道的信仰、信心が人一倍強かったからに他ならない。

再び話を戻すが、皇太子裕仁親王殿下とローマ教皇ベネディクトⅩⅤ世との会談を実現させた山本は１９０２年、海軍中尉として初めて渡欧したとき、ローマ教皇庁を訪れて当時の教皇レオⅩⅢ世に単独拝謁を許され、さらにその5年後の１９０７年（明治40年）には海軍大尉としてピオＸ世に拝謁するなど、教皇庁内に多くの大司教や枢機卿などの高位聖職者との個人的な太いパイプを築いていった。そしてベネディクトⅩⅤ世とは、１９１４年12月～１９１７年のローマ滞在を通じて、再三拝謁を賜り、特別の知遇を得て、当時日本とローマ教皇庁との間には外交関係等がなかったにもかかわらず、皇太子裕仁親王殿下との会談実現にこぎつけたのである。

皇太子裕仁親王殿下は、１９２１年（大正10年）９月、無事御帰朝になり、その5年後の１９２６年（大正15年）には大正天皇御崩御と同時に昭和天皇として即位せられた。第１２４代天皇に即位された後もベネディクトⅩⅤ世との会見以来、カトリックに対する関心を深めていった。

第5節　教皇ピウスⅫ世聖下の教皇就任を祝した昭和天皇の書翰
―日本とローマ教皇庁間の親密な交誼促進を願う―

中世以来のヴァティカンの世俗国家的姿勢を捨てて、現代世界におけるカトリック教会のあり方を模索した教皇ピウスⅪ世が1939年2月10日に81歳で世を去った。そして、欧州大戦の危機迫る1939年3月2日、教皇を選出するための会議「コンクラーベ（Conclave）」が開かれ、枢機卿の投票によってピウスⅫ世（在位1939～1958）が第260代のローマ教皇に選任された。

同年3月12日付ヴァティカン発信の書翰で、ローマ教皇庁から日本政府（外務省）宛てに教皇ピウスⅫ世就任の外交文書が届けられた。これを受けて、昭和14年6月7日付けで昭和天皇は、次のような内容の書翰を教皇ピウスⅫ世宛てに送付した。その昭和天皇裕仁の教皇ピウスⅫ世宛て書翰（註10）は現在ヴァティカン機密文書館に保存されている。

教皇ピウスⅫ世聖下
出典：ヴァティカン図書館所蔵。

当時、日本の元首だった昭和天皇（裕仁）が教皇ピウスⅫ世聖下に宛てた親書の内容は以下の通りである。

「皇統の天子の地位の継承者、大日本帝國天皇裕仁は、非常に優れた徳があるローマ教皇ピオⅫ世聖下に申し上げます。聖下は枢機卿の選挙（コンクラーベ）（Conclave）に依って、ローマ教皇の位に就任なされた旨、本年3月12日付け親書（親翰）を以て知らされ、私は嬉しくこれを了解しました。

私はここに聖下がこの最高位（教皇）の位に就任したことを祝すると共に、貴教皇庁とわが国との間に幸いにして存在する交誼（外交交流）が益々親密を加えるべきことを確信致します。なお、聖下が私に対し心に抱いている（懐抱）友情を打ち明け、且つ私の安泰と健康を祈願して下さっていることは、私にとって感謝に堪えない次第です。

この機会に私は聖下の治世の栄華を極めることを祈念し、併せて聖下に対して至高の敬意と変わらぬ友情を表明します。」

昭和十四年六月七日

東京皇居において

裕仁（自署）

外務大臣　有田八郎

この書簡は宮内庁から外務大臣有田八郎（当時）を介して駐イタリア日本大使へ送られ、フランス語に翻訳されて外交ルートを通してキリナーレ宮殿へ届けられた。

【ローマ教皇聖下】宛親書の封書

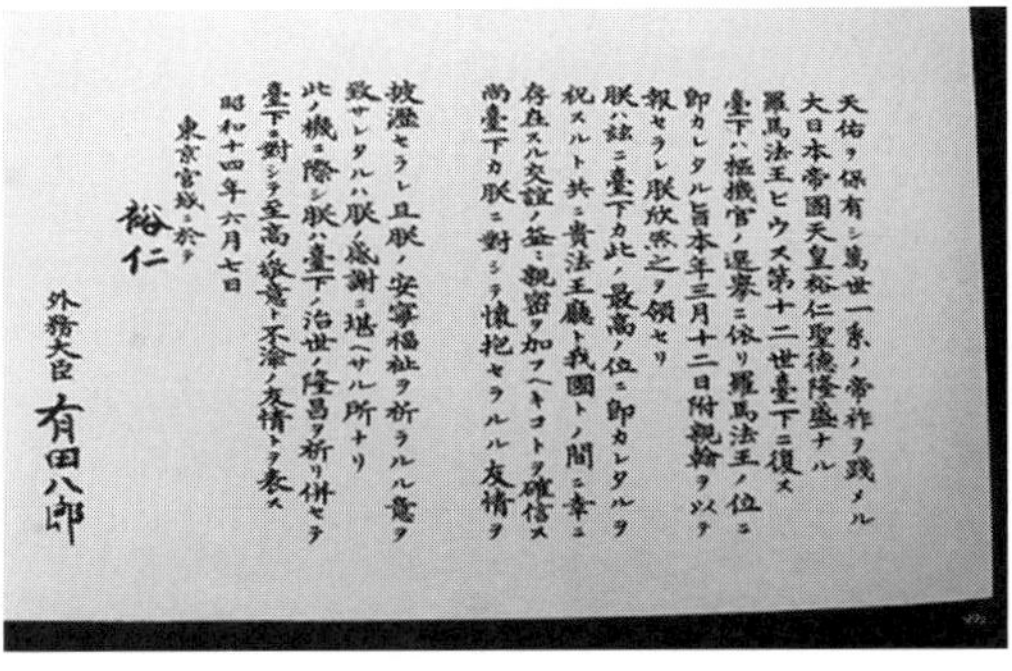

天佑ヲ保有シ萬世一系ノ帝祚ヲ践メル
大日本帝國天皇裕仁聖徳隆盛ナル
羅馬法王ピウス第十二世臺下ニ復ス
臺下ハ樞機官ノ選擧ニ依リ羅馬法王ノ位ニ
即カレタル旨本年三月十二日附親翰ヲ以テ
報セラレ朕欣然之ヲ領セリ
朕ハ茲ニ臺下カ此ノ最高ノ位ニ即カレタルヲ
祝スルト共ニ貴法王廳ト我國トノ間ニ幸ニ
存在スル交誼ノ益々親密ヲ加フヘキコトヲ確信ス
尚臺下カ朕ニ對シテ懐抱セラルル友情ヲ
披瀝セラレ且朕ノ安寧福祉ヲ祈ラルル意ヲ
致サレタルハ朕ノ感謝ニ堪ヘサル所ナリ
此ノ機ニ際シ朕ハ臺下ノ治世ノ隆昌ヲ祈リ併セテ
臺下ニ對シテ至高ノ敬意ト不渝ノ友情トヲ表ス
昭和十四年六月七日
東京宮城ニ於テ
裕仁
外務大臣　有田八郎

昭和天皇が教皇ピウスXII世に宛てた教皇就任を祝う書翰
出典：ヴァティカン機密文書館蔵（著者撮影）。

第6節　昭和天皇、大戦終結の収束のためにローマ教皇を頼る

第二次世界大戦中の陸軍参謀総長、杉山元が重要会議の中身を参謀本部の部下に記録させた参謀本部編「杉山メモ・大本営政府連絡会議等筆記」(註11)が残されている。「杉山メモ」は、元帥陸軍大将杉山元が参謀総長就任（昭和15年10月3日）以来、同大将が東条陸相と激論の末参謀総長を東条陸相の兼任に譲って、その職を辞した昭和19年2月21日に至るまでの所謂「杉山メモ」である。

この『杉山メモ』には、昭和16年11月2日国策再検討終了後東条総理、陸海両総長列立上奏ノ際ノ御下問奉答で天皇の次の発言が記されていた。

「総理ヨリ十一月一日ノ再検討最終連絡会議ノ細部ニ亘リ詳細ニ奏上シ且御前会議軍事参議官会議開催ヲ御願ヒスルコトヲ奏上ス総理ハ涙ヲ流シテ研究ニ時日ヲ費シ統帥部ノ要望スル期日ヲ逸シツツアルヲ遺憾ニ存シアリ統帥部トシテハ航空部隊の準備ニ関スル命令ヲ御前会議前ニ発令方希望ノ様テアリ其際ハ御裁可方御聖慮ヲ煩シ度イ旨申上ケ御嘉納アラセラル

天皇・・・・大義名分ヲ如何ニ考フルヤ

東條・・・・目下研究中テアリマシテ何レ奉上致シマス

天皇・・・・時局収拾ニ「ローマ」法皇ヲ考ヘテ見テハ如何カト思フ（原文のまま）」

つまりローマ教皇は世界の各国と深い関係があるし、その機関は平和的な機関なので平和に関する問題を解決するにはこの機関と連絡することが必要だと思い東条に話したのである。ちなみに、昭和天皇は昭和16年（1941年）10月13日に内大臣の木戸幸一に対して次のように語られた。

「開戦にあたっては、戦争終結の手段を初めから充分に考えておく必要がある。」開戦直後にはそのお言葉通り、ヴァティカン市国へ使節（公使）を派遣するよう東条に事実上の指示を出されている。昭和天皇はローマ教皇の国際的な影響力を重視、外交に生かそうとしたのである。こうした昭和天皇の世界観や国際政治観は皇太子時代に教皇庁を訪れた経験から生まれたものと思われる。

■教皇ピウスⅫ世、日本国民に向けてメッセージを贈る

戦後のローマ教皇庁の日本に対する外交について『昭和天皇実録』(註12)によると、サンフランシスコ講和条約締結を受け、1952年にヴァティカンは日本との国交を回復した。教皇ピウスⅫ世は日本国民を改宗させるべく、同年4月13日、復活祭に祝福のメッセージを贈った。この時日本人は現人神と信じていた天皇が人間宣言して以来、価値基準を失って一種の精神的虚脱状態に陥っていた。共産主義のような強烈な思想や価値基準に馴染めない日本人は各地で誕生した新興宗教に救いを求めた。キリスト教会は不安定な精神状態にある現状を布教の好機と捉えて、多くの宣教師を日本に送り込んだ。

教皇のメッセージというのは、聖体大会や国際的な行事が行われるたびに出されていたが、特定の国民に向けて出されるというのは、前例がなかった。この記念すべき異例のラジオメッセージは、

ヴァティカン放送局から出され、NHKラジオを通じて日本全国に放送されたのである。そのメッセージの内容は以下の通りである。(註13)

(NUNTII RADIOPHONICI SANCTISSIMI DOMINI NOSTRI PII PP. XII AD CLERUM POPULUMQUE IAPONIAE, IN DIE PASCHATIS RESURRECTIONIS D.N. IESU CHRISTI)

「ローマと全世界にキリストの復活祭を告げる聖なる鐘の音が鳴り渡るこの厳粛な日に、私もこの響きに乗せて日本の皆様にラジオを通じて御挨拶致します。

皆様にお話することを依頼された私は、この依頼を喜んでお受けしました。というのは、私が日本の皆様に対して、如何に深い、そして真実の愛情を抱いているかを公に表明することを、私は以前から望んでいたのです。遥か遠く、海と大陸に隔てられてはおりますが今日ここに皆様に対して楽しい復活祭の喜びの言葉を送るとともに、日本の司教、教区長、司祭、宣教師たちと、すべての教会の愛子達に対して祝福を送ります。また同時に、誇り高い日本国民に対して、その幸福と平安とをお祈り致します。

私はこの機会に、私が心からの憂慮と愛をもって、常に皆様に関する事柄について注意を払っているかを申し上げたいと思います。皆様に起こった数々の悲しむべき事柄については、私もまた悲しみ苦しみました。皆様にもたらされた喜ぶべき事柄については、私も心の底から喜びに打たれました。

私の日本の皆様に対する関心は深く、皆様に関するあらゆる問題が、寄せては返す波のように私の心を動かすのです。私は日本国民を尊敬し、その過去と栄誉と並々ならぬ功績に、敬意を表しております。その礼儀正しい重厚な性格、働きにも苦しみにも打ちひしがれぬ忍耐強さ、義務と公益に対する忠実さ、その芸術に対する感嘆すべき天稟、また、これは不幸なことに現在大きな危機に立ち、非常な困難にあっていますが、その家庭を重んじる堅固な美徳は、私の最も尊重するところであります。

さて、ここに私は、語らざるを得ない事柄を申し添えたいと思います。

私は福音、すなわち、かつて聖フランシスコ・ザビエルによって日本にもたらされ、今や多数の雄々しい宣教師たちによって、皆様の間に説かれているキリストの福音が、現在、より高い敬意と、より深い善意と、より大きな魅力をもって、皆様に迎えられていることに、この上ない喜びを感じるのであります。福音の栄誉とその光、真理と愛の極致こそ、神の賜物であるあらゆる善の中で、最も尊いものだと、私は確信致します。

キリストの恩寵こそ、人間性を完成するものであると固く信ずる私にとって、この日本に差し染めた福音の暁光が、やがて真昼の太陽の如く輝き渡ことを祈ること以上に、高い念願があり得るでしょうか。いと慈愛深き我らの救主は、来るべき世紀を予言して、東の国の多くの人々が天国の饗宴に座するため、来り参ずるであろうといわれました。（ルカ・13、29）。この喜ぶべき予言が、私の愛する日本に実現致しますように・・・・。私は、カトリックの名を持つ世界のすべての人々とともに、日本の繁栄とその幸福のために、全能の神に向かって、次の如き絶えざる切なる祈りを捧げます。
ああ、すべての国々の王、すべての国々の望み、東よりの光、輝かしき永遠の光にして正義の太陽なる神よ・・・・
御身の愛する日本、そして御身の名において私がこよなく愛する日本の上に、御恵みをもたらし給わんことを・・・
本日、厳粛に祝われる復活祭は、私に次のような深い思いを呼び起こします。それは人類の罪の償いのために自ら十字架に釘付けられ給い、この人類をして、真理に従って生き、徳を行うべきことをおしえ給うた神なる救主が、死に打ち勝って復活し給うたことであります。この事実は、第一にキリスト教徒に対して、そして地上に住む全人類に対して、生活の刷新を要求しています。生活の刷新とは、それによって悪徳を根こそぎ抜き去り、罪を打ち滅ぼし、品性と道徳を建て直し、すべての人々の心に、いわば新しい春の花を咲かせることであります。
私は、復活祭の典礼が意味するこれらのものを、死の勝利者であるイエズス・キリストがその限りない恩寵によって、すべての人々の上に賜わらんことを祈ります。またこれが、真の意味における揺るぎない平和再建の保障となって、日本とともに発展すべき人類繁栄の拠りどころとなることを祈ります。特に私の愛する日本国民、過去の長い歴史を通じて、その輝かしい行為がかくも偉大な気高さにおおわれ、しかも近くは、かくも多くの不幸と、はなはだしい破壊の試練に打ち叩かれている日本国民―。

私は特に皆様の上を想い、日本国が神の助けによって、現在の山なす困難の荒波と、面する幾多の問題から生ずる恐ろしい危険を乗り越え、出来るだけ早く、より幸福な時代の到来に恵まれることを期待して、神への私の切なる祈りの中に、その実現を願い求めるのであります。(註14)」

以上が19年７カ月の教皇在位中、常に「平和こそ正義の業である」と、訴え続けた教皇ピウスⅫ世の日本人向けのメッセージの内容である。教皇は敗戦ですべてを失った日本国民の復興と十字架にかかったキリストの復活を二重映しにして日本人の品性と道義を建て直すことを祈念したのである。その結果、多くの日本国民は教皇メッセージに共鳴し、滅びた国の復興のために努力し始めたのである。そして、キリストの福音を求めて教会の門を叩いた人も多くいた。教皇メッセージの２年後の１９５４年10月20日、当時の内閣総理大臣吉田茂はローマで教皇ピウスⅫ世を表敬訪問した。ヴァティカンは日本での布教活動に功績があったとして、彼に「サン・グレゴリオ騎士団勲章」を授与した。１９６７年10月20日吉田は死亡し、故人の希望で受洗し、トマス・ヨゼフの霊名を授けられた。

第7節　敗戦後、昭和天皇がカトリック聖職者と頻繁に交誼

(1) フランス人宣教師フロジャック神父との交誼
―カトリックに救いを求めた昭和天皇、敵国民の殲滅撃破主義思考から平和主義思考へ転換―

昭和天皇は敗戦後退位されようとしていた。また退位だけでなくカトリックに改宗しようとしていたのである。カトリック思考への発端は、前述したが、敗戦後天皇は、神道が戦争と結び付き、皇太后（大正天皇妃）の強い意向があったとはいえ宇佐神宮と香椎宮に勅使を詣でさせ、敵国撃破を祈り続けたことに対する深い反省の念を抱いていた。また、極東軍事裁判でA級戦犯たちが自分の身代わりに処刑されようとしていることに対する贖罪の念などから、強く深い罪の意識を抱かれ、カトリックに救いを求められたのである。こうしたことから敗戦後の占領期に昭和天皇はキリスト教、特にカトリックに接近してキリスト教徒に頻繁に会った。天皇がカトリックに接近した理由は、１９２１年の訪欧の経験が生かされている。神道に対する反省や共産党が合法化される左翼活動が盛んになり、革命の恐怖があったことが挙げられる。そのほかの理由は、ＧＨＱ（連合国軍総司令部）やマッカサー司令官に従い、皇太子の英語教師としてクエーカー教徒のヴァイニング夫人を呼ぶなど米国経由のキリスト教を取り上げる一方で、米国に対抗できる別のチャンネルも確保しておきたいという思惑もあったからである。

昭和天皇は外国人聖職者とも会っている。１９４６年（昭和21年）12月、社会福祉施設「慈生会」

の創設者のフランス人ヨゼフ・マリウス・フロジャック（Joseph Marius Flaujac）神父である。昭和天皇が最初に会ったカトリック宣教師であると言われる。この時の最初の出会いで昭和天皇は神父が手掛けた敗戦後の国民の困窮状態を救済するための福祉活動に感謝したことから、その後の交誼に結びついたのである。そしてこの時天皇は彼に教皇ピウスⅫ世に伝言を依頼している。

フロジャック神父はパリ外国人宣教会所属の宣教師で、１９０９年（明治42年）12月30日に横浜港に着いた。彼は結核患者およびその家族のための総合的な福祉施設を目指して活動し、１９３０年（昭和5年）6月、江古田に結核患者を収容するために「ベタニアの家」を開設し、さらに１９３３年（昭和8年）10月、清瀬村に同じ結核患者を収容するための「ベタニアの家」を開設した。神父はこのように東京における社会福祉活動に大きな足跡を残した人物であった。

フロジャック神父は１９４６年（昭和21年）、栃木県那須郡那須町に総合社会福祉施設「聖マリア山」を開設した。１９４７年（昭和22年）9月8日、天皇、皇后両陛下はこの施設内にある那須の開墾地を訪れ、神父の案内にて2時間余りを過ごした。このとき陛下は木蓮の苗木を植えながら、「フロ

昭和天皇と交流を深めた
パリ外国宣教会のフロジャック神父
出典：五十嵐茂雄著『フロジャック神父の生涯』。

ジャック神父の事業がこの苗木とともに、大きく成長するように……。そしてこの樹がいつもその周りに、キリストの慈愛の香りを振りまき続けるように……」と言われたという。
植樹の後、フロジャック神父が教皇に差し上げるための写真に、御署名をお願いしたところ、陛下は心よく応じられて、「法王様によろしく」と、付け加えた。(註15)
昭和天皇とフロジャック神父の交誼はその後も続けられ、1948年（昭和23年）1月28日、神父は両陛下の拝謁の後、同年3月30日、ローマ教皇庁を訪れ、ローマ教皇ピオ12世に拝謁して、天皇からのメッセージを伝え、教皇ピウスⅫ世は、天皇の伝言を確かめるべく、フランシス・スペルマン（Francis Spellman）枢機卿を教皇特使として日本へ派遣して、6月9日に天皇と会見している。
スペルマン枢機卿は天皇との会見後の記者会見で、「天皇がキリスト教に帰依することなど全く話に出なかった（「読売新聞」1948年（昭和23年）6月10日付）と語っていたが、一方、駐日カナダ政府代表ハーバート・ノーマンは本国外務省に、「天皇はますます宗教に慰みを見出している。依ってスペルマン枢機卿一行の宮中訪問は、ある意味で天皇がカトリック教徒になることについての相談するためのものだった」と送電している。そし

フランシス・スペルマン（Francis Spellman）枢機卿
出典：ヴァティカン図書館。

て、天皇からの伝言を受け取ったローマ教皇庁は、天皇がカトリック信者になる可能性について次のように言及している。

12月７日発、ヴァティカン特電「教皇庁筋によれば、１９４５年以来天皇皇后両陛下はキリスト教に多大な関心を示され、日本におけるカトリックの慈善事業に対しても皇室からの援助が行われている。日本のカトリック信者の多くは、天皇がカトリックの洗礼を受けられることを祈っている。」

（「朝日新聞」１９４８年（昭和23年）12月９日付）

⑵　天皇が初めて会ったカトリック聖職者〝聖園テレジア修道女〟

天皇・皇后両陛下が初めてカトリック聖職者と会ったのは、聖園テレジア（テレジア・イラーハウス：Thresia Illerhaus）というドイツ出身の修道女であった。

宮内庁『実録昭和天皇』によると、天皇皇后両陛下は１９３０年（昭和5年）、カトリック女子修道会「聖心《みこころ》の布教姉妹会」（聖心愛子会）の聖園テレジア修道女を両陛下主催の「観菊会」に社会事業功労者として招待した。

聖園テレジアは１８９０年ドイツ・ヴェストファーレン州に生まれる。１９２７年（昭和2年）日本に帰化し聖園テレジアに改名した。

テレジアは１９１３年（大正2年）聖霊奉侍布教修道女会所属の修道女として、キリスト教の布教のため来日した。

１９２０年（大正9年）聖園テレジアは冷害によって貧困家庭の多かった秋田県において新潟教区長ヨゼフ・ライネルス、札幌教区キノルドの指導の下、邦人修道会の聖心愛子会（現・聖心の布教姉妹会）を秋田市に創立した。孤児所「みその園」を開設し、巡回看護事業を開始後、貧困者のための医療施設や救済事業、養老院、子どものための擁護施設、託児所、幼稚園などを全国各地に開いた。『聖園テレジア追悼録』（１９６９年刊、４２０頁）によると、テレジアは１９４６年（昭和21年）に皇后陛下と数回面会している。

１９４８年（昭和23年）社会事業功労者として、他の14人と共に両陛下に面会している。このころフロジャック神父と共に天皇と頻繁に面会した。(註16)

第2章　コロンブスのアメリカ大陸発見とその領有権を巡る教皇アレクサンデルⅥ世の勅書
―諸大陸を2つに分断した教皇勅書の権威―

第1節　コロンブスの新大陸発見
―コロンブスとカトリック両王との間で結ばれた「サンタ・フェ契約」―

1486年5月1日、メディア・シドニア公が紹介して探検家・航海者クリストバル（クリストファー）・コロンブス（Christoval de Colon）（1451?～1506年）はコルドバでイサベル・ラ・カトリカI世とその夫フェルナンドⅡ世（カトリック両王）に謁見した。クリストバル・コロンブスの計画は、スペインでもなかなか認められなかった。だが幸運にも国土回復運動（レコンキスタ）の総仕上げとなった1492年のグラナダ攻略によって、8世紀ぶりにイベリア半島からイスラム勢力が駆逐されたことが彼に味方した。コロンブスの話にフェルナンドⅡ世はあまり興味を持たなかったが、イサベルⅠ世は惹きつけられた。計画はタラベラ神父を中心とする諮問委員会が設けられ、そこで評価されることになった。1486年だけで2度委員会は開かれたが、コロンブスが示したアジアまでの距離が特に疑問視され、結論は持ち越された。その後、コロンブスの計画案はタラベラの委員会や枢機密で否決されたが、1492年1月、ムーア人の最後の拠点であったグラナダが陥落したことで、スペインに財政上の余裕ができたことを契機に、イサベルⅠ世はこれで勢いを得てフェルナンドⅡ世を説き伏せ、スペインはついにコロンブスの計画を承認した。

1492年4月17日、グラナダ郊外のサンタ・フェにて、コロンブスは王室と「サンタ・フェ契約（Capitulaciones de Santa Fe」を締結した。その主な内容は、

(1)　コロンブスは発見されたすべての諸島および土地の Almirante（提督）となり、この地位はコロンブスの死後も相続される。

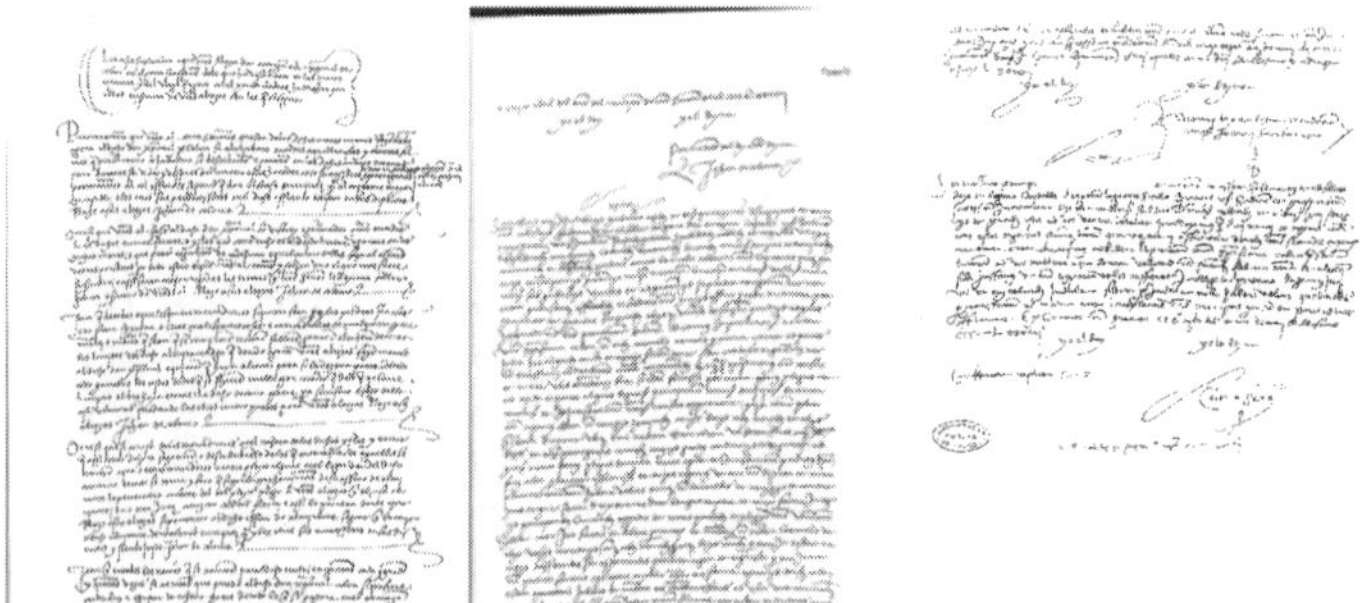

コロンブスとフェルナンド王およびイサベル王との間で締結された「サンタ・フェ契約書」

出典：スペイン・インディアス総文書館蔵（著者撮影）。

(2)　コロンブスは発見された前記のすべての土地と諸島の副王（Viserey = Virrey）および総督（Gobernador General）の任に就任する。各地の統治者は３名の候補をコロンブスに推挙し、この中から選任される。
(3)　提督領から得られたすべての純益のうち10％はコロンブスの取分とする。
(4)　提督領から得られた商品（Mercadurías = Mercaderías）の交易において生じた紛争は、コロンブスが裁判権を持つ。
(5)　コロンブスが今後行う航海において費用の８分の１（ochena parte）をコロンブスが負担する場合、利益の８分の１をコロンブスの取分とする。

というものである。

クリストファー・コロンブス
出典：1828年 Rafael Tejeo 作、マドリード海軍博物館蔵（著者撮影）。

コロンブスは航海の経費25万マラベディを調達したが、これはメディナ・セリ公やセビィリャのフィレンツエ人銀行家ベラルディから借金をしてかき集めたものだった。

１４９２年８月３日、コロンブスは、大西洋をインド（インディア）を目指してパロス港から出港した。この時の編成はキャラペル船のニーニャ号とピンタ号、ナオ船のサンタ・マリア号の３隻で総乗組員数は約90人（120人という説もある）。一旦、カナリア諸島へ寄り、大航海の準備を整えた後、一気に西進した。

そして同年10月12日、ピンタ号の水夫が陸地を発見した。コロンブスはその島に上陸し、ここを占領してサン・サルバトル島と名付ける。最初に上陸した島でコロンブス一行はアラワク族インディオス（先住民）たちから歓待を受ける。コロンブスはこの島で略奪を働き、次に現在のキューバを発見。ここを「フアナ島」と名付けた後、ピンタ号の船長のマルティン・アロンソ・ピンソンの独断によりピンタ号が一時離脱してしまうが、12月6日にはエスパニョーラ島と名付けた島に到着。12月24日にサンタ・マリア号が座礁してしまう。しかし、その残骸を利用して要塞をつくり、アメリカにおける最初の入植地を作り、39名の乗組員が残留した。

1493年1月6日にピンタ号と再び合流し、1月16日、スペインへの帰還を命じ、3月15日にパロス港へ帰還した。帰還したコロンブスはカトリック国王に新航路とエスパニョーラ島の発見の報告を終えた後、宮殿において歓迎の盛大な式典が開かれた。コロンブスは航海に先じて、発見地の終身提督職、世襲提督の地位、発見地から上がる収益の10分の1をもらう契約を交わしていた。この取り決めに従い、コロンブスはインディアス（先住民）から強奪した金銀宝石、真珠などの戦利品の10分の1を手に入れた。

第2節　諸大陸を分けた教皇勅書
—国王と教皇が諸大陸を切り分ける—

教皇ニコラウスV世（Nicholas V）は1452年、ポルトガル王アフォンソV世に異教徒を永遠の奴隷にする許可を与えた。また、スペインとポルトガルと歴代ローマ教皇は予てから、新たに発見する土地の所有権について検討していた。1455年には教皇教書「ロマーヌス・ポンティフェックス（Romanus Pontihex）」を出し、アフリカの大西洋沿岸の異教徒の土地と物品を所有する独占的な権利をポルトガル王に独占的に認めた。

1479年には、アルカソバス条約により、ポルトガルのアフォンソV世とその子息のジョアン王子は、カナリヤ諸島の領有権をスペインのフェルナンド王とイサベル王（カトリック両王）に渡した。その見返りにスペインは、アフリカでのポ

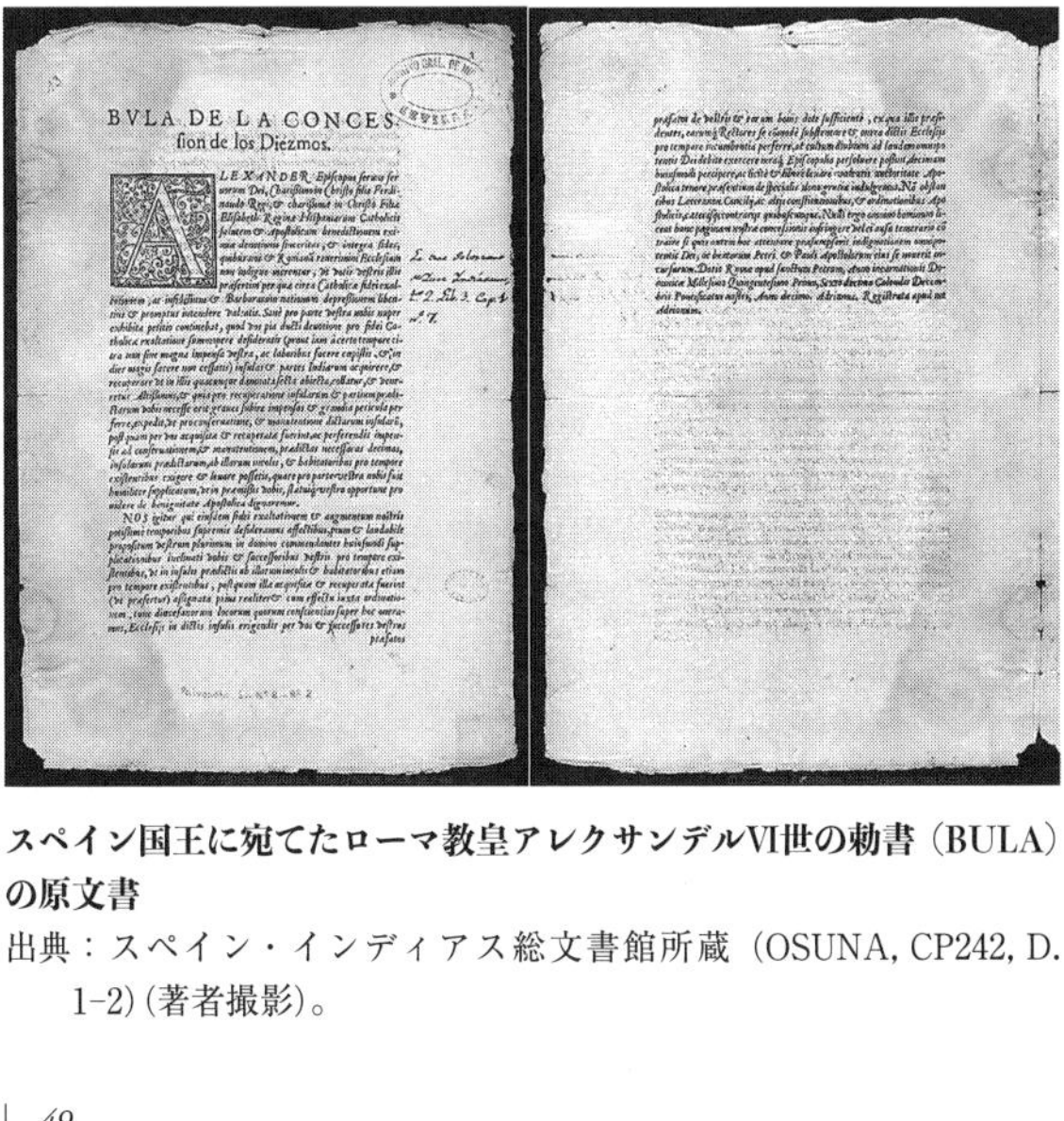
BVLA DE LA CONCESsion de los Diezmos.

スペイン国王に宛てたローマ教皇アレクサンデルVI世の勅書（BULA）の原文書

出典：スペイン・インディアス総文書館所蔵（OSUNA, CP242, D. 1-2）（著者撮影）。

ルトガルの独占的交易と、アゾレス諸島、カーボ・ベルデ諸島、マデイラ諸島に対するポルトガルの領有権を認めた。２年後の１４８１年、教皇シクトゥスⅣ世は勅書（Bula Aeterni regis de 1481）によってこの条約を再確認し、カナリア諸島から南側また東側で新たに発見される土地などはすべてポルトガルに帰属するとした。しかし、ポルトガルの国王になっていたジョアンⅡ世は、コロンブスによって発見された土地はポルトガルに領有権があると主張した。スペインのフェルナンドとイサベルのカトリック王たちはその主張を認めず、コロンブスの発見した地域を植民地にしてキリスト教化する権利を求めて、新しい教皇アレクサンデルⅥ世に訴えた。それに対して、１４９３年５月４日、ローマ教皇アレクサンデルⅥ世は勅書によって、アゾレス諸島の西百リーグの分界線を定め、スペインはこれによって、新大陸を探検し植民する独占的な権利を手にした。

教皇アレクサンデルⅥ世
出典：ヴァティカン図書館。

スペイン・ヴァレンシアのロドリゴ・ボルヒア枢機卿兼大司教は、１４９２年８月11日に教皇アレハンドレスⅥ世として選任された。彼はヴァレンシアの大司教時代の１４７２年以降イサベル・ラ・カトリカおよびフェルナンド両王と非常に親密な関係を持っていた。お互いの強い信頼関係の下で両王と教皇の間の交渉は、１４９２年まで極めて極秘のうちに進められた。そのため、交渉に関する外交文書や記録文書などは何も残されていない。ちなみに、ローマ教皇庁との交渉人として両王側からは、カルタヘナの司教でスペイン王国のローマ駐在永世大使のベルナルディノ・ロペス・デ・カルバハルが任命された。教皇アレクサンデルⅥ世は１４９３年に両王の要請に答えてカルバハル司教を枢機卿に叙階している。

諸大陸を２つに分けたアレクサンデル（教皇）勅書（Bulas Alejandrinas）とは、カトリック王の要請に応えて１４９３年にカスティリャ王国に対してアメリカ大陸を征服する権利と宣教の義務を認めたローマ教皇庁によって発行された教皇教書のことである。

カスティリャ王国の諸王に宛てたローマ教皇アレクサンデルⅥ世による４つの勅書は、次のとおりである。

第一の勅書（Breve Inter caetera de 1493）は、「全能の神の権威により」、スペインに新しい領土の独占的かつ恒久的な所有権を認めるものであった。

第二の勅書（(Bula menor Inter caetera de 1493）（教皇子午線）は、コロンブスのアジア到達の知らせに、ローマ教皇アレクサンデルⅥ世が１４９３年に設定してポルトガル・スペイン両国の勢力分界線、南北に走る境界線をアフリカのカーボ・ベルデ諸島の西方約５６０キロのところに引くものであった。アレクサンデルⅥ世は、大西洋のアゾレス諸島とヴェルデ諸島の間の海上を通過する経線の西側で発見された、あるいは発見される土地はすべてスペインのものであると定めた。また、経線の東方をポルトガルのものであると定めた。つまり教皇は、ペンで線を引くだけで、諸大陸を分けたのである。

第三の勅書（Bula Eximīae devotionis de 1493）は、スペインの影響力を東のインドにまで拡大するものだった。ジョアン王は当然、激怒した。ポルトガルの独占をインド洋にまで広げつつあったからである。そして、1497年11月22日にポルトガル人の探検家バスコ・ダ・ガマがアフリカ最南端の喜望岬を通過してインド航海を発見したのである。

そして第四の勅書は、1493年9月26日の"Bula Dudum Siquidem"である。

アレクサンデルにうんざりしたジョアンは、直接フェルナンドおよびイサベルと交渉した。スペインのカトリック王たちは、残忍なポルトガル人を恐れており、新世界を勢力下に置くのに余念がなかったので、合理的な妥協案を歓迎した。こうして、1494年

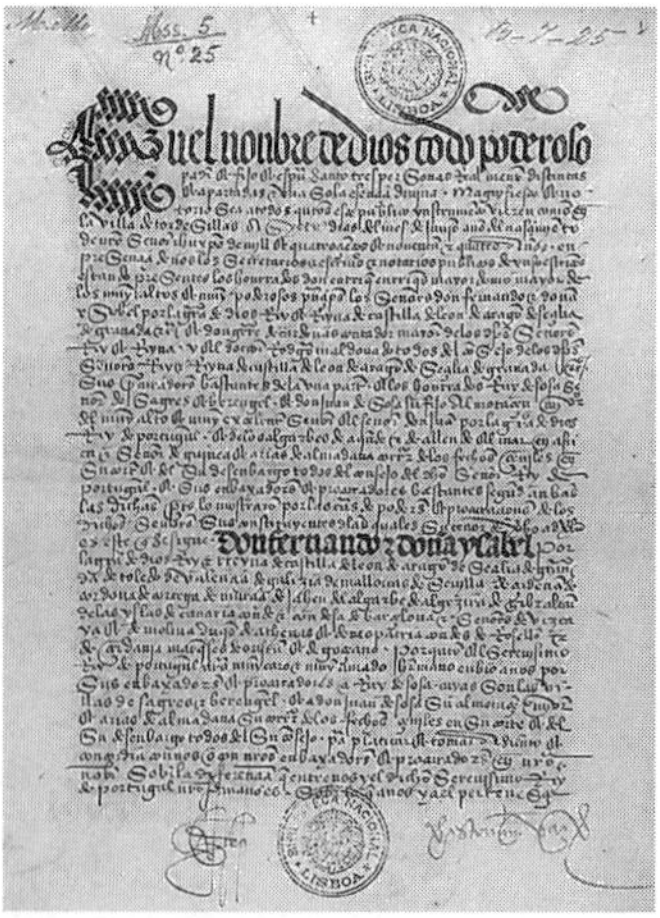

1494年に締結されたスペインとポルトガルによるトルデシリャス条約（原本）
出典：Archivo Nacional de la Torre do Tombo en Lisboa（ポルトガル）所蔵。

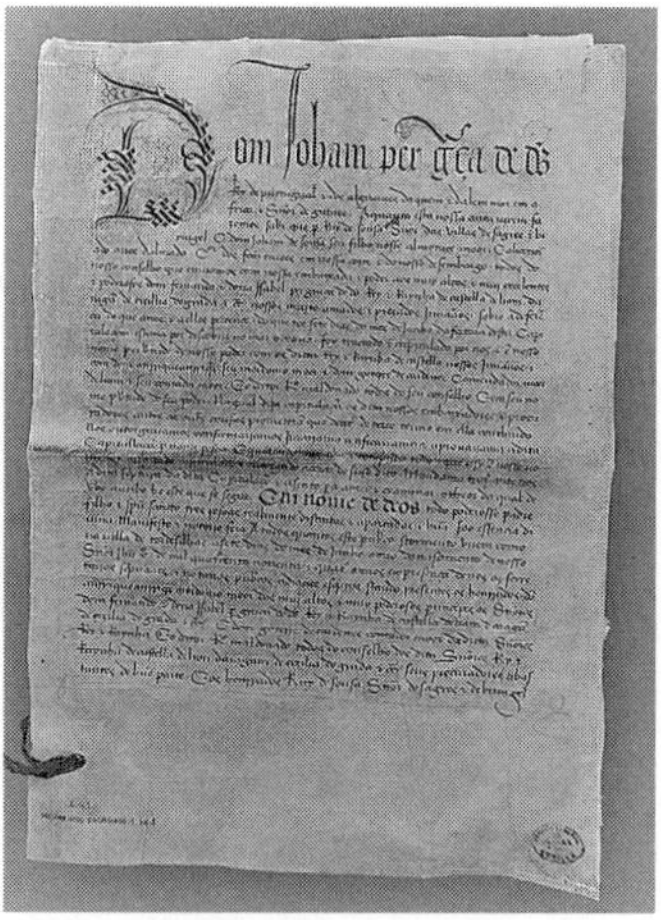

1494年に締結されたスペインとポルトガルによるトルデシリャス条約（原本）
出典：Archivo General de Indias（スペイン）所蔵。

に、スペインの「トルデシリャスで条約」が調印されることになった。その町の名を取って「トルデシリャス条約」（Tratado de Tordesillas）と呼ばれている。

「トルデシリャス条約」では、アレクサンデルの引いた南北の線を西へ１４８０キロ移動させることになった。つまり、アフリカとアジア全土はポルトガルに、アメリカ大陸はスペインに帰属すると思われた。しかし、線が西に移動したことにより、当時まだ発見されておらず、後にブラジルとして知られるようになった土地の大部分はがポルトガル領になった。

これらの教皇回勅は、新たに発見した土地を領有し防衛する権限をスペインとポルトガルの与えるものであり、多くの流血行為の根拠とされた。そうした回勅により現地に住んでいた人々の人権は踏みにじられ、征服や搾取が行われたのであ

コロンブスが第一回目の航海の成果についてバルセロナでフェルナンド王とイサベル王に報告
出典：R. Balaca 1874 年制作、Buenos Aires, Museo Histórico Nacional 所蔵。

る。また、権力と公海の自由を巡る諸国家の紛争が何世紀も続くことになった。

第3節　コロンブスの新大陸発見に伴うローマ教皇アレクサンデルVI世のカトリック王に宛てた勅書（Breve Inter caetera de 1493）

ヴァティカン機密文書館に所蔵されているコロンブスが新大陸に最初に到達した知らせを受けた当時のローマ教皇アレクサンデルVI世は１４９３年３月４日付ローマ発信で、カスティリャ、レオン、アラゴングラナダの王フェルナンド王とイサベル王（カトリック王）に宛てた勅書〈Breve Inter caetera〉（Vol. cart. mm 280×215, ff. 323）を送った。

ラテン語で書かれたこの勅書の前半部分では、教皇アレクサンデルVI世は、宗教的な外交辞令を長々と述べているが、後半部分では、「私たちは貴下たち

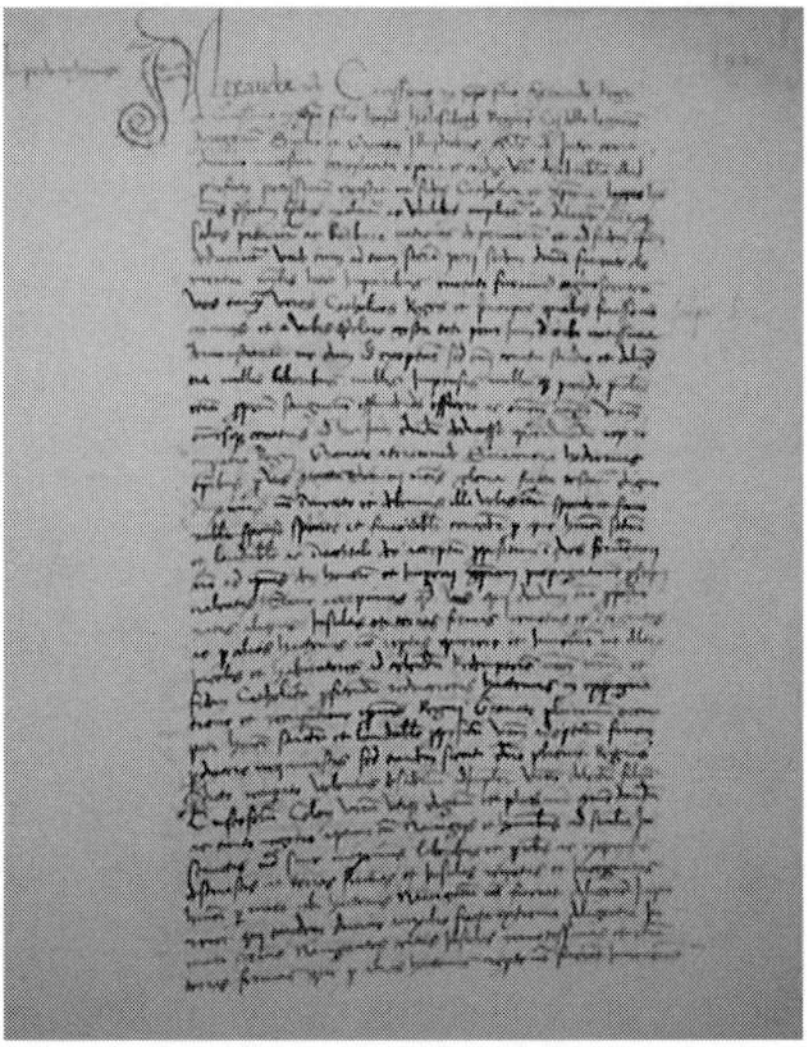

コロンブスによる新大陸発見後のスペイン出身のルネサンス期を代表するローマ教皇アレクサンデルVI世（在位：1492～1503年）（本名ロドリゴ・ボルジア）の勅書下書き（Breve Inter caetera de 1493）、1493年5月4日付、ローマ発信。

出典：ヴァティカン機密文書館所蔵（ASV. Reg. Vat.777, f192r）（著者撮影）。

が数年前から他の人たちが今まで発見しなかった、遠く離れた、未知の諸島と土地を探索し、発見するための提案がなされていることを承知しておりました(註1)（中略）……」と述べている。

スペイン・バレンシア出身でフェルナンド王とは、教皇就任以前から親交があり、同王から情報を得ていた教皇アレクサンデルⅥ世は、勅書の中でカトリック王とコロンブスが大陸発見のための探検計画を進めていることを前もって承知していたことを公式に認めて述べている。

「カトリック王は、親愛なるクリストバル・コロンブスに対し、困難性、危険性や巨額な経費負担などがなかったわけではないが、貴下たちの目的を満足させることができた(註2)」、とも述べている。

第４節　ルネサンス期を代表するローマ教皇アレクサンデルⅥ世の権勢

アレクサンデルⅥ世（本名：ロドリゴ・ボルヒア）（在位：１４９２〜１５０３）は、ルネサンス期を代表するローマ教皇であり、また最も悪名の高いローマ教皇である。出身はスペインで本名はロドリゴ・ボルシア。権謀術数と毒殺などで競争相手を倒して頭角を現した一族である。当時は教皇に選任されると、教皇領の統治者としての富を持ち、一族を教皇庁の要職につけたり、高位の聖職者に任命したり、またイタリアの各領主と取引をして領主の地位を与えたり、権力を揮うことができた。

アレクサンデルⅥ世は聖職者なので子どもがいるはずはないが、愛人の子と言われている息子のチェーザレ・ボルシアをヴァレンチノワ公に仕立て、娘のルクレツイアはフェラーラ公などに嫁がせ権勢を揮った。

１４９４年、フランス王シャルルⅧ世がナポリ王国の王位継承権を主張してイタリアに侵入、イタリア戦争が始まると、スペインのフェルナンドⅤ世、神聖ローマ皇帝マクシミリアンⅠ世、ヴェネツィア、フィレンツェなどが対仏同盟を結んで反撃し、フランス軍を撤退させることに成功した。スペインの協力で危機を脱したアレクサンデルⅥ世は、１４９６年にフェルナンドとイサベルにカトリック両王の称号を贈った。

アレクサンデルⅥ世による教皇庁の乱脈は、教会批判を呼び起こし、ルネサンスの全盛期出あったフィレンツェではサヴォナローラによる急進的な政治と教会の改革が行われたが、アレクサンデルⅥ世はそれを異端であると断じ、処刑した。彼の教皇としての業績は、前述したように、コロンブスのインディアス（西インド諸島）への到達に始まるスペインとポルトガルの海外領土を巡る紛争を調停し、１４９３年に植民地分解線として教皇子午線を定めたことである。もっともこれは出身国スペインに有利に調停したので、ポルトガルの反発を受け、翌年の１４９４年に両国が直接交渉して『トルデシリャス条約』の締結となる。

１５０３年、アレクサンデルⅥ世の死により次の教皇となったユリウスⅡ世は、チューザレ＝ボルシアらを一掃し、ボルシア家の影響力を排除した。

第3章　駐ドミニカ共和国教皇大使が教皇ピオⅨに宛てたコロンブスの遺骨発見に関する調査報告書
―コロンブスの遺骨を巡る謎を追う―

第1節　コロンブス、スペインの古都バリャドリードで病死
―遺骨はバリャドリード、セビィリャ、サント・ドミンゴ、キューバ、セビィリャと移動を繰り返す―

(1) コロンブスの遺骨はセビィリャからサント・ドミンゴへ移送、そして再びセビィリャへ
―死後も航海を続ける―

1506年5月20日、コロンブス（Cristobal Colón）は、スペインのフェリッペⅡ世全盛期の中心都市バリャドリードの船乗り仲間の家で病死した。葬儀はバリャドリードの古い教会で営まれ、遺体

は一時フランシスコ会修道院に保管された。その後、コロンブスの息子のディエゴがコロンブスの遺骸をセビィリャのサンタ・マリア・デ・ラス・クエバス修道院に移した。さらに、1509年4月11日に、コロンブスの遺骸は、コロンブスの執事でいとこのファン・アントニオ・コロンによって、カルトゥジオ修道教団へ引き渡された。

15世紀の著名な歴史家でドミニコ会司祭のバルトロメ・デ・ラス・カサス（1484～1566）の著書『インディアスの歴史』によると、コロンブスの遺骸は、1561年末にセビィリャからカリブ海のサント・ドミンゴのカテドラルに移されたと記録されている。一方、19世紀の歴史家アントニオ・ロペス・プリエトがによると、コロンブスの遺骨は、1536年にコロンブスの息子の妻マリア・デ・ローハス・イ・トレドがカルロスV世皇帝から義父の遺骨をサント・ドミンゴのカテドラルに持って行く許可を取得し、セビィリャのサンタ・マリア・デ・ラス・クエバス修道院からカラベラ船でサント・ドミンゴに移されたと、記録されている。しかしながら、遺骨が移送されたと伝えられる1536年という期日にはいくつかの疑問が生じる。なぜならば、国王カルロスV世がサント・ドミンゴのカテドラルの主任司祭（司教地方代理）および司教座聖堂参事会に対し、コロンブスとコロンブスの息子のディエゴを同カテドラルに埋葬するように命令した国王の勅令が存在しているからである。こうした経緯（経過）を示す手紙や書類の日付が1537年、1539年、1540年と遺骨が移送された年の1536年より後になっている。その上、サント・ドミンゴのカテドラルの修復工事が完了したのが1540年であった。こうした点から1536年移送説は、セビィリャからサン

コロンブスの息子ディエゴ総督
出典：Arranz, Luis: Don Diego Colón, T. I. Madrid, CSIC, 1982.

ト・ドミンゴへ移送された正確な期日を知ることはできない。スペインのサン・ルカール・デ・バラメダ港からサント・ドミンゴ向かった一隻の船が通過した１５４４年７月10日とも一致する。前述の船には１５２６年２月23日にスペインのモンタルバンで亡くなっていたクリストバル・コロンの息子ディエゴ・コロンの未亡人マリア・デ・トレドが夫の遺骨を持参して乗船していた。また、同船にはフライ・バルトロメ・デ・ラス・カサスも乗船していて同年９月９日にサント・ドミンゴに到着している。したがって、クリストバル・コロンブスの遺骨もこの船で息子のディエゴの遺骨と共に１５４４年にサント・ドミンゴに運ばれた可能性が高いのである。一方、コロンブスの遺骨が１５４０年にコロンブスの孫ルイス・コロンによってセビィリャからサント・ドミンゴに運ばれたという推察もできる。

　このようにコロンブスの遺骨がサント・ドミンゴに移送された期日には多くの説があるが、遺骨がサント・ドミンゴに運ばれ、カテドラルに埋葬されて、１７９５年にキューバのハバナに移送されたという事実には変わりはない。

⑵　19世紀末にサント・ドミンゴからキューバへ移送され、その後再びセビィリャへ移される。

１７９５年７月22日、スペインの国王カルロスⅣ世時代にコロンブスが１４９２年に発見したカリブ海に浮かぶエスパニョーラ島を統治していたが、この島はフランス革命戦争でのスペインとフランスの講和（バーゼルの和約）によりフランスに割譲された。西側３分の１をフランス領ハイチ共和国、東側３分の２をスペイン領ドミニカ共和国が統治するようになった。スペインがエスパニョーラ島の３分の１をフランスに割譲後、サント・ドミンゴの当時の大司教だったフライ・フェルナンド・ポルティリョがフランスとの多くの割譲手続きの中で最も重要なことはコロンブスの遺骸をスペイン領キューバのハバナに移送することであると考え、国王代理ヴェラグア公爵、スペイン軍のカリブ海司令官アリスティサバル将軍らの協力を得て、１７９５年12月20日にコロンブスの遺骸の発掘作業が行われた。この発掘に立ち会ったすべての人の証言が残されている。公証人ホセ・フランシスコ・イダルゴによって大聖堂内の地下納骨堂に埋葬されていたコロンブスの細かな骨片を新しい柩に入れ替えた。翌日の12月21日にカテドラルにおいてコロンブスの慰霊の荘厳ミサが捧げられ、柩はミサ終了後に裁判所員によってアリスティサバル将軍が待つ港へ運ばれた。そして、サント・ドミンゴから艦船・サイス・デ・ラ・カサス総督に引き渡され、カテドラルに埋葬された。

ところが、１８９８年９月26日、米海軍の軍艦爆発を機に勃発した、米西戦争でスペインは敗北し、カリブ海（キューバ）および太平洋（フィリピン諸島）のスペインの旧植民地に対する管理権を米国が獲得したため、キューバの大聖堂にあるコロンブスの遺骨は、再びスペイン本土へ移送され、セビィリャのカテドラルに保管されるようになった。

その後、ドミニカ共和国は、キューバに渡した遺骨は、コロンブスの息子のもので、遺骨はずっとエスパニョーラ島にあると主張したのだ。１９９２年、ドミニカ共和国ではコロンブス記念灯台を建設、遺骨を移したとしている。スペインにとってもドミニカ共和国にとってもコロンブスの遺骨は、最大の観光資源であることから、両国共に譲る気配はない。

第2節　サント・ドミンゴ大聖堂の修復工事中にコロンブスの遺骨を発見
―駐ドミニカ共和国教皇大使が教皇レオネⅩⅢ世に宛てた調査報告書から―

ヴァティカン機密文書館に、当時の駐サント・ドミンゴ教皇大使C・ロッコ（Cocchia Rocco）大司教が１８７７年9月10日付、サント・ドミンゴ発信で、教皇ピオⅨ世に宛てた「クリストファ・コロンブスの遺骸の発見・調査報告書」（VERBALE della scoperta e ricognizione dei Resti mortali di Cristoforo Colombo）（mm320×220, ff.8）（Arch, Nunz, Santo Domingo, Cocchia

第255代ローマ教皇ピウスⅨ世
（1846～1878）
出典：ヴァティカン図書館。

Rocco, I fasc.1 (1) ff.159r. (CXXXVIII), 163v.（CXXXIX)）が所蔵されている。

この報告書によると、カリブ海の小国ドミニカ共和国の首都サント・ドミンゴにあるカテドラルで１８７７年４月にロッコ教皇大使の命により始められた大聖堂内部の床張の修復工事中に、人間の遺骨が入った非常に重い鉛の箱（棺）が発見された。その棺には〝ルイス・コロン（Luis Colón）〟という名前の文字が刻まれていた。多分、クリストバル・コロンの孫のフリオ・デ・ディエゴである。

同年8月18日、サント・ドミンゴ、ハイチ、ヴェネズエラ駐在教皇大使ロッコ大司教は、カテドラルの床下にある別の埋葬跡を調査するように命じた。調査の結果、カテドラルの床下に壊れた多数の石片の側に一つの墓が見つかった。それらの石片を取り除くと、壊れた壁の残

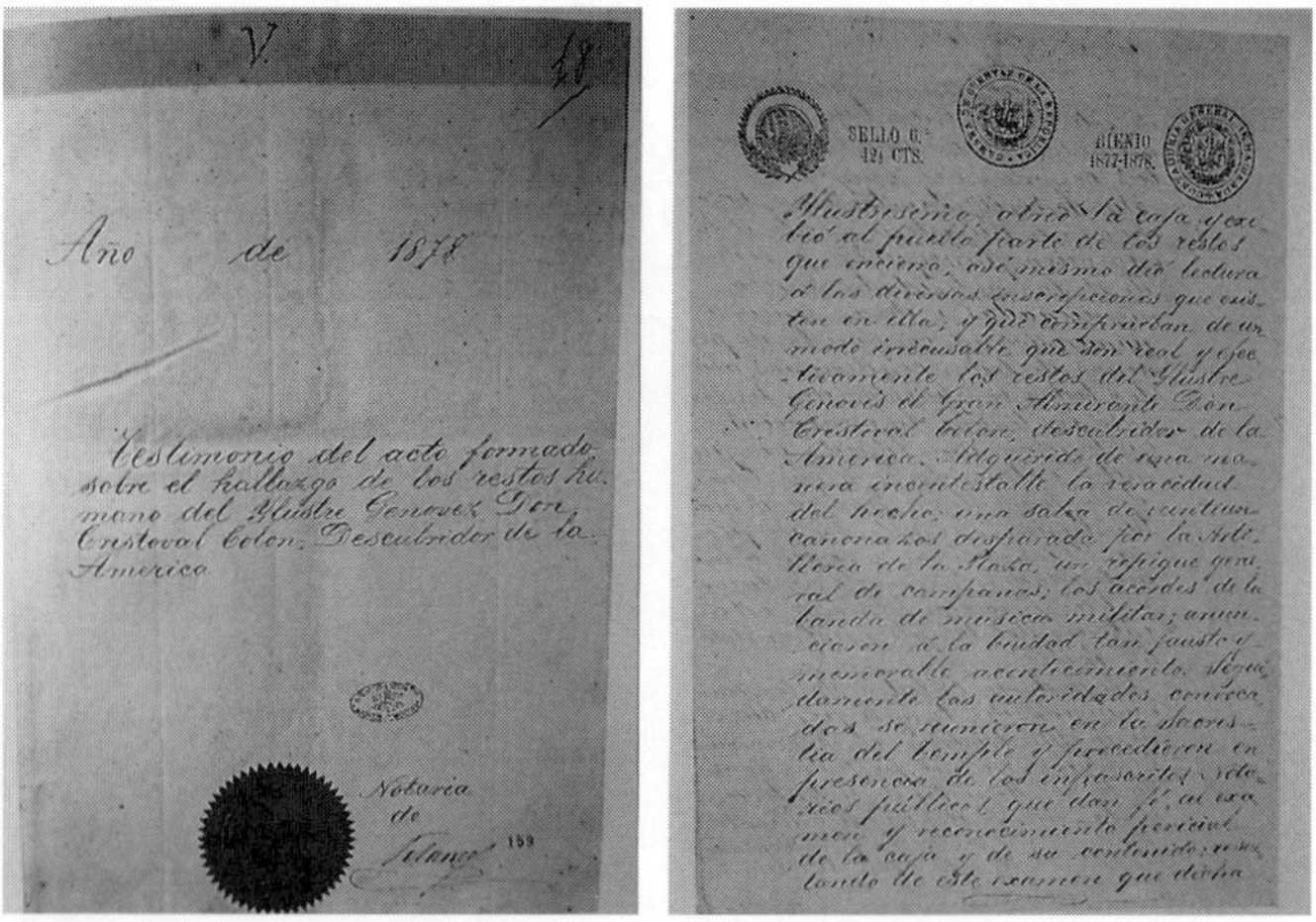
V.

18

Año de 1878

Testimonio del acto formado sobre el hallazgo de los restos humanos del Ylustre Genovés Don Cristoval Colon, Descubridor de la America

Notaria de

SELLO 6.° 12½ CTS.

BIENIO 1877-1878.

Ylustrisimo, abrió la caja y exhibió al pueblo parte de los restos que encierra; así mismo dió lectura á las diversas inscripciones que existen en ella, y que comprueban de un modo irrecusable que son real y efectivamente los restos del Ylustre Genovés el Gran Almirante Don Cristobal Colon, descubridor de la America. Adquirida de esta manera incontestable la veracidad del hecho, una salva de veintiun cañonazos disparada por la Artillería de la Plaza, un repique general de campanas, los acordes de la banda de música militar; anunciaron á la Ciudad tan fausto y memorable acontecimiento. Seguidamente las autoridades convocados se reunieron en la sacristía del templo y procedieron en presencia de los infrascritos notarios públicos que dan fé, al examen y reconocimiento pericial de la caja y de su contenido, resultando de este examen que dicha

駐サント・ドミンゴ教皇大使が教皇ピオⅨ世に宛てた「クリストファ・コロンブス」の遺骸の発見・調査報告書

出典：ヴァティカン機密文書館所蔵（著者撮影）。

骸に覆われた金属製の柩（42×20・5×21㎝）が現れた。その柩の中には、13個の大きな骨と28個の小さな骨片が入っていた。棺のプレートには辛うじて判読できる略語で〝P. er A.te〟と記されていた。この略語を解読すると、PはPrimierであり、Ā.teはAlmiranteと判読でき、〝最初の提督〟（クリストファー・コロンブス）という意味である。報告書によると、コロンブスの遺骨の発見には、C・ロッコ大司教のほか、ドン・マルコス・アントニオ・カブラル内務大臣、ドン・フェリッペ・ダヴィラ・フェルナンデス・デ・カストロ外務大臣、ドン・ホアキン・モントリス司法・公共教育大臣など多数のドミニカ政府高官が立ち会っている。コロンブスの遺骨発見に伴う詳細な報告書を1878年8月14日付に公証人のペドロ・ポランコが発表している。

C・ロッコ大司教（1830〜1900）
（駐ドミニカ共和国教皇大使：1874年7月〜1883年8月）
出典：Roque Cocchia. Disponible en: Venezuela Tuya. Consultado el 1 de septiembre de 2015.

一方、スペインの「コロンブスの遺骸調査委員会」委員で歴史家のマルシアル・カストロ（Marcial Castro）博士によると、サント・ドミンゴのカテドラルで発見された鉛の棺には〝著名で傑出した男子ドン・クリストバル・コロン（Ilustre y esclarecido varón Cristobal Colón）〟と刻まれていたと、C・ロッコ大司教の報告書の内容と異なることを述べている。

第3節　コロンブスの遺体埋葬地の謎を追う
―セビィリャ大聖堂のコロンブスの遺骨の発掘調査―

(1)　セビィリャ大聖堂の遺骨の真贋調査
―スペインの法医学専門家チームによるコロンブスの遺骨のＤＮＡ鑑定―

コロンブスの遺骨がスペインのセビィリャ大聖堂とカリブ海のドミニカ共和国に埋葬され、どちらが本物かとの論争が続いている。その決着をつけるためのＤＮＡ鑑定がスペイン国立グラナダ大学で行われた。

２００３年６月２日、コロンブスの墓があるセビィリャの大聖堂でコロンブスの子孫２人の立ち合いの下、２つの箱が掘り出された。一方にはコロンブス本人、もう一方にはコロンブスの息子フェルナンドの遺骨が入っているとされる。さらにセビィリャ市近郊の

セビィリャの大聖堂に安置されている
コロンブスの遺骨
出典：著者撮影。

ラ・カルトゥハ・デ・ピックマンからコロンブスの兄弟ディエゴの遺骨を納めたと見られる箱も発掘。3つの箱は警察官の護衛付きでグラナダ大学へ運ばれた。同大学のDNA鑑定研究所（LIG）の研究チームは遺骨のDNAを基に3人の血縁関係を検証した。これらの遺骨はいずれもコロンブスの家系のものであることは分かったが、コロンブスの遺骨であるという確証を得るまでには至らなかった。

LIGの所長で研究チームの責任者であるホセ・アントニオ・ロレンテ教授は、「コロンブスがどこに埋葬されたのかという謎を歴史家は誰も解明できなかった。研究チームはドミニカ共和国に安置されている遺骨についても鑑定

コロンブスが眠っていると言われるサント・ドミンゴの大理石の墓
出典：著者個人所有。

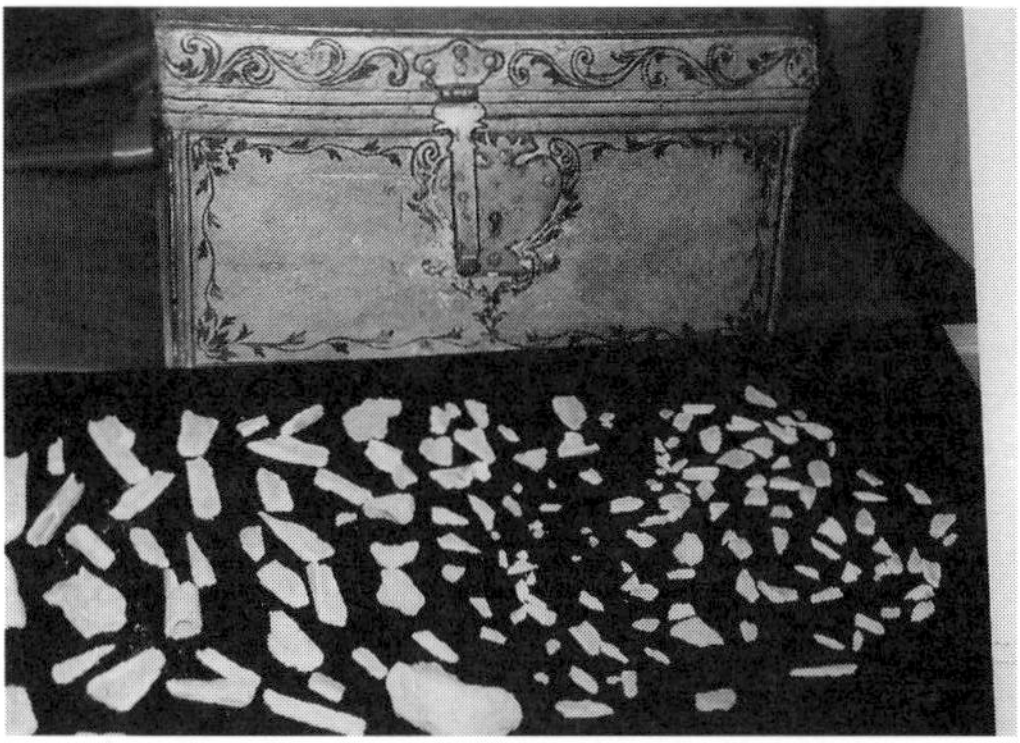

セビィリャ大聖堂に保存されているコロンブスの遺骸
出典：スペイン国立グラナダ大学「DNA 鑑定研究所（LIG)」。

を申し出たが難色を示した」と語っている。ドミニカ共和国側は前述した１８７７年にサント・ドミンゴ大聖堂で発見された遺骨が本物で、スペイン側がキューバから持ちだした遺骨はコロンブスの息子のものであるとの見解を貫いている。ちなみに、ドミニカ共和国は１９９２年、コロンブス記念灯台を建設、遺骨を移したとしている。そのため両方の比較ができないため今なお結論は謎のままとされている。

第4章　モンゴル帝国第3代皇帝グユク・ハーンと教皇インノケンティウスⅣ世の確執
―グユクがローマ教皇に宛てた前代未聞の勅書とは―

第1節　モンゴル帝国第3代皇帝グユク・ハーン勅書の歴史的価値
―モンゴル帝国史における第一級の歴史史料―

モンゴル帝国太祖チンギス・ハーンの孫で第3代皇帝グユク・ハーン（Güyük Khan：定宗）（在位：1246年8月24日～1248年4月20日）が1246年11月付けで教皇インノケンティウスⅣ世に宛てた勅書が1920年にヴァティカン図書館で発見された。モンゴル帝国で作成された経緯・来歴がはっきりしている命令文書としては最古のものである。またこの書簡に捺印されているウイグル文字によるモンゴル語の印璽銘文もモンゴル語の史料として実質最古のものである。この勅書はアラビア文字で書かれ、「神の力により、万民の皇帝（支配者）、偉大な教皇に確かな書簡を届ける」

（ای ن مثا لعىسىتىبىن ز دىىكىپ اب ءكلا انفرسىتى اد ەش د ،ب دان دو مءع ول مکىن دم انبشتى دو زفان• و لا ىتە ا ء……）
という冒頭の３行のみテュルク語であり、それ以外はすべてペルシャ語で書かれている。

本文中ではグユク自身と祖父のチンギス・ハーン、父のウゲディ（オゴディ）を「ハーン」とそれぞれ呼んでおり、オゴディのみを「ハーン」と呼ぶ特別な称号がグユクの即位直後から既に使われていたことが分かる貴重な証拠である。ちなみに、元来は「カガン」といったが、13世紀ごろには「カアン（カーン）」となり、発音の変化が起こって「ハーン」となったといわれている。なお、グユクは「カアン」ではなく、「カン」と称した。「カアン」は父オゴディだけの称号と考えたのである。しかし、第4代皇帝モンケは再び「カアン」の称号を使用し、元朝の歴代皇帝はすべて「カアン」を称することになる。

この勅書はモンゴル帝国がキリスト教に改宗する気はないことを示し、ローマ教皇およびヨーロッパ各国の君主はモンゴル帝国を直接訪れて忠誠を誓うべきだという内容が記されている。当時、いかにモンゴル帝国が強大でヨーロッパを震撼させていたかを知ることができる第一級の史料である。

第2節　モンゴル帝国軍によるヨーロッパ侵攻
―ハンガリー国王、ローマ教皇に援軍派遣を要請―

13世紀初頭にモンゴル高原を統一したモンゴル帝国はカラキタイを滅ぼし、金、西夏を攻めていたが、1218年にペルシャから中央アジアにかけて覇を唱えていたホラズム・シャー朝にチンギス・ハーンが450人の商人と5百頭の羊を連れた通商使節団を派遣した。これに対しオトラルの総督はこれを密偵と断定し、使節団の一人を残して殺害し、商品を略奪する事件が起こった。この事件の報復を理由にしてモンゴル帝国はホラズム・シャー朝への遠征を開始し、対金戦争の経験を活かし、冷静に各都市を撃破し、1220年にほぼ崩壊させた。その後モンゴル帝国は小部隊に分かれて北部の各地を征服した。

1235年、モンゴル帝国の首都カラコルムで開かれたクリルタイ（国会）で、ボルガ河以西への遠征が決議されたころ、ローマ教皇の命によりハンガリーの首都ブダペストのドミニコ修道会の4人の修道士がモンゴル人の動静を探索するため東へ向けて旅立った。この探索隊のリーダーのユリアンは「タルタル人（モンゴル人）は、地上で最強の軍隊を有しており、ローマおよびそれ以遠をも征服する意図を持っている」とその報告書の中で警告しているが、大半の人々はあまり気にしなかった。しかしながら、その警告は間もなく現実となって現れた。1237年にチンギス・ハーンの長男ジョチ家の2代目バトゥ（註1）（Batu）率いるモンゴル軍は西方遠征を始めた。バトゥ軍はキプチャック人を殲滅し、カスピ海から北カフカスまでの諸民族を征服した。同年11月、バトゥはウラジーミル・スーズダリ大公に服従することを求めると、12月にはプロシスク公国やリャサン公国を陥落させた。

1238年にはクリミアに入り、1240年の終わりにはキエフを陥落させ、ルーシ諸国（中世東欧地域）を完全にモンゴルの支配下に入れた。モンゴル軍はこれで征服を終えることはなく、さらに西を目指し、ポーランドおよびハンガリーへと侵入した。

　モンゴル帝国のヨーロッパ侵攻は全ヨーロッパを震撼させた。そこで、ローマ教皇グレゴリウスⅨ世（註2）は、全キリスト教徒に対し、ポーランドを救援してこの異教徒と戦うべしという詔書を発し、騎士修道会には、ポーランド諸王侯と共同防衛をするように命じたのである。

　しかし、1241年3月12日にバトゥは4万の精兵を率いてハンガリー王国カルパティア山脈の東部から北部にかけて諸方面から侵入し、ハンガリー王国アルパード朝の国王ベーラⅣ世（Bela IV）（在位：1235~1270年）に降伏勧告を行った。やがてモラヴィアからバイダル、カダアン（註3）およびスブタイが合流し、ペシュト市を陥落させている。

　同年4月10日および11日にサヨ川流域のモヒ（MOHI）平原でハンガリー王ベーラⅣ世と対峙、宿将スブタイおよびシバンの前衛部隊が夜半にベーラⅣ世の幕営を急襲して破り、ベーラⅣ世はオーストリア経由でアドリア海へ敗走した。こうしてモンゴル軍はハンガリー全土を支配・破壊するに至っ

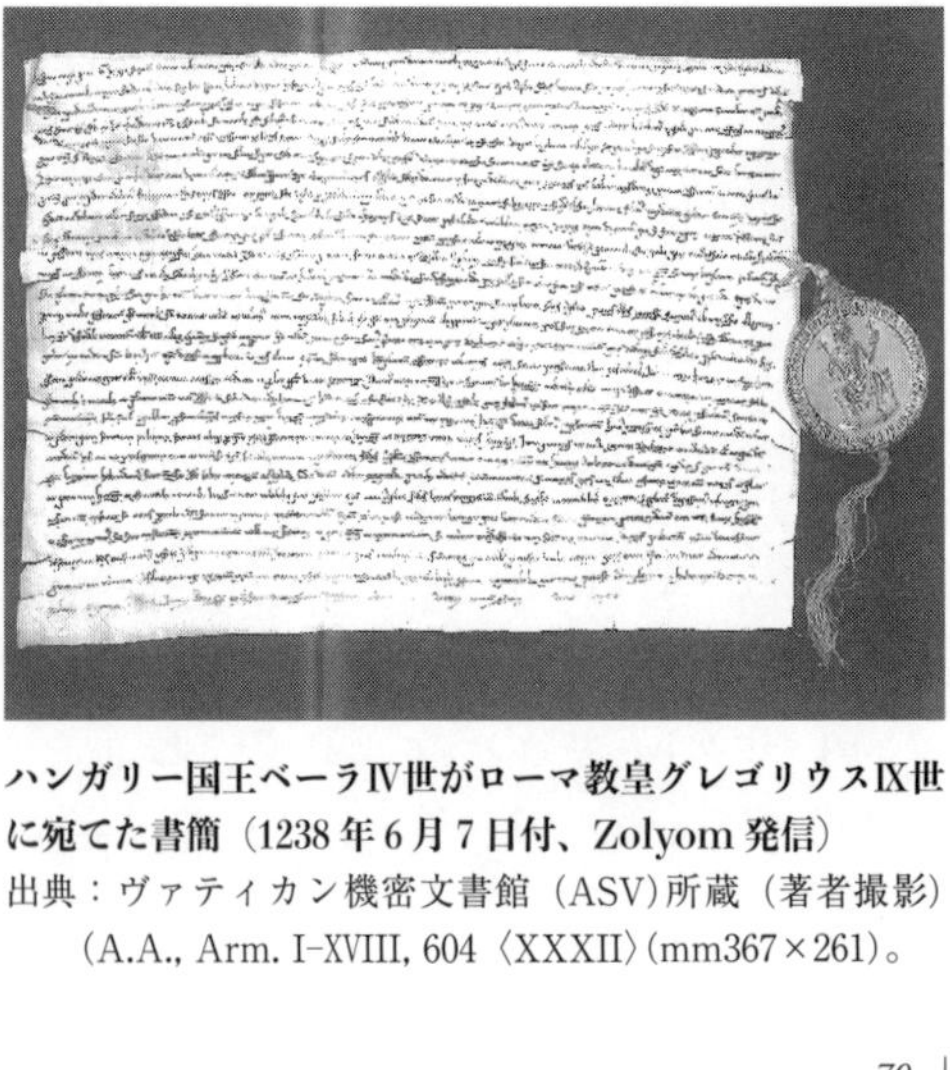

ハンガリー国王ベーラⅣ世がローマ教皇グレゴリウスⅨ世に宛てた書簡（1238年6月7日付、Zolyom発信）
出典：ヴァティカン機密文書館（ASV）所蔵（著者撮影）
（A.A., Arm. I-XVIII, 604〈XXXII〉(mm367×261)。

ハンガリー国王ベーラⅣ世
出典："All About History" Future Publishing Ltd, 2019, p79.

た（サヨ川（Sajo River）の戦い）。

この時ハンガリー軍は不意の攻撃を受け、包囲網に囲まれたので、恐怖の念にとらわれ、全軍が大混乱に陥り、たちまち潰滅した。サヨ川の戦いはハンガリー史上、最も悲惨な敗戦といわれ、モンゴル軍によってハンガリー王国軍兵士2万5千人（一説に6万5千人）のほとんどが戦死し、5万人の市民が殺害された。ちなみに、2万人のモンゴル軍兵士のうち戦死者は数百人に止まったといわれる。その後も東欧・西欧にモンゴル帝国軍の脅威が忍び寄っていた。

1241年4月、ムヒの戦いで惨敗し、さらに首都ブダペストが破壊された。ベーラⅣ世はローマ教皇グレゴリウスⅨ世(註4)に援軍を要請した。しかし、教皇は当時イタリアで神聖ローマ帝国皇帝フリードリヒⅡ世と激しく争っていたので、救援を断わざるを得なかった。

さらに、1241年4月のモンゴル帝国の戦闘経験豊富なヨーロッパ遠征軍とポランド・ドイツ連合軍の「ワールシュタット」の戦いで、ポーランド・ドイツ連合軍が多数の死傷者を出して敗北した。この敗戦は全ヨーロッパを戦慄させ、人々は、「この東方の野蛮人はキリスト教徒の全滅を図っている」と信じ、ローマ教皇グレゴリオⅨ世は、「急ぎ十字軍を差し向けよ」と命じ、神聖ローマ皇帝フリードリヒⅡ世はイングランド王ヘンリーⅢ世に「この暴風は、この世を汚す罪悪と、人間の信仰心の冷却の故に、正義の神がその襲来を許し給うたものではあるが、放置すれば西方全土は征服され、キリスト教の名誉と

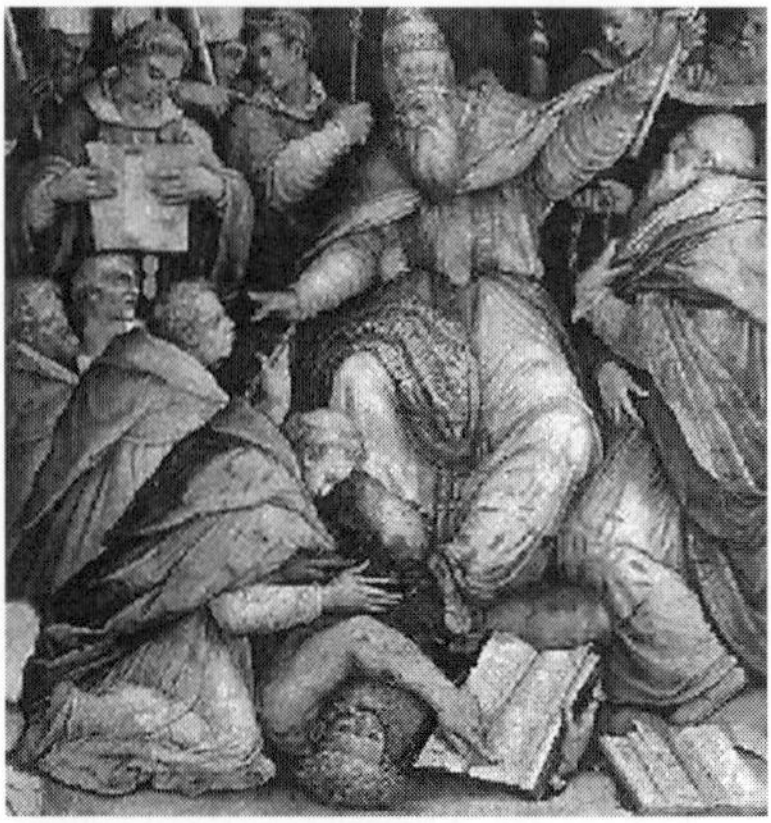

ローマ教皇グレゴリウスⅨ世（1227～1241）
出典：ヴァティカン図書館。

“モヒの戦い（＝サヨ川の戦い）”ハンガリー国王ベーラⅣ世を追うモンゴル軍のカダアン
出典：“All About History” Future Publishing Ltd, 2019, p76。

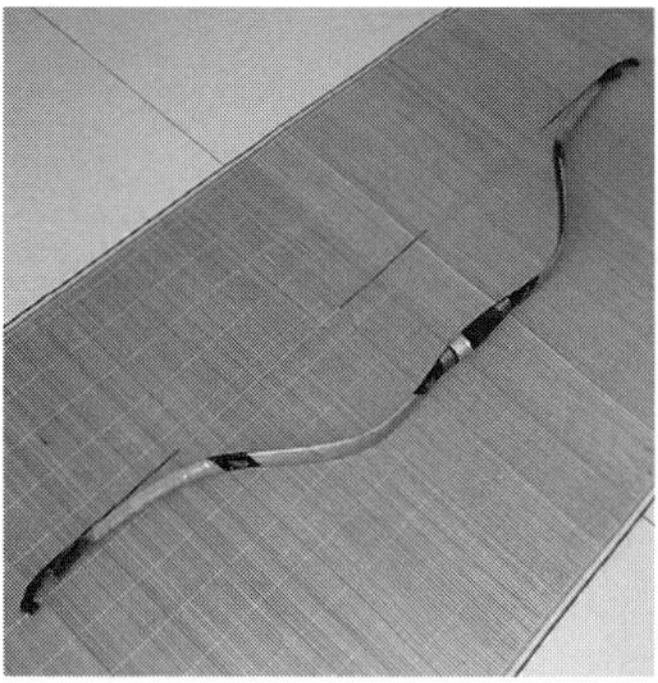

蒙古軍が使用した複合弓
（Composite Bow）
出典：元寇史料館蔵。

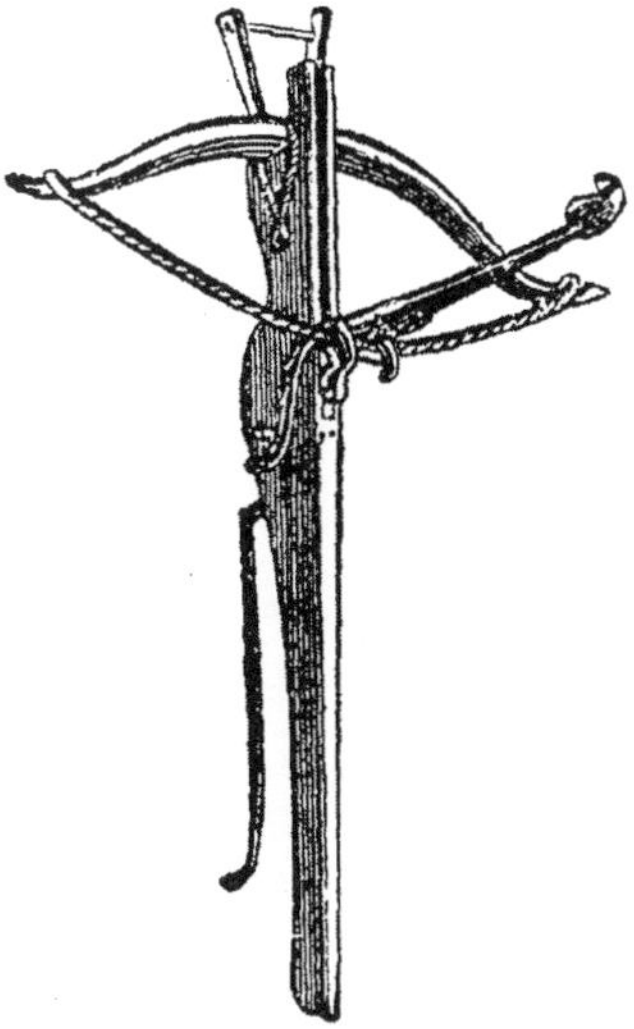

ハンガリー王国軍が使用した「クロースボウ（CROSSBOW）（石弓）」
クロースボウはほかの武器に比べて射程が長く強力であるものの弓を引き絞って構えるための筋力とその状態で狙いをつけて放るための技術、訓練が必要であった。
出典：前掲“All About History”。

信仰とは根絶されるに違いない」と救援を要請している。

全ヨーロッパを戦慄させたモンゴル軍の強さの秘密は、①遊牧民族であるため、当時の主力兵器である無敵の騎馬軍団の騎兵が質・量ともに圧倒的に高かった、②戦術が非常に優れていて、臨機応変に様々の戦法を用いた、③諜報活動を重視し、それを用いた謀略や心理戦を喪用いた、④火薬、投石器を取り入れ、騎兵戦ち略と組み合わせた、等が指摘される。特に、蒙古軍は武器の開発に優れ、ハンガリー王国軍の専用の矢を板バネの力で弦によって発射させる「クロースボウ（(CROSSBOW)：石弓)）」に対し、蒙古軍は動物の骨や腱、角等のほかに、鉄・銅の金属板などの複数の材料を張り合わせて、5百メートルの射程距離と超強力な破壊力を持つ「コンポジット・ボウ（COMPOSITE BOW：複合弓）」を開発したのである。そして、矢は金属製の盾を簡単に貫通できる強力なもので、騎兵が連打して用いたのである。

モンゴル帝国の傘下の入った領土面積は最盛期の１２７９年には33百万平方キロに及び、人口は１億人を超えていた、チンギス・ハーン自身はこうした領土拡大の途中、１２２７年に遠征先で亡くなっているが、その意思は息子や孫たちに受け継がれていた。

第３節　ローマ教皇、モンゴル帝国に特使を派遣
―和睦のためにフランシスコ会のプラノ・カルピニ修道士に親書を託す―

モンゴル軍の東欧侵攻に対し、１２４５年、リヨンで開かれた宗教会議で、モンゴル軍の防衛が討議され、それと共にモンゴル皇帝にローマ教皇インノケンティウスⅣ世(註5)の使節を派遣し、モンゴル軍の再征を中止させ、かつ、これをキリスト教に改宗せしむべきだとの決議が行われた。その結果、ローマ教皇インノケンティウスⅣは１２４５年の第一リヨン公会議で決定されたモンゴルとの交渉役として、中部イタリアのプラノ・カルピニ生まれのフランシスコ修道会に所属するジョヴァンニ・プラノ・カルピニ(註6)（Giovanni di Plano Carpini）とポーランド人のベネディクト、ポーランド人のローレンスを、タタール本土（モンゴル帝国）の偵察と再侵入防止工作のためにタタールの首都カラコルムへと派遣した。カルピニの派遣は、当初外交交渉・キリスト教布教調査・モンゴル人の侵攻の調査

の3つの目的があったが、この3点はキプチャク・ハーン国とロシアの国境付近の町で役人に任務を説明する部分でしか登場しておらず、バトゥやグユク・ハーンとの面会の場面では記載がない。このため、当初は外交交渉や布教調査も目的としていたが、バトゥやグユクとの面会の結果、交渉や布教の余地が見出せなかったことから、帰国後作成した報告書の目的は、モンゴル人のキリスト教諸国への侵攻の意図の確認と防衛準備のためのモンゴル軍の分析に重きが置かれることになったものと思われる。

1245年4月16日、カルピニはリヨンを出発、途中ボルガ河畔の西方遠征軍の総大将バトゥ(Batu)を訪問した。当初、派遣された使節はカルピニと同じ修道会のボヘミアのステファン修道士の2名であったが、途中ポーランドにてポーランド人のフランシスコ修道会ベネディクト修道士が加

ローマ教皇インノケンティウスⅣ世がフランシスコ修道会カルピニ修道士とドミニコ会修道士たちにモンゴル帝国グユク皇帝宛の親書を託す

出典：Vincent of Beauvais «Le Miroir Historial Vol. IV. Paris, c. 1400–1410.»

わって３名となった。道中通過する諸侯たちに護衛や召使を数名付けてもらう程度で、教皇使節としては少数だった。面会したバトゥはグユク・ハーンの元へ行くように命じた。バトゥの侵攻によって徹底的に破壊されたキエフなどの状況を見て、１２４６年7月、グユク・ハーンの本営に到着した。到着直後の１２４６年8月24日、モンゴル帝国のハーンとなるグユクの即位式のクリルタイに列席した。この時に、カルピニ使節一行はグユクに会見してローマ教皇の親書を手渡して和睦交渉を行った。しかし、グユクは和睦ではなく教皇を始めとする西欧諸国の臣従を望んだため、果たすことはできなかった。そのため帰国後は一時、教皇の怒りを買ったが、カルピニが記した『モンゴル人の歴史(Historia Mongalorum quos nos Tartaros appellamus)』（註7）という史書・報告書が高く評価されたこともあり、後に怒りを解かれてダルマチアの大司教に任じられた。

第4節　グユク皇帝の人物像

カルピニが謁見したグユクは、１２０６年3月19日、元祖チンギス・ハーンの3男で第2代皇帝オコディ・ハーンと第6代皇后ドレゲネとの間に長男として生まれた。ヨーロッパ遠征を積極的に推進した父オゴディ・ハーンが１２４１年12月11日に病死した後、大ハーンの位は、ジョチ家のボイコットのために後継者が決まらなかった。オゴディの未亡人トレゲネの政治工作もあって、オゴディ家とチヤガタイ家の諸王はドレゲネの子グユク（１２０６～１２４８）を後継者に選んだ。しかし、既にチンギスの子の世代は誰もいなくなっており、孫の世代では最有力者の立場にあったバトゥは、グユクの即位に難色を示していた。グユクは、バトゥの西征に従った際、何かにつけてバトゥに逆らい、父オゴディを激怒させて召還を命じられた人物だった。バトゥは、同じく西征に従い、親交の深かったトルイの長子モンケ（1209～1259）を推したが、1246年8月24日、ダラン・ダバースにおいて大会議が開かれ、皇族の諸王侯、諸部族と軍隊の首領たちは新皇帝の選挙について協議し、第一にウゲディより継承者に指名されていたにもかかわらず、会議の参加者は摂政皇后の勢力に屈して、この皇子シレムンはなお未成年者であるから、グユクを選ぶべきであると考え、満場一致で彼に投票した。グユクは慣習に従って、最高位につくことを拒絶し、ほかの諸王候の名をいちいち挙げて、それがはるかに帝位に値すると述べ、身体が弱いことを理由に辞退した。ながく固辞し続けたのち、ついに会議の意見に従ってグユクは、帝国の皇帝となることを受諾はするが、その条件として、帝位を自分の家系に伝えられることが保証されねばならないと述べた。一同はすべて決議書に署名して、次のように約束した。すなわち、「汝の家系のなかに、膏が草に包まれても狗と牛が食うことのない一片の肉が残っている限りは、われわれはいかなる人にもハーンの位を授けないであろう」と。次いで、一同はその帽子を脱ぎ、その帯を解き、グユクを黄金の王座につかせ、これにハーンの称号を奉って敬礼した、こうして祖父チンギス即位所縁の地であるココ・ナウルにおいて第3代皇帝に即位することとなったのである。カルピニ『旅行記』第十一章によると、グユクが帝位についたのは40または45歳の時のことであって、身長は中背で、きわめて賢明、慎重、謹厳で、外観と態度において重みに満ちていたという。

グユクの即位には帝国の内外から王侯・有力者が参加した。さらに帝国内部からは旧金朝領である華北に派遣されていたノヤンや官僚たちと在地漢人勢力の代表者たち、アゼルバイジャン地方からイラク、ホラーサーンに至るまでのモンゴル支配地域とその周辺の有力勢力や王族たち、その使節が列席している。

第5節　グユクの治世

4年間以上も続いたトレゲネ皇后の摂政の間、皇族の諸王侯はその属下の者に諸州の租税担保の手形を与え、また、種々様々の人々に公租免除の特許状を授けていた。皇帝に選任されたグユクはこのことについて彼らを厳しく叱責し、これらの授与をことごとく無効とした。このような悪弊をまったく犯さなかったのはトゥルイの妃ソルコクタニとその諸子のみであったので、グユクは帝室の他の諸王侯に対し非難の言葉を浴びせるかたわら、彼らの行為を賞賛した。

モンゴル帝国の第3代皇帝グユク（Guyuk Khan）（在位：1246年8月〜1248年）
出典：فولعأ ةقد دجوت ال

皇帝グユクはトルイ家の長子モンケに好意を持ち、生存している子をさしおいて孫を君主に選ぶのは不可解なことであると言って、父の領土の所有権をイス・モンケに授与した。

グユクは宋朝対する戦いを続け、スプテイ、チャガンの両将軍を南部中国征討軍の司令官に任命した。グユクは同時に独立を主張していた高麗に対して軍隊を出征させた。

第6節　グユク皇帝に奉呈された2通の教皇親書

話を戻すが、カルピニ修道士は教皇からグユク皇帝宛ての2通の書簡を託されていた。教皇書簡は1245年3月のノヌ（7日）より第3日目にリヨンで書かれたもので、タルタルの皇帝と国民に宛てられたものであった。これらの書簡の1通において、キリスト教の主な教義、すなわち、神の子の犠牲によって人間の贖罪が成し遂げられたこと、霊魂の保護と天国の鍵を託された代理人を指名してから、神の子が復活、昇天したことなどを説明した。そして教皇は、自分はたとえその資格がないにせよ、この代理人の継承者としてタルタルの国王と国民に救いをもたらすことを望み、自ら各地に赴くことができないから、権限をポルトガルのローレンス修道士とその同僚に委ね、贈物を携えて、キリスト教の教義を伝えさせようとするのであると表明し、モンゴル皇帝に対し、キリスト教への改宗を勧めたものである。もう1通はヨーロッパへ軍事的侵攻をやめるように求めたものである。前者の「無限の父なる神（Dei patris immense）」と題された書簡を抄訳すると、「貴下は多くの国々に侵略し、平穏に暮らしているキリスト教徒を残酷に殺害しています。そして貴下はその侵略の手を止めることなくさらに他の国々に伸ばして性別や年齢に関係なく懲罰の剣で手あたり次第に殺害している。……すべての人は神への恐れに対し、一体となって生きるべきであることを強く望み、貴下が暴力行為をやめ、キリスト教徒の迫害の蛮行から完全に思いとどまることを請い求め、そして強く嘆願するものであります。もしこの我々の請願を無視するのであれば、神はあなたがたの悪意に満ちた蛮行に対し懲罰を与え、近い将来より大きな復讐をされるでしょう。……」。

後者のヨーロッパへ軍事的侵攻をやめるようにグユクに求めた書簡の主な内容は、「あなた方はこれまで多くのキリスト教

モンゴル帝国グユク・カーン皇帝にローマ教皇の親書を手渡すフランシスコ会ジョバンニ・カルピニ修道士
出典：Magione concerto corale fra giovanni da pian del carpine.

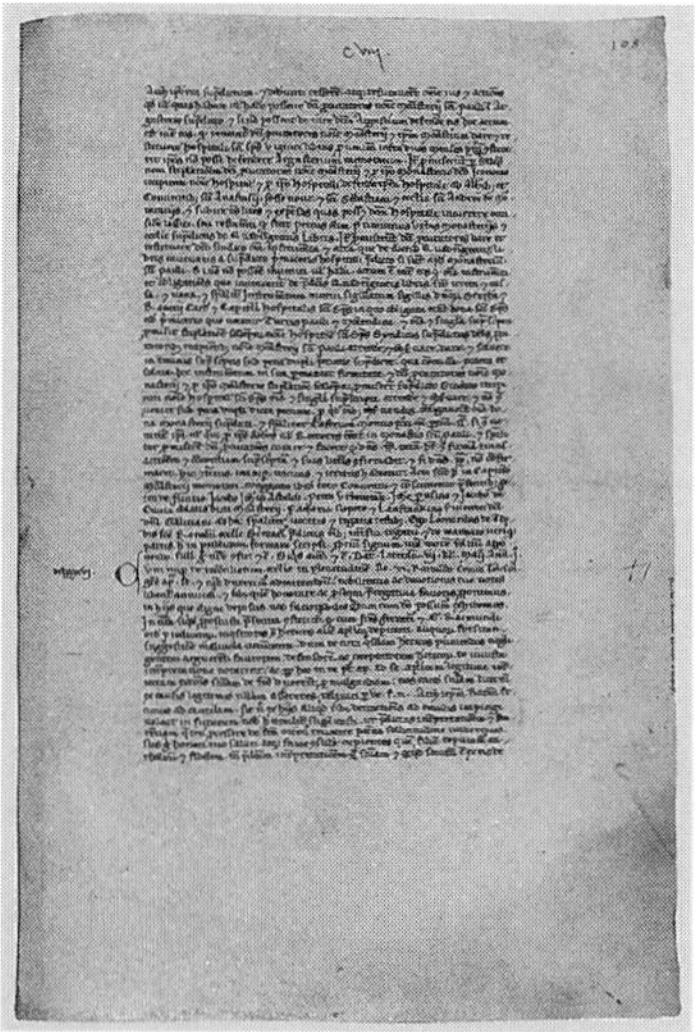

教皇インノケンティウスⅣ世がモンゴル皇帝に宛てたラテン語親書の下書きの一部
出典：A.S.V., Inv, no. Reg. Vat. 21, ff. 107v.-108r.

王国に侵略し、剣を用いて性別・年齢に関係なく手あたり次第に多数のキリスト教徒を殺戮するという蛮行を繰り返した」と厳しく避難した。そして、私たちはあなた方がキリスト教徒の迫害を完全に思い止まることを請願するために、我々の最愛の息子であるジョバンニ・カルピニ修道士をあなたの許に派遣するので快く受け入れてほしいと願った。そして、カルピニ修道士が無事出国できるように保証するように求めたのである。

第7節　グユク皇帝がローマ教皇に服従を求めた前代未聞の勅書
―ペルシャ語で書かれたグユク皇帝の教皇宛て勅書の中身とは―

これらの2通のグユクに宛てた教皇親書に対し、グユクがカルピニ修道士に託した、教皇宛ペルシャ語訳返書は、その現物が21世紀に入ってからヴァティカン機密文書館で発見され、モンゴル語に精通していたフランスの東洋学者で〝モンゴル考古学の父〟として知られたポール・ペリオ（Paul Eugene Pelliot）（１８７８～１９４５）により解読されて公表された。グユク勅書の末尾に１２４６年11月11日（ヒジュラ暦６４４年ジュマーダー＝ル＝アーヒラ月末日）という紀年が書かれており、発令日時が明確であるものとしては、現在最古に属すウイグル文字モンゴル語によるモンゴル皇帝の王璽の銘文が捺された正式な勅書である。

教皇庁ではペルシャ語およびラテン語訳のうち、モンゴル語原典から一語一語忠実に訳したラテン

グユク皇帝がローマ教皇に宛てたペルシャ語による勅書の原本

出典：ヴァティカン機文書館所蔵（ASV., AA, Arm. I-XV1802)）（著者撮影）。

語訳の方でモンゴル側の対応を認識したといわれる。なお、グユク勅書のラテン語訳の写本は、現在、ヴァティカン機密文書館（ASV, Vat. lat. 7260）パリ国立図書館（lat. 2477(C)）、オーストリアのウイーン国立図書館にそれぞれ所蔵されている。「教皇インノセントⅣ世に宛てたグユク勅書」の日本語訳は、ドーソン著、佐口透訳註『モンゴル帝国史　2』（東洋文庫１２８）（２４２～２４４頁）に掲載されている。しかし日本語訳が理解し難く、難解な箇所が多く散見されるので、ここではヴァティカン機密文書館（ＡＳＶ）所蔵のモンゴル語原典からラテン語に翻訳された写本を著者が改めて日本語に訳述したものを紹介する。(註8)

第8節　グユクがローマ教皇インノケンティウスⅣ世に服従を求めた前代未聞の勅書
—モンゴル語勅書のラテン語訳の日本語重訳—

「神の力により（Dei fortitudo）、万民の最高指導者（omnium hominum imperator）、偉大な教皇（magno Pape）に確かに書簡（litteras certissimas）を届けます（atque versa）。

私たちと（共に）（nobiscum＝cum nobis）和睦するため（pro pace）協議を行って（habito consilio）、使者（使節）自身から伝え聞き（ab ipso audivimus）、またあなたの書簡に認め（habebatur）られているように、教皇であるあなたとすべてのキリスト教徒（tu papa et omnes Christiani）はあなたの使者（使節）（nuntium tuum）を我々のもとに派遣しました（nois transmisisti）。したがって（Igitur）、もし私たちと（共に）和解を望むのであれば（si pacem nobiscum habere desideratis）、教皇であるあなたとすべての王侯と支配者（君主）（tu papa et omnes reges et potentes）は和解するために（pro pace）、私のもとへ決して軽視しない（侮らない）で来ることを決めてください（diffinienda ad me venire nullo modo postponatis）。その時（tunc）、私たちが意図する回答（risponsionem pariter）と意思（voluntatem）を聴くべきです（audietis）。

あなたの書簡の中に（series litterarum）、私たちに洗礼を受けてキリスト教徒にならなければならない（quod debemus baptizari et effici Christiani）という一節がある（tuarum continebat）。このことについて私たちはどのようにして行うべきか（qualiter hoc facere debeamus）。理解できないので（non intelligimus）簡単にお答えします（breviter respondemus）。その他（Ad aliud）、主として（maxime）キリスト教徒、特に（potissime）ポーランド人、モラヴィラ人、ハンガリー人の大量虐殺（tanta occisione）にあなたが驚いていることが（quod miraris）あなたの書簡に認められているが（in tuis litteris habebatur）、このこともまた（quod etiam hoc）理解できないと（non intelligimus）回答します（tibi taliter respondemus）。とはいえども（Verumtamen）、決してこのことを（ne hoc）全く言及せずに（omnimodo transire）沈黙にしたがっている（sub silentio）のではないので、あなたに次のように回答します。それというのは（Quia）、神の書簡（littere dei）とチンギス・ハーンとカガン（可汗）、の命令（指示）に従順ではなく（et precepto Cyngis Chan et Chan non obedierunt）、有力者の助言（指示）で使者（使節）を捕らえて殺害した（et magnum consilium habentes nuncioso occiderunt）。それ故に（propterea）神は彼らを討滅するように命じ、そして、それを強行するように私たちに委ねました（et in minibus nostris tradidit）。要するに（Alioquin）、もし神がそれを強行するように命じなかったら（quod si deus non fecisset）、人々は他の人に対して何を実行することが出来たでしょうか？（homo homini quid facere potuisset ?）しかし（Sed）、あなた方西側（諸国）の人たちは（vos homines occidentis）、あなた方だけがキリスト教徒であると信じており（solos vos Christianos esse creditis）、他の人を軽蔑しています（et alios despicitis）。しかし（sed）、神は誰にその恩寵を授けるのか（cui deus suam gratiam conferre dignetur）、それをど

のようにして知ることが出来るのですか？（quomodo scire potestis,）

　私たちはこれに反し（Nos autem）、神に祈り（deum adorando）、神の力によって（in fortitudine dei）東から西に至るまで（ab oriente usque in occidentem）すべての（地域を滅亡させました（delevimus omnem terram）。そして、もしこれが神の力によるのでなければ、（et si hec dei fortitudo non esset）人は何をすることができるのでしょうか？（homines quid facere potuissent）、しかし（Vos autem）、もし和睦を受容れ、そしてあなた方の国の悪名高い（卓越した）兵士を（et vestras nobis vultis）私たちに引き渡す勇気があれば（tradere fortitudines）、あなた教皇はキリスト教徒勢力と共に（tu papa cum potentibus Christianis）、和睦を実現するために、決して遅れることのないように来訪しなければならない（（ad me venire pro pace facienda nullo modo differatis）。その時、我々はあなた方が我々と和睦するかどうか確認します（et tunc sciemus, quod vultis pacem habere nobiscum）。反対に、我々の神の書簡を信用せず（Si vero dei et nostris litteris non credideritis）、そして、我々のもとに来るようにという忠告を聞かないで（et consilium non audieritis）、私たちを襲撃するようであれば（ut ad nos veniatis）、その時は（tunc）、私たちと戦争をしようとしているのか確かめます（pro certo scemuod guerram habere vultis nobiscum）。その後に将来何が起きるか私たちにはわからない（Post hac quid futurum sit nos nescimus）。神のみが知ることです（solus deus novit）。

　チンギスカンは初代皇帝（Cyngis Chan primus Imperator.）、第2代はオゴダイ・カン（Secundus

Ochoday Chan)、第3代はクイユク・カン（Tertius Cuiuch Chan)。」

第9節　原文史料の恣意的な翻訳による誤った歴史解釈
―グユク皇帝のローマ教皇宛ペルシャ語訳書簡のラテン語訳の誤謬―

以上が、グユクがローマ教皇に宛てた脅迫状ともいえる返書である。グユクは最初から最後まで怯むことなく、強硬に自らの心境を綴っている。その背景には蒙古帝国の軍事力が西側諸侯の総軍事力よりも勝っていたからに他ならない。

この勅書はカルピニがグユクに奉呈したローマ教皇の親書に応える内容のものであった。しかし、その主旨は、モンゴル軍のハンガリー王国やポーランド王国などの遠征に対するローマ教皇の非難を拒絶しつつ、逆にローマ教皇が真のキリスト教徒であると自尊して他のキリスト教諸派を軽蔑している態度を批判し、さらにチンギス・ハーン以来、モンゴル帝国が天なる神から「日の昇るところから没する地まで」全世界に対する支配権を預託されていることを強く宣言したのである。また、ローマ教皇およびヨーロッパ諸国の諸王たちにモンゴル帝国への即時の服属と降服勧告を命じ、そして、ローマ教皇自身がヨーロッパの諸王を率いてモンゴル宮廷に自ら出頭してモンゴル帝国に服属するように強く勧告している。これを拒否した場合は再度武力による討伐もあり得ることを付言していた。

ところで、この勅書はウイグル文字モンゴル語原典からペルシャ語へは忠実に翻訳されているが、カルピニが、至高なる教皇に提示したラテン語訳は、教皇のことを露骨に悪くいう文言が散見されたので、教皇聖下に対して不謹慎で無礼であると判断してそれらの文言を削除や省略している。

教皇聖下が和睦のためにグユクに提案した事柄はほとんど拒否されている。というより逆に「勅書」では、明らかにグユクはローマ教皇を下賤人扱いして書いており、ローマ教皇にこのような脅迫めいた公文書が送られたのは世界史上他に例がない。このラテン語訳では、グユクから教皇聖下に対する「勅令」は表現上存在しないのである。

グユク書簡から窺えるように、モンゴルの皇帝は、天より全地上の統治権を与えられたとして、それを根拠にしてローマ教皇とヨーロッパ諸国の君主に対して服従（服属）を求めたのである。特に、教皇に対しては対等の立場ではなく、両者の間の上下関係が明白になっており、グユクは教皇聖下を臣下扱いしている。

グユクが教皇聖下・支配者たち、西方のキリスト教住民におくる命令を、神の教会およびローマ帝国、さらに全キリスト教王国および西方の諸民族がすべて実行しなければ、それらに向かって進軍の戦旗を掲げることを宣明したのである。

■グユク、ローマ教皇を下賤人扱い

ラテン語に翻訳されたグユク勅書に対する日本語訳を、海老澤哲雄氏がK.ルプリヤン（Lupprian）編のフランス語との対訳のテキストを使用して紹介している。（『帝京史学　04年2月、59～83頁。）

ちなみに、著者もウイーン国立図書館においてK．ルプリヤンの論文を閲覧し、写本を入手しているが、前述したように、ヴァティカン機密文書館所蔵のラテン語原文から邦訳を試みた。教皇使節のカルピニ自身が翻訳して教皇に提示したラテン語訳は、原文からかなり逸脱した翻訳であり、多くの訂正文や省略箇所が多いことが分かっている。著者は、モンゴル語原典から忠実に訳されているといわれるペルシャ語が理解できないので、直接ラテン語訳と比較することはできない。そのため、海老澤氏の論文に依拠してラテン語訳で大幅に削除や歪曲されている主な内容に触れてみることにする。まず、グユク勅書のペルシャ語訳では教皇を批判する文言が数か所見られるが、ラテン語訳ではまったく見られない。ただ、モンゴル語原典には元々教皇を批判する文言がなかったが、ペルシャ語訳の作成時に意図的に教皇批判の文言が付加されたという考えがあるといわれる。つまり教皇使節カルピニとしては、至高なる教皇宛の書簡に、グユクが教皇のことを露骨に「賢ぶっている」とか「尊大である」という悪い表現を用いたり、また教皇に対し、「グユクの臣下となり、服従するために直接グユクのもとに出頭せよ」と、教皇を脅迫している内容の文言を「私たちのもとに来るように」と表現を柔らかにして翻訳されている。またペルシャ語訳では、教皇がグユクの指示に従わなかった場合には、「勅令に背いたならば」とあるが、「勅令」では教皇が上位者からの命令を受けることになるので、ラテン語訳では「忠告に耳を傾けないのであれば」と、意図的に表現が変えられている。こうした例は多く見られる。たとえば、１６１２年９月、徳川家康がヌエバ・エスパニア（メキシコ）の副王グアダルカサール候に宛てた書簡のスペイン語訳である。つまり家康が「貴国（スペイン）の用いるキリシタン宗はわが国には無縁なのでこれを伝えてはならない」という家康が最も強調して副王に伝えようとした文面を翻訳したルイス・ソテロ神父らフランシスコ会の宣教師たちは、「貴国で尊ばれている神の教えは日本のそれと大変異なり、わが国ではそれを尊ばない」と表現を和らげてスペイン語に翻訳している。これはソテロ神父らフランシスコ会の宣教師が東日本におけるキリスト教の布教基盤を確立しようとしていた矢先なので、自分たちに不利になる情報を本国スペインへ伝えないようにしたためであった。これによって幕府のキリシタン禁教政策が、当初、スペイン側に正しく伝わらなかったのである。

以上のように原典に当たらず、重訳された史料を用いての歴史解釈には原典に記されている真意が正しく伝えられない場合がある。仮に、ウイグル文字モンゴル語で書かれたグユク勅書をラテン語やペルシャ語に翻訳することなく、原文に書かれていたことをそのまま直訳して教皇に伝えられたら歴史は大きく変わっていたかも知れない。しかしながら、モンゴル帝国の当時の権勢を考えると、ローマ教皇やヨーロッパの諸侯といえども太刀打ちできなかったであろう。

グユク勅書がローマ教皇インノケンティウスⅣ世に届けられたあと、モンゴル帝国とヨーロッパの交流は暫く途絶えたが、41年後の１２８９年になって、ローマ教皇から公式使節として派遣され、大都（北京）で大司教となり、中国では初めてカトリックの布教者となったジョヴァンニ・モンテコルヴィノ（Giovanni di Montecorvino（１２４７~１３２８））はオングト王府も訪れ、一時的にではあるがオングト部族をカトリックに改宗させた。

第10節　グユク勅書にモンゴル語の印璽銘文

グユク勅書に2箇所捺されているウイグル文字モンゴル語の印璽銘文のモンゴル語翻字および日本語訳は、ドーソン著『モンゴル帝国史2』佐口透訳注、（平凡社、１９６８年、２４５頁）によって広く世に知れわたっている。訳者の佐口氏は、ペリオのフランス語訳（Pelliot Les Mongols et la papauté, p.22）から邦訳したものを紹介している[註9]。

以下は、著者が印璽銘文のイタリア語訳から邦訳に重訳したものである。

Monke（*Mongk*）*tngri-yan*（*yin*）
(Eterno cielo di)　永遠の天の力による
Kucundur yeke Mongol（*Mong yol*）
(Forza nella, grande mongolo)　広大なモンゴルの
Ulus un dalai in
(Stato di oceano)　国の　海の
Qanu jrlg il bulga（*bulya*）
(Khan di decreto, pacifico ribverielle)　偉大なカーンの勅書。服従する民（民族）と
Irgen tur（*dur*）*Kurbesu*

(popoli quando arriva)　背く民（民族）が到りし時は、
Busiretugui ayutugai（*ayutuyai*）
(riveriscano temano)　それを慎み、またそれを畏怖すべし

つまり、「永遠の天の力による広大なモンゴルの国の海の偉大なカーンの勅書。服従する民族が来訪した時はそれを慎み、また、背く民族が来訪した時は畏恐すべし、」という意味である。当時のモンゴル帝国の強権と威厳を感じさせる力強い印璽銘文である。

"Guyuk Khan s Stamp 1246".
「モンゴル語の印璽銘文」
出典：Paul Pelliot, Les Mongls et la papauté, Paris, 1923, pp.22–23.
＊モンゴル文字は上から下に読み、行は左から右へ追う。

第11節　グユクの他界

１２４８年４月、グユクは病身で、イミル河畔の自分の直轄牧地に帰るために西方に向かう途中、天山山脈の北のウイグル人の国の首都、ビシュ・バリクの地で43歳の若さで急死した。わずか２年数カ月の在位であった。彼の死は、病死といわれているが、犬猿の仲であるバトゥによる暗殺の可能性を示唆する説もある。

グユクは荘重で厳格な人であった。彼が即位したという報せだけで、摂政皇后の柔弱な施政の間に最高権を蚕食していた人々をして再びその本文にたちかえらせることができた。しかし、グユクはリウマチ病に激しく冒されていて、その上、過度の飲酒癖と色欲とは彼の健康を完全に蝕んでいた。そのため自ら政務を執ることができず、２人の大臣、チンカイとカダクに委ねていた。グユクの家庭教師でもあったカダクはネストリウス派キリスト教徒であり、彼の影響でグユク統治下のモンゴル帝国ではキリスト教は厚遇を受けた。キリスト教徒がグユクの宮廷において特別の保護を受けたことによって、小アジア、シリア、バクダット人の地方およびルーシから多数の宣教師がそこに集まってきたが、彼らは宮廷で非常な勢力を獲得し、侍医までもキリスト教徒であった。

グユクの死後、皇后オグル・カイミシュ（またはガイミシ）（メルキト部族の出身）が監国となって、グユクの弟クチュの子シレムンを立てようとした。シレムンはオゴディ・ハーンが生前に最も可愛がった孫である。グユクにとっては甥にあたる、クチュの子シレムンを推すオゴディ家とそれに協力するチャガタイ家、モンケを推すオゴディ家とそれに協力するチャガタイ家、モンケを推すバトゥを中心とするジョチ家とトルイ家の二派が激しく対立したのである。１２５１年、今度はバトゥらがクリルタイを掌握し、モンケ（在位：１２５１〜１２５９）の即位を決定された。

第5章　英国王ヘンリーⅧ世の離婚許可の嘆願書
―85人の英国議会議員、ローマ教皇にヘンリーⅧ世の婚姻の解消を求めて嘆願書を送る―

第1節　ヘンリーⅧ世の人物像とキャサリン・オブ・アラゴンとの結婚

ヨーロッパ絶対主義時代における典型的な王のイメージの一つは、16世紀前半テューダー朝2代目ヘンリーⅧ世（Henry VIII）（１４９１〜１５４７年／在位：１５０９〜１５４７年）といえば６度の結婚に加えて、ローマ・カトリック教会からの英国教会の分裂によって知られる。

ヘンリーはロンドン郊外の英国王国プラセンティア宮殿で、１４９１年6月28日、ヘンリーⅦ世とエリザベス王妃の次男として誕生した、１４９３年にまだ幼年期にあったヘンリーはドーヴァー城の城主、五港長官に任命された。翌１４９４年にはヨーク公を授爵し、さらに英国紋章院総裁およびアイルランド総督を拝命した。

１５０１年11月、スペインのカスティーリャ女王イサベルⅠ世とアラゴン王フェルナンドⅡ世の末っ子キャサリン・オブ・アラゴン（Katherine of Aragon）（1487〜1536）（スペイン語名カタリーナ・デ・アラゴン）と結婚していた兄アーサー（1486〜1502）が20週後に急死し、ヘンリーは10歳でプリンス・オブ・ウェールズ（王太子）となった。兄の妻と結婚することは教会法の教義に反することであったが、英国とスペインの同盟関係（ヘンリーⅦ世とスペイン国王フェルナンドⅡ世の協定）を維持するため、ローマ教皇ユリウスⅡ世が特別な赦免を与えたので、ヘンリーはキャサリンと婚約させせられた。この時、2人の結婚は、『旧約聖書』「レビ記」の「人もし兄弟の妻を娶れべ汚らわしきことなり」に触れる恐れがあった。そのためキャサリンは、アーサーとは性的関係がなかったことを宣誓した。

キャサリンとヘンリー王子（後のヘンリーⅧ世）の結婚のためのヘンリーⅦ世による「リッチモンド協定」の承認書（1504年3月）
出典：スペイン・シマンカス総文書館所蔵（P. R. 53-1）（著者撮影）。

キャサリンは14歳でアーサーと結婚したが持参金は巨額にのぼった。そのためキャサリンがスペインに戻ると、持参金を返却しなければならなかったという事情があった。

1504年3月に作成された、ヘンリーⅧ世の父親のヘンリーⅦ世によるキャサリンとヨーク公ヘンリー王子が結婚するための「リッチモンド協定」

の承認書がスペインのシマンカス総文書館に残されている。事実上の婚約承認書であり、両人は約５年間の婚約期間を経て、キャサリンは１５０９年、ヘンリーⅧ世の即位とともに再婚、英国王妃となった。

ところで、ヘンリーはルネサンス人としてのイメージをつくりあげ、その宮廷は学問と芸術に満ち溢れていた。ヘンリーは、ラテン語、スペイン語、フランス語が堪能で、音楽にも造詣が深く、自ら楽器を演奏し、文章を書き、詩を詠むなど、英国王室史上最高のインテリであるとされた。

ヘンリーⅧ世はマルティン・ルター（Martin Luther）の宗教改革を批判する「七秘蹟の擁護（Assertio Septum Sacramentorum）」と題するラテン語による著書を上梓した功績で、１５２１年10月に教皇レオX世から「信仰の擁護者（Defensor Fidel）」"Defender of the Faith"の称号を授かるほどの敬虔なカトリック信者であった。ちなみに「信仰の擁護者」の称号は、英国教会の成立後もヘンリーⅧ世とその後継者に代々用いられ、現在のエリザベスⅡ世女王の称号の一つにもなっている。

第２節　ヘンリー、ローマ教皇に婚姻の解消（離婚）を求める

１５０９年に父ヘンリーⅦ世の逝去に伴い、ヘンリーⅧ世として即位した。その2カ月後に、キャサリン・オブ・アラゴンと結婚した。しかし、世継ぎとなる嫡出の王子が生まれないために、ヘンリーは王妃キャサリンに愛想をつかし離婚を望むようになった。ヘンリーには三つの選択肢が

あった。

一つ目は認知していたキャサリンの侍女アン・ブーリンとの間にもうけたヘンリー・フィッツロイを嫡出子とすることであったが、教皇の承認を必要とし、また相続の正統性への疑義を招く可能性があった。

二つ目はメアリー王女を結婚させて男子を得ることであったが、メアリーは小柄で成長が遅れ、ヘンリーが生存中に子どもをもうけることは難しいと判断された。

三つ目の選択肢はキャサリンと離婚し、新たな妻と結婚することであった。

これらのうち、第三の選択肢が最も適切な方法であると考え、ヘンリーは離婚（正確には婚姻の無効）を画策するようになった。そして、ヘンリーは元々教会法の教義違反であったキャサリンとの婚姻は無効であること

ヘンリーⅧ世の妻
カタリーナ・デ・アラゴン
出典：por Michael Sittow, a principios del siglo XVI (1502), Museo Kunsthistorisches, Viena 蔵。

アン・ブーリン（Anne Boleyn）
出典：Anna Bolena, an opera by Gaetano Donizetti Portrait, National Portrait Gallery 蔵。

を教皇クレメントⅦ世に訴えて、ローマ・カトリック教会と対立し、修道院を解散し、自ら国教会の首長となった。だがローマ・カトリック教会による破門のあともカトリックの教義への信仰は失わなかった。

スペイン国王および神聖ローマ帝国の皇帝カールⅤ世（カルロスⅤ世）の叔母キャサリンとの離婚は容易ではなく、交渉に失敗した枢機卿であり大法官であったトマス・ウルジーは1529年に罷免された。トマス・ウルジーのロンドンの邸宅とカントリー・ハウスは、ヘンリーⅧ世によって没収され、それぞれホワイトホール宮殿、ハンプトン・コート宮殿となった。ちなみに、枢機卿ウルジーは、ヘンリーの幼少期の監督係を務めていたが、1511年頃からヘンリーⅧの全幅の信頼を受け、1529年まで内政と外交を取り仕切り、王の代理として振る舞い、中央集権化を推進し、刑事裁判を改革した。一方、教会内部ではヨーク大司教を経て枢機卿に叙階され、1518年にローマ教皇から、終身教皇特使のポストを与えられ、英国王国全域に関して、教会および修道院の改革を統括した。その後、ウルジーに代わって政府を司ったのはトマス・クロムウェル（Thomas Cromwell）（1485～1540年）であった。クロムウエルは対話と合意によって行政改革を進めた。そして政府の機能を王室から公的な部局に移したが、改革にはヘンリーⅧ世の支持を必要としたため、一様な移行とはならなかった。

第3節　ヘンリーの腹心トマス・クロムウェルによる宗教改革

ヘンリーⅧ世はキャサリンの離婚問題を協議させるため、後に宗教改革会議と呼ばれることになる議会を招集した。王はキャサリンの侍女であったアン・ブーリンとの結婚を望んでいたためキャサリンとの婚姻の無効化を望んでいたカトリック教会では離婚を認めていないため、それまでの結婚そのものを無効とするよう教皇へ許可を申請した。

ヘンリーの離婚の意思を支持してヘンリーの信頼を得ていた国王代理のクロムウェルは、やがて宮廷内に入って王の腹心となり、１５３４年～１５３５年にかけて国王秘書、訴訟院判事、総監督代理などを務めた。そしてヘンリーの信頼を得たクロムウェルは、英国の宗教改革において重要な役割を担うことになった。まずクロムウェルは教皇庁の収入の源泉であった修道院の財産を遮断すると共に、聖職者に対する立法権を国王に移行させた。さらに１５３３年には英国宗教改革の土台となる「上訴（告）禁止法」を起草し、議会を通過させた。本来、この法律はヘンリー王の

ヘンリーⅧ世（在位：1509～1547）
油彩、221×149.9cm 1537年頃制作。作者不明
出典：The first folio of Henry VIII' will, The National Archives.

トマス・クロムウェル（Thomas Cromwell）
Hans Holbein、1533－34 年制作
出典：National Portrait Gallery, London, UK. 蔵。

婚姻問題のために制定されたものであるが、クロムウェルの手腕により、後に英国にとってより大きな意味を持つ法律となるのである。

クロムウェルによる同法の序文には、英国は「帝国（empire）」であるのでローマ教皇庁の管轄に属さないことを宣言した。この宣言によって、事実上、ヘンリー国王の婚姻の有効問題も教皇庁の承認を得る必要がなくなったのである。ちなみに、英国では過去に君主が「皇帝（emperor）」を名乗った歴史があるが、これは単に複数国を支配する君主という意味であった。しかしクロムウェルが用いた「帝国」は、英国は英国以外の君主に支配されることはないという宣言であり、教皇庁から独立した国民国家（nation-state）となったことを告げるものであった。

教皇庁からの独立に伴い、クロムウェルはヘンリー国王に、英国における教会の頂点に立つことを進言する。１５３４年に議会を通過させた首長令（国王至上法）によって「英国国教会」はローマ・カトリック教会から離脱し、国王ヘンリーⅧ世は信仰の保護者として英国教会の長となった。

国王の離婚を成立させるためだけに制定された「「上訴禁止法」と「首長令（国王至上法）」の二つの法令は、英国における宗教史・政治史の転換点ともいえるものであった。この一連の改革においてクロムウェルは大きな役割を果たしたが、当然のごとく反発も大きかった。ところで、ヘンリーⅧ世とクロムウェルの宗教改革は、前述の二つの法令の制定以外に、教皇庁の支配下にあり、経済的にも英国の富を集中保有していた修道院の解体に取り組んだ。クロムウェルはこれら修道院の資産を王室へ移管することで、王権を強化することを進言した。1535年宗教上の国王代理（Vicegerent in spirituals）に指名されたクロムウェルは宗教裁判の管轄権を有し、1536年に小修道院の解散法を議会で通過させ、引き続き1539年には大修道院の解散法を成立させた。こうして中世以来英国において重要な役割を担ってきた4百以上の修道院はすべて姿を消したのである。

1540年6月10日、ノーフォーク公（Howard Thomas, Duke of Norfolk）から反逆罪で告発されたクロムウェルは、突然逮捕されロンドン塔に収監され、人権喪失法により私権をはく奪された。そして約1月後の同年7月9日に密かに処刑されたのである。処刑後クロムウェルの首はかっての政敵トマス・モア同様、ロンドン市街に臨むロンドン橋に架けられた。

第４節　教皇に拒否された85名の英国議会議員の署名入りヘンリーの婚姻破棄（離婚）嘆願書

１５３０年7月13日付、英国議会議員連盟の85名の議員が連名で、国王ヘンリーⅧ世のキャサリン・アラゴン王妃との婚姻取消し（離婚）を認証してもらうために、ローマ教皇クレメントⅦ世（Clemente VII）に宛てた羊皮紙に書かれた嘆願書（９５０×４５８㎜）がヴァティカン機密文書館に所蔵されている。この嘆願書には英国議会議員連盟の85名の議員の署名と81個のローズ色の蝋でできた印章が取り付けられている。ちなみに、欧州における印章の普及が全盛期を迎えるのは、14世紀から15世紀の頃で、15世紀末になると、紋章の周囲にラテン語の文字が入った印章が使用されるようになった。

ローマ教皇クレメントⅦ世
出典：ヴァティカン図書館蔵。

嘆願書の主な内容は、ヘンリーは元々教会法の教義違反であったキャサリンとの婚姻は無効であることを教皇クレメントⅦ世に訴えて承認を得ようとした。ヘンリーは当初トマス・ウルジー枢機卿・大法官を仲介して個人レベルで教皇と離婚交渉を行ったが失敗した。そのため、キャサリンとの離婚問題は、国王個人の問題だけでなく国家レベルの重大な問題であることを教皇に認識してもらう必要があった。そこでヘンリーは英国議会を巻き込んでの離婚交渉を行うことを思いついたのであろう。そして議会のすべての議員が自分の婚姻が無効であることに同意していることを伝えることで承認を得ようと考えたのである。その背景には、ヘンリーは英国王国の国王として最も重要な任務の一つに、自分の統治を次の世代に繋げる責務があった。つまり世継ぎの問題であり、キャサリンと結婚生活をしていては世継ぎの任務を果たすことは困難で国家の存亡に関わる問題であることを教皇に訴えたのである。しかしながら、議会あげてローマ教皇へ嘆願したが、議員たちの請願は拒否されてしまい、ヘンリーの結婚の無効化を認めてもらうことはできなかった。

教皇クレメントⅦ世に宛てた英国議会議員連盟の85名の議員の署名入り嘆願書（ラテン語文）（1530年7月13日付）

出典：ヴァティカン機密文書館（A.S.V）蔵（.,A.A..,
Arm. I–XVIII, 4098 A（LXXXVI））（著者撮影）。

第5節　ヘンリー、ローマ教皇と絶縁し、「上訴（告）禁止法」を制定
―ローマ・カトリック教会との訣別と英国教会の創設―

ヘンリーは、ローマ教皇に懇願していたキャサリンとの離婚を認められなかったため、教皇クレメンスⅦ世と真っ向から対立し、英国国教会を分離成立させて英国における宗教改革を始めることになった。つまり、ヘンリーはローマ教皇よりも国家元首の自分の方が上位であると考え、自分が英国王国のキリスト教組織の最高位を兼ねればよいと考えたのである。そして、１５３３年４月、教皇と絶縁し主権国家を宣言する「上訴（告）禁止法（Act of Restraint in Appeals）」を制定した。この法律によって、遺言・結婚・離婚訴訟などが国王司法管轄権内で処理されることを命じ、教皇庁・外国法廷からの召喚やそれらへの上訴を禁止し、自らの離婚問題を英国国内で解決するようにしたのである。

１５３２年～１５３７年にかけ、ヘンリーは、ローマ教皇への上納金の支払いを中止するなど、英国国王と教皇の関係の変革と、英国国教会の創設に関わる数々の法令を発布し、１５３４年には、国王に聖職者の叙任権を認める法律を制定した。そし王を英国国教会の唯一最高の首長とした「国王至上法」が定められた。「王位継承法」によって、アン・ブーリンの子どもが正統な王位継承権を持つことが確認された。

第6節　ヘンリーの離婚証明書

1533年5月23日、英国の最高位の聖職者たちは、ヘンリーとの結婚が無効であると宣言した。これを示す書類が現在、英国公文書館に保存されている。この文書を出したのは、英国国教会最高の地位であるカンタベリー大主教に就任したトマス・クランマー大司教である。そして、この宣言の5日後の同年5月28日、ヘンリーとキャサリンの侍女アン・ブーリン（Anne Boleyn）とヘンリーの結婚の合法性を宣言した。ちなみに、クランマーによって8百以上の修道院が解散させられ、その財産は王室に没収された。英国の土地の5分の1が王室に移動したと言われている。

ヘンリーの離婚証明書

出典：英国公文書館所蔵（E30／1025）（大泉賀楠撮影）。

第7節　ヘンリーがアン・ブリーンに宛てた恋文
―ヴァティカン図書館および大英図書館に所蔵されている恋文―

ヘンリーがアン・ブーリンに宛てた18通のラブレターのうち17通はヴァティカン図書館に保管されているが、残りの一通は大英図書館に所蔵されている。

ヘンリーはローマ教皇からキャサリンとの婚姻解消が認められていないにもかかわらず、彼はカトリック教会の信徒として守るべき『天主の十戒（モーゼの十戒）』の第8則「汝、姦淫するなかれ」に背き、大罪を犯していたのである。つまり教皇はヘンリーがアンに宛てたこれらの大量の熱烈な恋文を読んで彼の信仰心に対し疑念を抱いていたことは確かである。ちなみに、ローマ教皇庁にヘンリーⅧ世の恋文の原本が残されているのは、当時、ローマ教皇庁から情報収集のために英国宮廷内に送り込まれていた密偵がアン・ブーリンの側近から入手し、ローマ教皇庁へ送られたものである。

アン・ブーリンは、フランスルイⅦ世のもとに嫁いだヘンリーⅧ世の妹メアリーに仕えるために12歳の時に渡仏した。メアリーが英国に帰国してからもアンは6～7年フランス宮廷に留まった。アンは中肉中背で美人の条件を満たしていなかったが、男性を惹きつけるオーラーを発していたといわれる。1521年頃にフランスから英国に帰国した。ヘンリーⅧ世と初めて会ったのは1526年とされる。極めて現実的な結婚観を抱いており、その後も安定した生活を求めて富裕者階級の貴族と付き合いをしていた。ヘンリーⅧ世にみそめられた際も、国王の愛人に甘んじた実姉のメアリーのようになるのはご免と確固たる信念を持っていた。手紙を書くのが苦手だったヘンリーⅧ世だがアンに拒まれてますます恋心を募らせ、ラブレターを頻繁に送ったのである。ヴァティカン図書館に保存されている17通のうち、フランス語で書かれたものが半数を占める。

1532年、ようやくヘンリーⅧ世の思いが実り、アン・ブーリンはその年の暮に後のエリザベスⅠ世（1533～1603）を身籠り、翌33年1月、アン33歳、ヘンリーⅧ世42歳で結婚した。

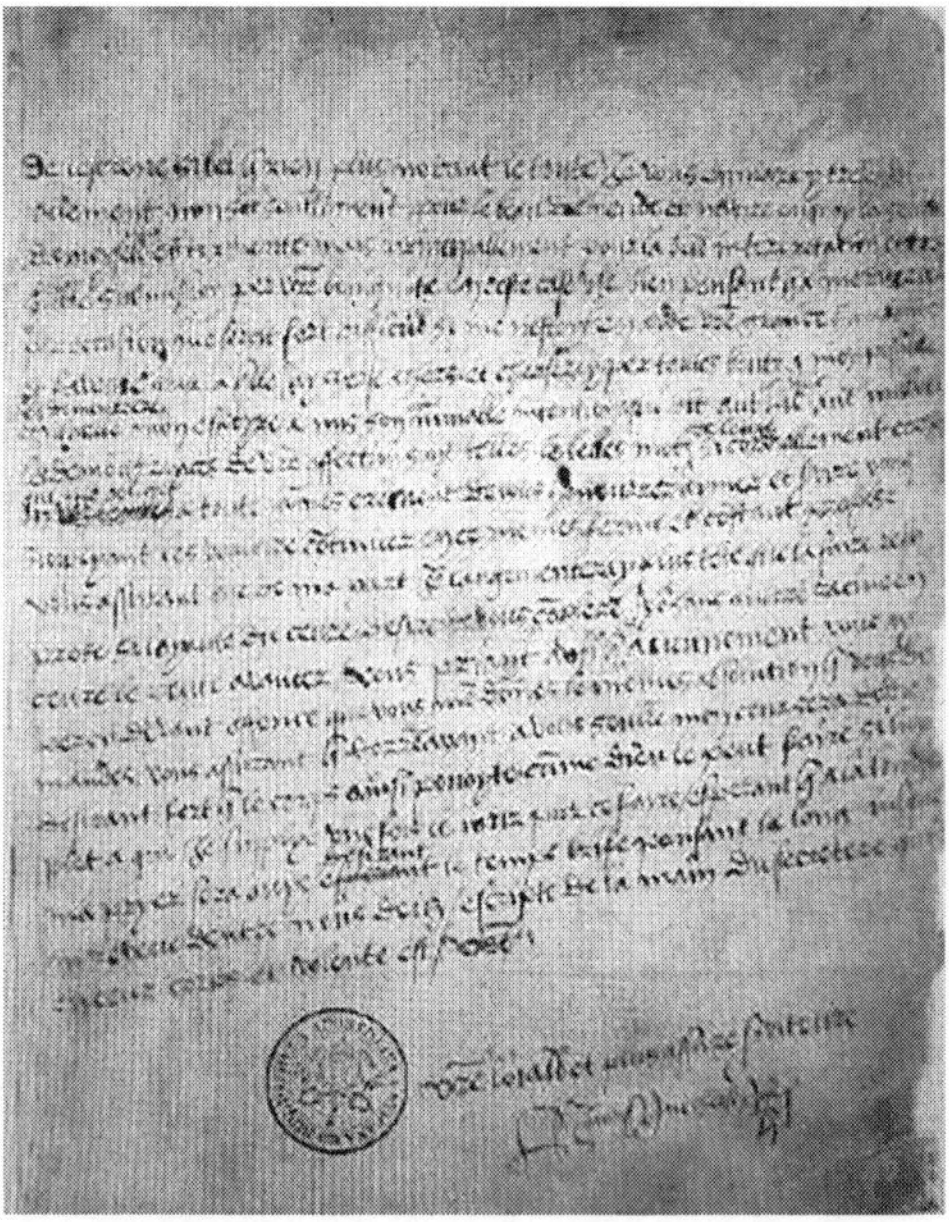

ヘンリーⅧ世がアン・ブーリンに宛てたフランス語で書かれたラブレター
出典：大英図書館所蔵。

アンに送ったヘンリーⅧ世のラブレターは、ヘンリーのアンに対する熱烈な想いが綴られている。

朕の愛しい人よ
あなたがここを離れてから本当に寂しくてならず、それを告白せずにはおられません。もう2週間も離れて暮らしているような気がします。真実なのです。あなたの優しさと、あなたの燃えるような熱い想いがこう感じさせるのでしょう。そうでなければこんなに短い時間しか経っていないのに、これほど寂しく感じるはずがありません。

でもすぐに会えると思えば苦しみも半減します。（中略）

日々とくに夜などあなたの腕に抱かれていたらと考えるあまり頭が痛みます。まもなく〝可愛いアヒルちゃん〟（隠語で乳房のこと）に接吻できるでしょうね。

ヘンリー

第8節　アン・ブーリン、不貞罪で斬首刑にされる

１５３６年5月2日、アン・ブーリンは実兄ジョージらに続き、王に対する不貞行為の罪（反逆罪）で身柄を拘束され、ロンドン塔に送られたアンは、同年5月19日にタワー・グリーンで斬首刑にされた。享年36歳であった。ちなみに、この不貞罪はでっちあげであったと伝えられている。そしてアンの遺体は同じ敷地内の聖ピーター・アド・ヴィンクラ礼拝堂に埋葬された。

1536年5月2日、ロンドン塔に到着し、幽閉され、斬首刑にされるアン・ブーリン
Anne Boleyn arrives at The Traitors' Gate (by John Millar Watt, 1965)
This illustration by John Millar Watt (1895～1975)

第6章　英国国王チャールズI世が教皇インノケンティウスX世に宛てたラテン語書簡（1645年10月20日付ロンドン発信）

―チャールズI世がローマ教皇インノケンティウスX世に宛てた寵臣グラモーガン候の信任を求めた自筆署名書簡―

第1節　フランス王アンリⅣ世の娘ヘンリエッタ・マリアとの婚姻

1625年3月、父の死去に伴い王位を継承し英国・スコットランド・アイルランド王チャールズI世（在位：1625～1649年）が即位した。バッキンガム公の補佐を受け同年6月には、フランス・ブルボン朝の戦略的思惑とも一致し、15歳のルイⅩⅢ世の妹ヘンリエッタ・マリア（Henrietta Maria）（1609～1669年）と結婚した。当時の英国は、それまでの親スペイン政策から親フランス政策へと変わりつつあった。だが、チャールズがカトリック教徒を王妃に迎えたことは、反カトリック派の反感を買うことになった。結婚当初の二人の関係は良好とはいえなかったが、後に非常に親密な夫婦関係を築くことになった。しかしながら、彼女は英国社会に馴染めず、チャールズと結婚するまで英語を話したことがなく、結婚後20年以上経った１６４０年代後半になっても英語での読み書き、コミュニケーションに不自由するほどであった。このことと、敬虔なカトリック教徒だったことが重なって当時の英国社会からは異端視され、宗教的にも不寛容な王妃であると見なされるようになり、英国の一般大衆から徐々に人気を失っていった。

第2節　チャールズI世、バッキンガム公爵を側近として起用

また、チャールズI世は父同様に「王権神授説」を信奉し、議会と対立した。加えて権力独占と無能ぶりを曝け出すバッキンガム公爵（Duke of Buckingham）にスペイン熱が冷めた議会が非難を開始、同月開催された議会は戦争補助金を認めたが追加しないことを明言、チャールズI世が英国国教を奉じるカルヴァン主義に反対するアルミニウス主義を支持したことも議会の反発を高める原因となり、チャールズI世はバッキンガム公を守るため8月に議会を解散した。しかし状況はむしろ悪化し、10月に大陸の遠征が失敗したこと、同盟に基づいて英国艦隊を提供されたフランスが艦隊を国内のプロテスタントであるユグノー攻撃に差し向けたことで、バッキンガム公批判は増大した。

チャールズI世とバッキンガム公爵はフランス外交を転換、プロテスタント諸国の盟主チャールズとなるべくオランダと同盟、フランスとの同盟を保ちながらユグノー援助も計画したが、戦費の特別

税を求めるため1626年2月に招集した議会でバッキンガム公は無定見な外交と権力乱用を議会から非難され、かってバッキンガムの部下だったジョン・エリオットが彼にまつわる汚職や外交の失敗を取り上げて弾劾したが、チャールズⅠ世はバッキンガム公をを擁護し、エリオットを投獄し議会の解散を命じた。これによって特別税をほとんど得られなかっただけでなく、フランスが英国を見限ってスペインと和睦したため、英国は両国を敵に回す結果となった。しかもバッキンガム公が自ら指揮した1627年のフランス・ユグノー支援に失敗し、千人以上の兵を戦死させる失態を演じ大衆のさらなる怒りを買い、チャールズⅠ世が特別税の代わりに強勢借り上げ金を徴収したことがジョン・ハムデン（John Hampden）（1594〜1643）ら庶民院議員の反感を買い、政府は

チャールズⅠ世と妻ヘンリタ・マリア王妃（アンソニー・ヴァン・ダイク作）
出典：ロイヤル・コレクション所蔵。

バッキンガム公爵
（Duke of Buckingham）
出典：George Villiers, Duke of Buckigham, as Lord High Admiral, a portrait by Daniel Mytens the Elder, 1619.

議会の信用を失っていった。

1628年3月、チャールズI世はバッキンガム公の要請で特別税を徴収すべく議会を招集したが、反バッキンガム公および反専制で固まった議会から権利の請願が提出され、課税には議会の承認を求められた。これに対しチャールズI世は一旦請願受託の署名を行うが、バッキンガム公批判を続ける議会から側近を守るため、同年6月に議会を停会した。その2か月後の8月23日、バッキンガム公はポーツマスで派兵の準備中に英国軍将校ジョン・フェルトンによって刺殺された。

バッキンガム公の暗殺事件のあ

バッキンガム公の暗殺図（1628年8月23日）
The assassination of George Villiers, 1st Duke of Buckingham by John Felton

出典：Richard Sawyeretching, published 18226 3/8 in. x 7 3/8 in. (162 mm x 187 mm) plate size.
Given by the daughter of compiler William Fleming MD, Mary Elizabeth Stopford (née Fleming), 1931.

との翌1629年1月に再開した議会では国王のカトリック寄りの教会政策が批判を浴び、政策の転換が行われるまでは、庶民院（下院）は特別税を承認しないという態度をとった。そこで国王は議会を解散し、バッキンガム公の代わりに新しい籠臣としてストラッフォードを選び、その後11年間（(Eleven Years Tyranny）も議会を開かずに専制政治を行った。

第3節　議会派と王党派の内戦と清教徒（ピューリタン）革命

無議会政治の間チャールズI世は外交を親フランスに切り替え、1628年にフランス、1630年にスペインと和睦し、30年戦争から手を引いた。内政面では財政再建のため国王大権を濫用、トン税・ポンド税・船舶税などを国民から強引に徴収。新たな側近としてトマス・ウェントワース（ストラフォード伯爵）カンタベリー大主教ウイリアム・ロードを取立、ロードの助言で宗教を英国教会統一に乗り出し、ピューリタンを弾圧した。だが、ロードの政策がスコットランドにも国教を強制するに及んで、各地に反乱が起きた。

1637年、チャールズI世とロード大主教は、長老教会主義を信奉していたスコットランドに、英国教会の儀式と祈祷書を強制した。これに対してエディンバラでは暴動が生じ、1639年にスコットランドとの間に第一次主教戦争が起きた。国王は戦費調達のために議会を召集せざるを得なくなり、11年ぶりに議会が開かれた。その後もチャールズはなおもスコットランド問題にこだわり、同年7月、再び第二次主教戦争を起こしたが、スコットランド軍に敗北し、賠償金の支払いを迫られた。

こうした盟約戦争・主教戦争から1651年のオリバー・クロムウェル（Oliver Cromwell）（1599〜1658年）による征圧までの内戦は、スコットランド革命と呼ばれる。英国における急進戦力が独立派やバプテストであったのに対し、スコットランドでは長老派の中で強硬派と穏健派（モントローズ候ジェイムズ・グラハムなど）に分かれ、強硬派は王に対する徹底抗戦とスコットランドの実効支配を目指した。一方穏健派は、盟約の目的は長老制の確立のみであり、スコットランドは国王のもとに帰するべきと考えた。この違いが内戦のみならず対英国外交にも影響し、強硬派の勝利・実権掌握が英国との対立を招いた一因となった。これに続くオリバー・クロムウェルの遠征によって、スコットランドは史上初めて直接支配を受けることになった。

オリバー・クロムウェル
出典：Christpher Hill 著『オリバー・クロムウェルとイギリス革命』2003年。

第一次および第二次の主教戦争によって英国王室は財政の限界に達し、親政を中止して議会を召集せざるを得なくなった。これが英国議会と国王の対立を招いた一因とされる。スコットランド内はほぼ盟約派として団結し、祈祷書の停止を議会で宣言した。

チャールズI世のスコットランド失政を契機として、1640年長期議会が招集され、専制責任者の処罰、議会特権の確認、絶対王制の支配機構の打破などの改革が行われた。国王派（騎士党）と議会派（円頂党）が対立、1642年内乱開始。当初は国王派が有利だったが、議会派クロムウェルが出て鉄騎隊を編成し圧倒的勝利を収めた。当初騎兵隊（鉄騎隊）の隊長に過ぎなかったクロムウェルは、議会軍のなかで次第に頭角をあらわしてゆき、ニューモデル結成にあたってはその副司令官となった。議会軍は1645年のネイズビーの戦いで勝利を決定づけた。

1625年に英国とスコットランドの王位を継承したチャールズI世は、変化に対応する能力に欠けており、王権神授説にもとづき議会と対立し、大陸の戦火が英国にも及ぶことになった。

清教徒革命（三王国戦争）によってスコットランド、英国が混乱状態になると、カトリック信仰の承認を求めて1641年に、アイルランドのカトリックが武力蜂起して「アイルランド・カトリック同盟」（キルケニー同盟）政権を樹立した。ちなみに、カトリック同盟は、その成立が宣言されると、すぐに憲法を制定し議会を開いた。議会はアイルランドの地主と聖職者で構成された。彼らは「神のため、王のため」立ったと主張し、あくまで国王との和解を目指した。両者は交渉のテーブルについたが、互いの主張はしばらく平行線をたどった。これは、以下の要求を国王側が認めなかったことによる。

(1)　カトリック教会の財産権を保障すること

(2)　カトリック信徒への刑罰を廃止すること

の２点である。

チャールズＩ世がこの要求を受け入れられなかったのは、国王軍内部でもチャールズＩ世の親カトリック政策への批判が強まっていたからである。

第４節　チャールズＩ世、ローマ教皇にグラモーガン候の信任状を送る
―教皇に無視されたチャールズＩ世の親書―

チャールズＩ世の委任を受けて「アイルランド・カトリック同盟（Irish Catholic Confederation）」と交渉に当たったのはアイルランド軍司令官で反乱鎮圧に当たったオーモンド候ジェームズ・バトラーで、アイルランド貴族でありながらステュアート朝にプロテスタントとして養育され、ストラフォード伯の下で従軍したこともある経験と、「アイルランド・カトリック同盟」にも旧知の縁者が多い人脈を買われた。１６４３年9月15日に両者はまず休戦、続いて11月13日にアイルランド総督に任命されたオーモンド候と「アイルランド・カトリック同盟」は和平交渉に取り組んだ。しかし和平交渉はようやく１６４４年に始まったものの、両者の要求が合意に達しなかった。特に国王側はアイルランド・カトリック教会の財産保持を認めず英国教会へ返還するよう要求したが、聖職者の影響力が強い「アイルランド・カトリック同盟」には応じられるものではなかった。「アイルランド・

カトリック同盟」もカトリック刑罰法撤廃を要求、双方の要求は実現が難しいため暗礁に乗り上げた。そこで１６４４年にグランモーガン伯爵は、チャールズⅠ世に交渉を提案、アイルランドから１万人もの援軍を提供してもらうため自分を交渉役に任命して欲しいと申し出た。合わせて自家の領土からも1万人徴兵、海外のカトリック諸国からも資金援助を取り付け、英国を制圧する壮大な計画を述べた。

グラモーガン伯が交渉の見返りとして、前もってサマセット公に叙爵されたことだった。注目されてはいけないためグラモーガン伯叙爵の時と同じく極秘にされたが、チャールズⅠ世は気が変わり、「アイルランド・カトリック同盟」との交渉はアイルランド総督のオーモンド候ジェームズ・バトラーに任せた。しかし、進展しない状況にチャールズⅠ世は年末に寵臣トーマス・グラモーガン（Thomas Glamorgan）（＝エドワード・サマセット（Edward Somerset））を密使としてアイルランドへ派遣することを決め、さらに交渉の障害となっていた「カトリック刑罰法」の執行停止を了承してアイルランド同盟と合意することを決め、グラモーガン伯がオーモンド候と協力して交渉を進めることを期待した。

１６４５年1月に改めて委任状を受け取ったグラモーガン伯は、同年3月に必要があればオーモンド候に代わって交渉する権限も与えられ、アイルランドへ向けて出航した。

１６４５年7月にグラモーガン伯がアイルランドのダブリンに到着すると、8月末にオーモンド候に無断で「アイルランド・カトリック同盟」と秘密協定を結び、カトリック信仰を認める代わりに兵

第2代ウスター候エドワード・サマセット（グラモーガン伯爵）（1602〜1667）

出典：A.F. Pollard, Edward Somerset, sixth earl and second marquess of Worcester and titular Earl of Glamorgan, DNB 1897.

士1万人をイングランドへ派遣する条件が約束された。

　チャールズI世がローマ教皇インノケンティウスX世に対してグラモーガン伯を信任するため羊皮紙に羽ペンで書いたラテン語による自筆署名の書簡を送ったのは、この年の10月20日であった。

　チャールズI世は、「アイルランド・カトリック同盟」と軍事援助の秘密条約を締結させるため寵臣グラモーガン伯爵をアイルランドに派遣した。信任状の中でチャールズI世は、教皇聖下に対し、「アイルランド・カトリック同盟」と秘密条約の締結を任せた、交渉人グラモーガン伯爵が正当な資格を有し、信頼（fidem）できる人物であることを表明した。しかしながら、翌月の11月に、アイルランドに対抗宗教改革を実現することを望む強硬派のローマ教皇インノケンティウスX世の特使ジョバンニ・バティスタ・リヌチーニ大司教（1592~1653）がアイルランドに到着すると状況が一変した。教皇特使は、「アイルランド・カトリック同盟」とオーモンド侯の交渉に反対、グラモーガン伯に接触しながらもそれぞれの交渉を破棄することを計画、和平交渉が決裂する危険が高まった。

教皇特使のリヌチーニ大司教は、1592年ローマ生まれ。ボローニ大学とペルジィア大学で民法と教会法を学び、22歳でピサ大学から法学博士号の学位を取得した。1625年にイタリア・フェルモの大司教に任じられた。ローマ教皇がアイルランドに派遣した最初の使節であり、彼は26人のイタリア人を伴ってアイルランドのキィリー港に乗り込ん

ローマ教皇インノケンティウスX世聖下
出典：ヴァティカン図書館蔵。

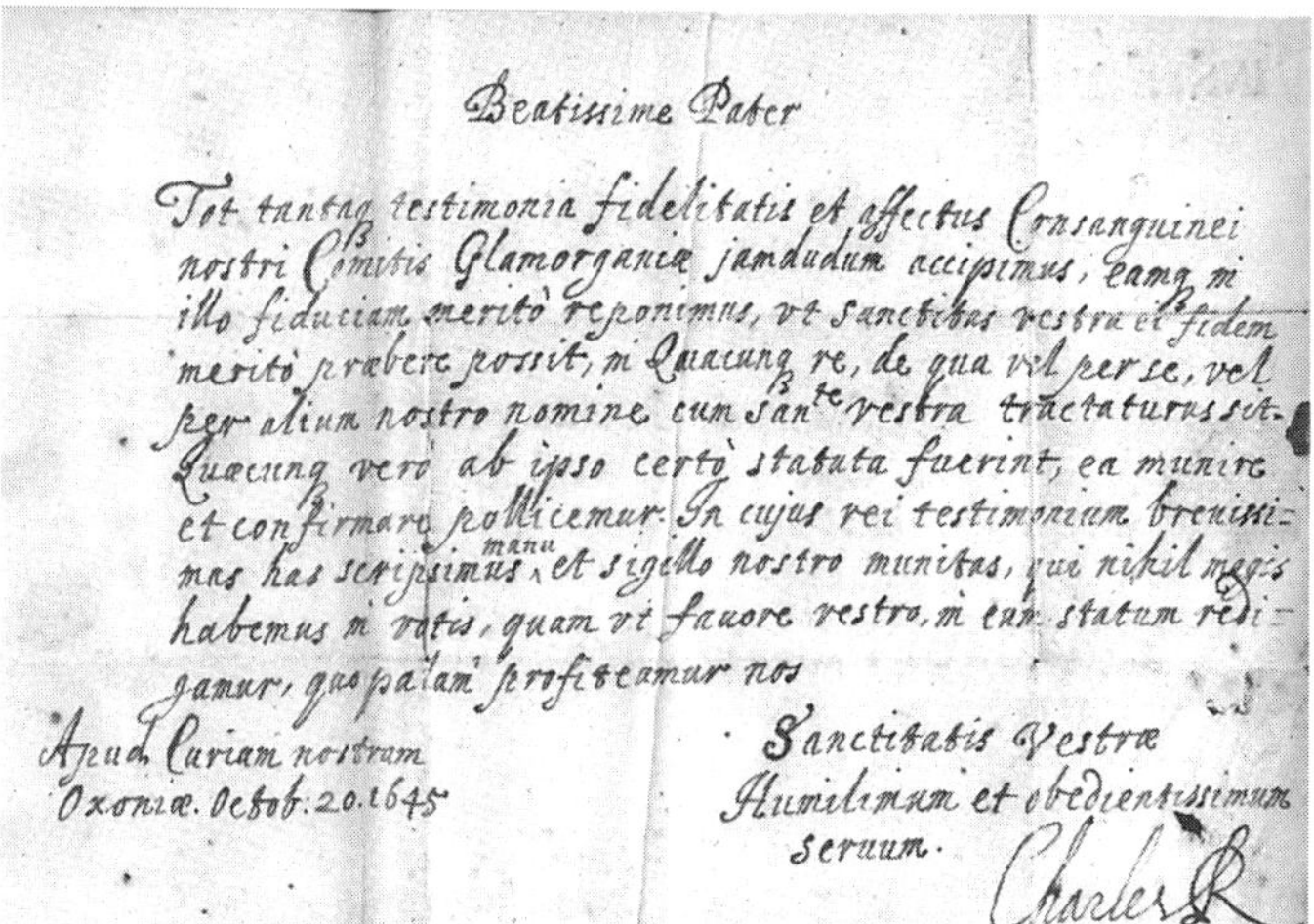

Beatissime Pater

Tot tantaq testimonia fidelitatis et affectus Consanguinei nostri Comitis Glamorganiæ jamdudum accepimus, eamq in illo fiduciam meritò reponimus, vt Sanctitas vestra ei fidem meritò præbere possit, in Quacunq re, de qua vel per se, vel per alium nostro nomine cum Sant:te vestra tractaturus sit. Quæcunq verò ab ipso certò statuta fuerint, ea munire et confirmare pollicemur. In cujus rei testimonium breuissimas has scripsimus manu et sigillo nostro munitas, qui nihil magis habemus in votis, quam vt fauore vestro, in eum statum redigamur, quo palam profiteamur nos

Apud Curiam nostram
Oxoniæ. Octob: 20.1645

Sanctitatis Vestræ
Humilimum et obedientissimum
seruum.
Charles R

チャールズⅠ世の自筆署名によるローマ教皇インノケンティウスX世宛てのグラモーガン候の信任状（ラテン語）（1645年10月20日付）
出典：ヴァティカン機密文書館蔵（instr. Misc. 6635）（著者撮影）。

だ。リヌチーニ大司教は、「アイルランド・カトリック同盟軍」に事前に大量の武器や弾薬を送り英国プロテスタント軍との戦いに備えた。

チャールズⅠ世は、ローマ教皇に親書まで送って「アイルランド・カトリック同盟」との秘密交渉がうまく運ぶように期待したが、教皇インノケンティウスⅩ世はアイルランドに派遣した特使の行動でもわかるが、チャールズⅠ世の思惑とは裏腹に、最初から和睦条約締結に反対の立場であったのである。

一方、リヌチーニは、アイルランド人に対する土地返還とカトリック寛容を引き換えにした軍事援助のどちらの条約にも反対した。1646年1月、秘密協定の草稿が英国議会に渡り、チャールズⅠ世がアイルランドと結ぶことが露見した。グラモーガン伯は態度を変えて秘密協定を非難したチャールズⅠ世から切り捨てられ、ダブリンでオーモンド侯に正当な権限もなく行動したことを理由に逮捕された。チャールズⅠ世はグラモーガン伯との関与を否定したが「アイルランド・カトリック同盟」から不信を抱かれ、オーモンド侯の和睦条約もリヌチーニに扇動された反対派により破棄され、もはやアイルランドか

ローマ教皇インノケンティウスⅩ世の特使ジョバンニ・バティスタ・リヌチーニ大司教
出典：ヴァティカン図書館。

らも援軍を期待出来なくなった。
国王の加担については沈黙、交渉で危機に立たされた国王の名誉を守りたいオーモンド候の配慮で釈放されたが、リヌチーニが交渉の破棄をアイルランド同盟に働きかけたため、アイルランドからチャールズⅠ世に援軍を送る計画は破綻してしまった。

第５節　チャールズⅠ世の処刑

国王軍がクロムウェルの議会軍に大敗、ハミルトン公が捕らえられて処刑されたため第二次内戦も敗北に終わり、１６４８年11月に再び議会軍に投降した。一方、議会派は戦争終結を巡り国王との妥協を図る長老派と徹底抗戦の独立派が対立、12月６日のプライドのパージで長老派が議会から追放、独立派が残ったランプ議会がチャールズⅠ世の処刑の裁判を進めていった。

１６４９年１月27日、裁判によってチャールズⅠ世の処刑が宣告された。１月30日自らルーベンス内に内装および天井画を依頼したホァイトホール宮殿のバンケティング・ハウス前で公開処刑され、チャールズⅠ世は斬首された（享年48歳）。彼の最期の言葉は、「我はこの堕落した王位を離れ、堕落し得ぬ、人生の極地へと向かう。そこには如何なる争乱も存在し得ず、世界は安寧で満たされているのだ」（原文"I go from a corruptible to an incorruptible Crown where no disturbance can be, no disturbance in the world"）であった。

チャールズＩ世の処刑後王制は廃止され、英国共和国が誕生、これを認めない王党派はチャールズＩ世の長男チャールズⅡ世を擁立し議会派との戦いを継続したがやがてそれらを平定したクロムウェルが１６５３年に護国卿となり、ステュアート朝に代わり英国・スコットランド・アイルランドを事実上統治した。チャールズⅡ世ら王党派が英国へ戻れるにはクロムウェル死後の１６６０年の王政復古まで待たなければならなかった。

チャールズＩ世はホァイトホール宮殿のバンケティング・ハウス前で公開処刑され、斬首された
出典：Cust, Richard (2005), Charles I; Political life Harlow, Person Education.

第7章　中国・南明朝第4代皇帝「永暦帝」の嫡母「定聖慈粛皇太后」（孝正皇后）がローマ教皇に救援を懇願した書簡

第1節　明王朝時代の成立と繁栄

明王朝（1368～1644年）は、中国封建社会の晩期に当たり、1368年に元璋が建立してから、1644年に李自成の農民起義軍によって倒されるまで、17朝16名の皇帝（正統・天順両朝の皇帝は、共に英宗朱鎮である）を経て、277年続いた。明王朝の都は、初めは南京に定められ、永楽19年（1421年）に北京に遷った。洪武・永楽の両朝（1368～1424年）は明王朝の初期であり、国勢は強勢となり、政治・経済の制度が定まった。その後、正徳から崇禎朝まで（1506～1644年）は明王朝の後期であり、経済は引き続き繁栄したが、政治上の危機が深刻となり、明王朝は次第に衰亡へと向かっていった。明王朝崩壊への道は、王朝中期に既に始まっていた。腐敗した政権への不満は民を暴動へと駆り立てるに十分であり、やがて李自成率いる反乱軍が北京へと迫ったのである。ついに、1644年（順治元年、崇禎17年）3月19日、李自成率いる順軍が北京を陥落させ、明王朝を滅ぼした。清軍はドルゴンの主導の下、山海関を開城して清に下った呉三桂を先頭に、北京へ向かった。北京の順軍は明王朝を滅ぼした後、おのおの官職を決めたり明王朝の高級官僚を処罰したりと忙しかったが、山海関の中に入った清軍を4月23日に迎え討った。清軍は大勝し、さらに敗走する李自成を追って通城（現在の湖北省）まで南下し、順を滅ぼした。10月19日、順治帝はドルゴンに迎えられて北京に入城した。

南明朝は明朝が滅亡後、明朝の皇室によって中国南京、湖南省西部、福建省、雲南省を中心に樹立した亡命政権である。

南明朝（1644〜1683年）第4代最後の皇帝永暦帝（在位：1646年12月〜1662年6月）の嫡母（父の正妻）は、王太后、母は馬太后、妻は王氏（王太后の一族）、子は朱慈爝、朱慈烜、朱慈炫（太子の朱慈煊）、朱慈炷、朱慈煒、朱慈熠、朱慈焯である。

崇禎崇年間に永明王に封ぜられた。1643年（崇禎16年）、明末の混乱に際し、父と共に広西へ避難、その直後父と兄である朱由榎が薨去したため桂王となった。

1644年（崇禎17年）、李自分成の北京入城により崇禎帝が自殺すると、唐王（後の隆武帝）や福王（後の弘光帝）と協力して明王朝の遺臣による南明政権を樹立、隆武帝が清軍に捕らえられると肇慶（現在の広東省中西部）に逃れて18代皇帝に即位し、《永暦》と改元した。

第2節　南明朝第4代皇帝永暦帝とイエズス会士の交流

中国にキリスト教が伝わったのは7、８世紀（唐代）のころであり、景教と呼ばれたが、これはローマ・カトリック教会からは異端扱いされるものであった。

景教（Nestrianism）は、キリスト教の一派であり、５世紀には異端とされ、その信徒は東方に向かい発展した。景教碑は唐の徳宗の時代建中２年（７８１年）に建てられ、天啓３年（１６２３年）に西安で出土し、１、７００余字の碑文は直ちにラテン語など多くの西洋言語に翻訳され世間の注目を集めた。特に、イエズス会士はこの碑文を通して、カトリック教が中国初期時代の社会に浸透し、信徒数が増えたことを広く宣伝した。

この景教碑によると、冒頭に高僧阿羅本が唐の太宗の貞観九年（６３５年）に中国に来訪し、太宗皇帝が宰臣の房玄齢を郊外に出迎えさせたことが記録されている。

その後、13、14世紀（元代）になると、フランシスコ修道会によるカトリック布教が開始され、一時は3万人の信徒を獲得するまでに至ったものの、14世紀半ばには終局を迎える。その後、明代末期の１５８２年になるとマテオ・リッチ（Matteo Ricci）（１５５２～１６１０）やミゲル・ルジェリ（Michele Ruggieri）（１５４３～１６０７）のもとイエズス会士による布教が幕を開ける。その勢力は、半世紀ばかりの間に中国のほぼ全土に天主堂を建立するほど盛んとなり、一説では15万人もの信徒を獲得するほどの布教基盤を形成した。

マテオ・リッチ（MATTEO RICCI）

イエズス会を中心とする明代末期に中国に入国したカトリック教会の宣教師は、中国の権力者の関心を引くために、暦算と兵学に通じた人物が選別されて派遣された。そして、崇禎2年（1629）9月礼部左侍郎管部事の徐光啓は勅命を受けて暦局を招集し、李之藻およびイエズス会の天文学者を率いて観測機器の製造や実験並びに文献翻訳と演算を行った。

李闖および後金による侵略の拡大に伴い、徐光啓はより積極的に兵力を投入した。李之藻らカトリック教徒の支援の下、天啓および崇禎年間には数度にわたりポルトガル人が占拠するマカオで大型銃や砲術師を募集した。徐氏の所に出入りする弟子の孫元化は巡撫に登用された任期内に、ポルトガル籍の軍事顧問の支援の下、西洋火器を使い熟す精鋭部隊を編成した。しかし、この部隊は、呉橋での軍事クーデター発生とその後の孔有徳と耿仲明に率いられ満州に投降した。これにより後金は、大量かつ高性能な西洋火器ばかりでなく、西洋人から直接伝授された弾薬製造技術および狙っていた知識や機器を獲得し、明と後金との軍事力の格差は明らかに消滅した。

１６４４年は、崇禎帝政権の瓦解後、国内の群雄が揃って決起したばかりか、満州の野心を誘発した年となった。暦算や兵学で名の知れたイエズス会宣教師や中国人カトリック教徒の一部は、その他大勢の政治的理想や野心を持った人物と同じく、幾つかに分立した政権内で機会を捉えて動き回り、布教を進める新たな局面の創出を目指して暗躍した。

当時、新たに北京入りした清朝には、湯若望や龍華民などイエズス会宣教師がおり、彼らはカトリック教を信仰する暦局の天文学者を率い、欽天監の権限を掌握することに成功した。

欽天監を管理する監正事の湯若望は、個人の官僚体制内の崇高な地位および人脈関係を利用し、清朝統治区域内ので戦況事業においてカトリック教の護持に尽力した。国内統一のため、清朝は孔有徳と耿仲明、尚可喜、呉三桂の4人の異姓王を派遣し、西南を攻略させ、彼らを孫元化の麾下とした。徐光啓ら明末期のカトリック教を信仰する士大夫たちは、西洋の火器やポルトガル籍軍事顧問の支援を得て装備し、訓練した精鋭部隊を思いがけず敵に奪われることとなった。

張献忠の大西政権内において、天文学国師の称号を賜ったイエズス会の利類思と安文思の両宣教師は、天文機器の製作と暦書の翻訳を命じられた。さらに張献忠の某側室の実家の32人の洗礼と引き換えに、政権基盤が固まった後、大聖堂の修理も行われた。李自成の大順政権でもまた、カトリック教を信仰する士大夫が重要な職位を担当した。たとえば徐光啓に替わり暦法を監督する李天経が光禄寺少卿のポストに就任すると、西洋火器に長じた徐光啓門下の韓霖が礼政府従事に抜擢され、又韓霖は同教の友人である魏学濂を政府司務に推挙した。

各代南明王朝が小規模な政府であろうとも、イエズス会の修道士の影はあちこちに見受けられた。たとえば畢方済は弘光帝の命を受け広州に赴き〝通南洋船〟に取り組んだ。又畢方済は隆武帝との個人的関係を利用し《修斉治平頌》を上奏し、皇帝は邪推せず、側室を持たず、仁政につとめ、天を敬うことを勧めた。また〝宣諭使〟の身分としてマカオへ救援を求めに赴いた。この時隆武帝から賜った詩文中の〝借旒安世後、太昊委来真〟という言葉は、兵を借り大業を成した後には、西洋人の中国でのカトリックの布教の自由を許可するというものであった。イエズス会側の史料によると、隆武帝が当時畢方済を彊王に封じ、また大軍の動員を命じ、共同で国家を統治することを望んでいた。しかし、畢方済は頑なに拒み、隆武帝に布教保護の詔勅だけを求めたと言われる。

南明朝期におけるイエズス会による本格的なカトリック教の布教活動が開始されたのは、第2代皇帝朱聿键（在位：1645年～1646年）（洪武帝）の時代である。洪武帝は幼児期から西洋文化に興味を抱き、ヨーロッパ出身のイエズス会の宣教師たちと親しく交流していた。彼が皇帝在任中の1年半の短い期間に福建省の教会建設などに力を注いだ。

南明朝第2代皇帝隆武帝（洪武帝）
（在位：1645～1646）
出典：南明史。

1646年9月、隆武帝は清軍が福州を攻撃すると汀州に逃れたが、清軍の李成棟によって捕らえられ、翌月に絶食して自ら命を絶った。隆武帝は清軍に捕らえられる前に、汀州から宦官鄭天壽とイエズス会の宣教師の2人をマカオのカトリック教区に軍事援助を求めるために派遣していた。ちなみに、当時マカオには、１５７６年に教皇グレゴリウスⅩⅢ世によって設置されたカトリック教のマカオ教区があった。カトリック教のマカオ教区のイエズス会の教区長は、隆武帝からの軍事的な救援要請を受け入れ、最先端の大砲と火縄銃を有した約3百人の救援隊（義勇兵）を汀州へ派遣した。当時、マカオにはポルトガルの奴隷商人によってマカオに連れて行かれた日本人奴隷が多数いたという記録が残されているので、汀州に派遣されたこの3百人の救援隊の中に日本人奴隷が含まれていた可能性がある。救援隊は大量の武器の運搬に困難をきたし進攻は予想以上に遅れ、救援隊が汀州に到着したときは、既に、在位40日だけの短命で終わった第3代皇帝を経て、第４代皇帝永暦帝に替わっていた。

さて、第４代皇帝に就いた永暦帝は、清軍と戦う気力を失っていたが、マカオからの最先端の銃器を使用した救援隊が清軍との戦いで有利に抗戦していた。これによって永暦帝はいくらか自信を取り戻すことができた。清軍に追い詰められて逃亡生活を余儀なくされていた永暦帝に常に随行していたのがイエズス会の宣教師ヴォルフガング・アンドレアス・コフレル（Wolfgang Andreas Koffler）（中国名：瞿紗微）であった。コフレル神父は、清軍との戦いに自信を失っていた永暦帝に対し、『旧約聖書』を差し出し、『旧約聖書』中の一書「申命記」（Deuteronomy）と『新約聖書』中の一書で使徒パウロの「ローマの信徒への手紙」を朗読した。ちなみに、「申命記」は、伝承では死を前にしたモーゼがモアブの荒れ野で民に対して行った3つの説話をまとめたものであるとされている。

そして、イエズス会士アンドレアス・コフレルは永暦帝に次のように述べた。〝私たちカトリック教徒は死を恐れず、皇帝に忠義を尽くすことは美徳であり、これも愛の一つです。私が陛下の側で死ぬことも、これは私の忠義です〟。この言葉を聞いた永暦帝は感慨深かった。

第3節　永暦帝の後宮関係者がカトリックの集団受洗

永暦元年（1647年）、永暦帝は武岡（湖北省）に駐屯していたが7月、清兵は寶慶（湖南省）を攻め、奉天（湖南省中心部）城下まで進軍した。南明朝の錦衣衛指揮使（近衛兵長）、馬吉翔（官位：文安民伯）は馬太后を守り撤退した。

永暦2年（1648年）に永暦帝の後宮内の関係者全員がカトリックの洗礼を受け、カトリック教徒となった。

同2年の初め、広西桂林にある皇帝の宿泊地は清軍に略奪され、後宮内は暗い雰囲気が漂っていた。この時、アンドレアス・コフレルら数人のイエズス会士が協議した結果、当時の南明朝の軍事的な形勢の中で、永暦帝の皇族に洗礼を授けることが最善策であると判断した。2人の皇太后、皇后、侍女たちは、以前からカトリックに関心を抱き、一部の者は密かに公教要理（カトリックの教義）を学び、既に洗礼志願者であった。永暦帝は当初躊躇したが、結局、それを認め後宮内での集団受洗式を行うことを認めたのである。同年旧暦2月、アンドレアス・コフレルが洗礼式を執り行った。そして、寧聖慈粛皇太后（孝正皇后）は、ヘレナ（またはエレナ：Herena）、皇太后馬利亜は、マリア（Maria）、中宮皇后亜納（孝剛匡皇后）は、アンナ（Anne）、皇太子当定はコンスタンティヌ

(Constantine）と、各々カトリック教の霊名（洗礼名）を授けられた。ただ、皇帝の永暦帝が洗礼を受けたかどうか定かではない。イタリア人のイエズス会士フランチェスコ・サムビアシ（Francesco Sambiasi）（1582～1649年）の日記には、「永暦2年旧暦3月10日に南寧に逃走した永暦帝はカトリック教会の聖人像の前に跪拝したことがある」と記されている。しかしながら、永暦帝が洗礼を受けたことを証明するものは何も残されていない。

1648年4月、皇后が慈炫皇子を出産した。後宮は全員洗礼を受けているので、本来であれば教会の掟で子どもも幼児洗礼を受けるべきであった。瞿紗微は皇子に洗礼を授けようとしたが、永暦帝は明朝建国以来、儒学で立国してきて、孔子孟子の道徳を遵守し、息子が異教徒になることに反対したのである。その上、永暦帝は将来皇子が妻妾を娶ることができず嗣子を持てなくなることを心配し、頑なに同意を拒んだ。しかし、皇子が出生後3カ月後に重病に罹ったのである。永暦帝は心配のあまり落ち着きを失っている時に、アンドレアス・コフレルは永暦帝に「この子を見守ってくれるのは主イエズス・キリストしかいない」といった。そのうえ皇太后や中宮皇后らの説得もあり、結局、永暦帝は太子が洗礼を受けることを承諾し、受洗して〝コンスタンティヌ〟という霊名を授かった。

カトリック教の神の庇護を得るために入信を許し、龐天寿が代父を務め受洗してから、すぐに回復した。永暦帝は使節団をマカオに派遣し、永暦2年9月イエズス会所属教会の祭壇前で敬礼し、皇子の病気快癒に感謝の意を表すと共に、この機会を捉え軍事援助を要請した。

永歴王朝の太監である龐天寿（霊名 Achilleus）は宮廷内で最も早い入信者の一人で、彼は天啓期および崇禎期初めに龍華民により洗礼を受けた。崇禎帝の崩御後、隆武帝に身を寄せ、永歴元年（１６４７）８月、高位かつ権力のある司礼監掌印太監の職に就き、師である瞿紗微の支援の下、宮廷の多くの重要人物に入信を勧めた。

イエズス会側の史料によれば、瞿紗微は両宮太后と皇后とに同時に洗礼を授けた。受洗式で、龐天寿が代父を務めた。当時永曆帝は別の場所に居て不在にしており、２日後に帰宮した際にこのことを知ったが、異を唱えなかった。しかし、一夫一妻の戒律が遵守できないため、永曆帝自身は入信を望まなかった。孝正太后は受洗後、カトリックの神に満州兵が敗退することを祈念した。数日後、いろいろ考えた挙句元に戻ってしまった。

次頁の表は、南明永歴帝統治時代における主な出来事について、中国国内およびローマ・イエズス会本部文書館並びにポルトガルの史料館（トーレ・ド・トンボ国立公文書館やアジェンダ史料館等）に所蔵する原史料に基づいて永曆初期における史実を比較したものである。これによると、瞿紗微は永曆２年３月に両宮らを説得し入信させた可能性が最も高いことが分かる。これは、龐天寿が両宮と身籠った皇后に随行し南寧に寄寓して、この前の４カ月の間永曆帝の傍らにおらず、永曆２年３月に永曆帝が南寧に行幸し、瞿紗微の予言通り李成棟の寝返り事件が起こったことから推測できるのである。この推論は伯希和（Paul Pelliot, 1878–1945）の唱える瞿紗微が１６４８年３月～４月の間に両宮と皇后に洗礼を授けるように説得したという内容と符合するのである。また、王太后（孝正皇后）が永曆４年10月にローマ教皇とイエズス会総長に宛てた書簡の中で、受洗した時期を述べるのに〝３

第3節　永暦帝の後宮関係者がカトリックの集団受洗

表　南明永歴帝統治時代の主な出来事

隆武二年	十一月　朱由榔 肇慶で即位し、翌年をもって永暦元年と定める。
永暦元年	正月　永暦帝桂林に行幸。二月　永暦帝全州に行幸。 三月　瞿式耜と焦璉が桂林で清軍に大敗。四月　永暦帝武岡に行幸。 五月　桂林を奪還。八月　武岡陥落。九月　永暦帝柳州入り。 十一月　梧州陥落。永暦帝象州に移り北上して桂林に行幸する旨決定。しかし、龐天寿らに両宮と皇后に随行し南寧に南下することを命じた。 十二月　永暦帝桂林に行幸。
永暦二年	正月　清の武将金声桓が広西で寝返り。 二月　明の武将郝永忠の兵が桂林に乱入し強奪。永暦帝桂林脱出。 三月　永暦帝南寧に行幸。閏三月　李成棟が再度挙兵し、広東で寝返り。 四月初　南寧で皇后が慈炫皇子出産。六月　永暦帝潯州入り。 七月　永暦帝梧州に行幸。八月　永暦帝肇慶に遷居。安撫で李成棟が投降。
永暦三年	正月　金声桓が南昌で戦死。二月　李成棟死亡。 三月　陳邦傳が偽の詔勅により大西軍孫可望を秦王に封じる。
永暦四年	二月　永暦帝田州に行幸。五月　広州にて清軍に大敗。 十一月　清軍が広州、桂林を陥落させ、永暦帝は広西南寧に出奔。 閏十一月　瞿式耜が孔有徳に暗殺される。
永暦五年	二月　永暦帝田州に行幸。四月　王太后田州で崩御。 五月　永暦帝南寧に帰還。孫可望が秦王に封じられないことから軍隊を率い宮廷に乱入。秦王に封じることを反対していた吏部尚書の厳起桓ら大臣を殺害。永暦帝はやむを得ず孫可望を秦王に封じた。 九月　陳邦傳謀反を起こし、大将軍焦璉を誘い出して殺害。併せて潯州が清に投降し、永暦帝は南寧から脱出。十月　新寧に行幸。 十二月　濱州と南寧が陥落。永暦帝は田州から船を乗り捨て陸路を蛮族の所在地に沿って逃亡。
永暦六年	二月　永暦帝安隆に行幸し、安龍府と改名。

出典：黄一農『両頭蛇―明末清初的第一代天主教徒』上海古籍出版社、2006年、352頁。

年になる〟や〝3年が経過する〟と区別しており、永暦2年3月から永暦4年10月と首尾を計算すると確かに3カ年が経過したことになり符合する。慈炫皇子の受洗時期については、則ちその3カ月後の永暦2年7月前後ということになるのである。

一般的に両宮、皇后および慈炫皇子が同時に受洗したと指摘されているが、黄一農教授は宮廷内の受洗者たちの霊名から間接的に、両宮と皇后は慈炫皇子の前に受洗していると推測している。これは、瞿紗微が王太后（孝正皇后）のために授けた霊名の烈納（Helena）は、ローマ・コンスタンティン大帝（Constantine The Great：死の直前に受洗）の母の名であり、子である永暦帝はコンスタンティン大帝が紀元313年に発布した信仰の自由を認める詔書の事績に倣い、中国最初のカトリックの布教の自由を許可した君主になぞらえたいと考えたのではないかと思われる。しかし、永暦帝は『旧約聖書』のモーゼの〝十戒〟が求める一夫一妻制等の要素を遵守できないため、自らが入信することは考えなかった。瞿紗微は、慈炫皇子に望みを託し、わざわざ霊名をコンスタンティン（Constantine）の音訳の略称とした。その字義は衰亡に瀕する明朝には深い意味があった。そして慈炫皇子が両宮、皇后と同時に

南明永暦帝殉国の碑
出典：ja.wikipedia.org.

受洗したという話はまた、ヘレナまたはエレナ（Helena）が王皇后（孝正皇后）の霊名であることからコンスタンティン大帝母子の関係を反映したものとされたのである。

永暦2年8月1日（旧暦）、流浪の末、永暦帝は再び帝位発祥の地である肇慶に遷居し、カトリックも宮廷内で大きく発展した。永暦帝に付き従う司礼太監龐天寿は当時、勇衛軍（近衛軍？）の提督に命じられ、彼は軍隊内で〝西番書〟を割符とした。さらに、師である瞿紗微が欽天監事を掌握する旨推挙し、当時各種のこじつけた〝瑞祥〟を伴い、瞿紗微はさらに機会を捉え〝予言図〟を献上し、永暦帝を大いに喜ばせた。この予言図は聖母マリアが誕生したイエスを抱いた姿を描いた一幅の絵画であり、傍らに洗者のヨハネ（St. John The Baptist：彼はイエスに洗礼を行い、またイエスを救世主とした）が立っているというものであった。永暦帝にとって、聖母マリアと御子イエズス・キリストは王皇后（孝正皇后）との母子関係になぞらえることができ、慈炫皇子は明朝を衰亡から救う救世主と見ることができ、洗者聖ヨハネは正に瞿紗微にあたるのである。

永暦2年9月、明朝は龐天寿を代表者とする使節団を肇慶から遠くないマカオに派遣し、教会で慈炫皇子の病気平癒への感謝を表すミサを捧げたほか、この機会を捉え軍事援助を要請した。瞿紗微もまた11月にマカオに赴き、永暦帝にマカオから贈られた百丁の火器への返礼を行ったとされる。永暦3年正月には、イエズス会中華副管区長曽徳昭が、瞿紗微に伴われ広州を経由して肇慶に到着した。永暦約2カ月の滞在期間中に、曽徳昭は王太后（孝正皇后）と龐天寿に対し、宣教師1名を増員して派遣し瞿紗微を助ける旨、承諾した。曽徳昭が広州へ戻った後、卜弥格が派遣されて来た。

永暦３年正月に、瞿紗微は西法所が編纂した新暦を発布することの批准を得、明朝が約２８０年間用いてきた大統暦からの切り替えを行った。しかし同年12月、給事中である尹三聘がこの新暦を〝外国の暦を乱用し、祖先の定めた法令を攪乱するものである〟と弾劾し、廃止された。このことより、イエズス会は当時宮廷内の影響力は日に日に増していたが、朝廷内で全面支持を得られてはいなかったことが分かる。

永暦帝がマカオから兵力を借りたことについては、様々な諸説がある。陳垣嘗は〝畢方済は永暦元年に外国人兵３百人と清軍の桂林入りを拒んだ後、２年後に広州で亡くなった。〟と主張している。その主張は、蕭静山が《聖教史略》の中で述べている内容を拠り所としている。

永暦帝が即位した初期、龐天寿を畢方済と共にマカオに遣わし、兵力を借りる協議をさせ……ポルトガルが３百人の兵力を派遣し、大砲数門を持たせ桂林で助勢した。また瞿紗微を随行神父とした。桂林府は３百人の外国人兵力の支援を得て、大いに頼りにした。

永暦元年３月、清の大軍が来攻し辺りを覆いつくす様であった。瞿式耜は直ちに焦璉に抗戦を命じた。……殺害した敵は数え切れなかった。

蕭静山の説はポルトガル語による記述が基になっており、その中でポルトガル兵３百人が永暦元年の桂林防衛戦に参加したばかりか、ニコラス・フェレイラ（Nicolas Fereyra あるいは Nicolo Ferreira, Nicolas Ferreyra）という軍人が率いていたと明記されている。

一方、中国人研究者の瞿果行氏は、永暦元年の桂林防衛戦において、３百人のポルトガル兵の派兵はあり得ないと主張している。明軍の総師である瞿式耜は民族の気骨を堅持していたと言われており、ポルトガル兵の支援を要請するはずがないというものである。しかしながらこの論拠は納得でき難いものである。事実上、明朝はこれより先の北京陥落前にマカオから軍事支援を得て、清と抗戦している。

ポルトガルは１５８０年にスペインに併合され、１６４０年に再び独立を果したが、そのためマカオは１６４２年になってスペインの統治から離脱した。しかし、当時ポルトガル王のジョンⅣ世(John Ⅳ, r.)（１６４０~１６５６）に忠誠を誓い署名した3百人余のマカオ公民の名簿には、ニコラス・フェレイラの名前は見当たらず、文献中にこの人物の名前が見られる以外、その前後の事績もまれに提起されるのみである。

１６４８年に瞿紗微が書いた一通の書簡で自ら述べているが、彼は永暦元年カトリック教を信仰する将軍のルーカス（Lucas）（焦璉）に随行し桂林を防衛しており、彼は焦璉の配下にマカオから救援に来た狙撃手が加わっていたことを明らかにしている。この他ポルトガルのエボラ（Evora）図書館が所蔵する一つの文献中には、またニコラス・フェレイラに関する記述が見つかった。それに拠ると当時ニコラスは25歳を超えており、マカオ生まれのカトリック信者で、両親は共に中国人であったとされる。この史料の出現は、一気に桂林の戦役におけるポルトガル兵の参戦について信憑性を高めるものとなった。しかし、瞿式耜の戦果報告文内の中国語文献にはポルトガル兵という言葉が全く無いのは、明人のプライドのせいであると考えられる。

永暦元年の桂林での大勝を除き、西側資料において翌年マカオから別に3百人の兵士が南明を助け清と抗戦していると述べているが、英国の著名な歴史学者であるチャールズ・ボクサー（Charles R. Boxer）（1904～2000）はこれについて、ニコラス・フェレイラ以前の事績と混同していると疑問視している。もしこれが事実であれば、則ち龐天寿が率いた勇衛軍に所属していたと考えられる。そして王夫之（1619～1692）や名も無き千余名の勇衛軍は皆、〝痩せ衰えた市民〟であった。

第4節　卜弥格の《中国地図冊》に描かれている二匹の蟹の由来

卜弥格・ミハウ・ピオトル・ボイム（Michele（＝Michaelem）Pierre Boym）が編纂した《中国地図冊》（Magni Catay）内の海南島の地図中に永暦朝内におけるカトリックとの関係を示す文字が見られる。該当する地図の右下の四角の絵に2匹の蟹が描かれているが、殻の上に明らかな十字の模様が見られる。図の上部に書かれたラテン語の解説は次の通りである。

両広付近の中国の海域で獲れた蟹は、蟹の背に白い十字架の模様が有り、両側に夫々旗の模様が有り、これもまた白色である。蟹は成熟すると赤くなるが十字架や旗の模様の色は変わらない。一六四七年こうした蟹はよく見られた。（この年は）永暦帝が即位し、十二代目の帝業を継承した縁の有る年にあたる。同年、太后（孝正皇后）烈納（Helena）と帝母マリア、皇后アンナ、皇太子当定はイエズス会の神の前で洗礼を受けた。（永暦帝は洗礼志願者）神はこの混乱した時代に精神の違いを示し、皇室の受洗を受け入れ、十字架と旗で勝利を示された。

この蟹はでっちあげでなく、台湾などで獲れるシマイシガニ（*Charybdis feriatus*）（ワタリガニの一種）が類似の特徴を有しており、この種の蟹は全身が紅褐色あるいは暗褐色の斑紋が有り、俗称は紋石蟹、紅虫市仔、火焼公、十字蟹あるいは石蟹と言われ、成長すれば殻の中央にはっきりと淡い十字の花紋が、両側にまた旗に似た紋様が見られる。かつシマイシガニは蒸すとその前より赤味を増し、ベニズワイガニの様でなく鮮やかな鮮紅色となる。

前文で引用した所謂〝十字架と旗の勝利〟永暦元年の桂林での大勝、永暦2年の金声桓と李成棟の寝返りなど永暦初期のいくつかの人心を奮い立たせたことを指している。そしてこの〝十字架と旗〟あるいは龐天寿が勇衛軍中で起用した〝西番書〟の知識を活かした旗印は、日本のカトリック教会に啓発された可能性が挙げられる。それは、寛永14年（１６３７年）に起こった島原の乱において、天草四郎が主導する反乱軍の多くがカトリック教徒であり、彼らが用いた軍旗に十字、聖杯や天使などの図柄の絵が描かれてあり、〝栄光は聖なる品に帰する〟（*Lovvad Seiaosactissim Sacramento*）というラテン語の表記（西番書）のもともとの意味も含まれている。

しかし、卜弥格の前の引用文中の永暦朝の両宮、皇后と皇子が同じ１６４７年に受洗したという内容は明らかに誤りである。なぜなら慈炫皇子は当時まだ誕生していなかったからである。そして卜弥格が永暦6年（1652年）に完成した《中国地図冊》は、当時彼はペルシャに滞在中であり、卜弥格は慌ただしい旅程で年代を間違って記載したのではないかと推察される。事実上、同じ叙述中に、朱由榔が事実隆武2年11月18日（1646年12月24日）に帝位に就いたが、前の引用文では1647年と述べている。そして卜弥格が永暦帝を一人の〝崇拝者〟（あるいは評判の良い洗礼志願者Catechumene, 受洗前に教義に啓蒙された初学者を指す）と述べており、これは過剰な言葉だと言える。

永暦帝は、使節を派遣してマカオに軍事援助の提供を要請したが、東南沿岸の海賊が猛威をふるい、かつマカオ当局が清朝統治区との貿易関係の強化を望んでいたこともあり、適切な回答をえることができなかった。そのため、龐天寿らカトリック信徒は直接欧州に救援を求めることを考えたと思われる。またこれも日本のカトリック教会の影響を受けた可能性が挙げられる。なぜなら、九州の大友宗麟ら4大名が天正年間にローマ教皇の許に派遣した「天正少年遣欧使節（1573～1591）」および慶長18年（1613年）に奥州王伊達政宗がローマ教皇パウルスV世に派遣した慶長遣欧使節は、カトリックを信仰するあるいは友好的な大名が人を派遣し、ローマ教皇に謁見させているからである。

瞿紗微は早くも1650年11月にイエズス会オーストリア分会の会長に宛てた書簡で使節団の編成を提起している。しかし当時はこうした任務がまだ定まっていなかった。その後マカオのイエズス会がト弥格を欧州に派遣することを決定した。

第5節　永暦帝とイエズス会宣教師との交誼
―清王朝攻略のための軍事援助を要請―

『南明史』は『南宋史』のような〝正史〟に書き残されることはなかったが、広い意味で永暦帝時代は、中国史上でカトリックとの関わりが最も深かった時代であった。

明朝末期の中国においては、三教一致の宗教混淆の状況がキリスト教の受容にとって二重の有利性をもたらした。すなわち、「天学」としてその混淆状況の中に入り込んだと思えば、仏教の批判の対象として儒学（儒教）に相対的に独立した地位を与えたことにより、中国思想の根幹である儒教、ないしそれに付随する諸々の習俗に対して適応主義の方策をとることが可能となったのである。しかし、このようなイエズス会の布教方策は、清朝期になってから、キリスト教の根本主義までをも歪曲してしまうのではないかと懸念され、ほかの修道会の宣教師から批判を受け、これがいわゆる儀礼論争の発端となったのである。その結果、ローマ教皇と清朝の皇帝との対決にまで発展し、そして世宗雍正帝によるキリスト教の全面禁止になったのである。

話を元に戻すが、永暦2年（1648年）8月、永暦帝は首都肇慶（現在の広東省肇慶）に戻った。この時永暦帝に同行していたのは、アンドレアス・コフレルのほかにミチャエル・ピエレ・ボイム（Michael Pierre Boym）、フランチェスコ・サムビアシ（Francesco Sambiasi）、ポルトガル人イエズス会士アルバロ・セメド（Alvaro Semedo）（1585〜1658）などのイエズス会の同僚宣教師であった。カトリックマカオ教区が派遣してくれた義勇兵（救援隊）に対する感謝の気持ちを表しつつ、ポルトガルのカトリック教会（イエズス会）との関係を築くために、永暦帝は永暦2年（1648年）春に腹心の宦官鄭天壽をマカオに派遣した。鄭天壽はマカオで1571年に創立した聖パウロ学院（大三巴牌坊または三巴寺：Ruinas de St.Paulo）を訪れた。そこで大歓迎を受け、鄭天壽は三巴寺に永暦帝からの国書と贈物を手渡した。これに対しマカオ側からは火縄銃百丁が提供され、義勇兵士を同行して、広西省に戻った。永暦帝は大いに喜び鄭天壽を提督（武官）に昇格させ、皇帝を護衛する皇帝直属の「禁衛軍」の旗を赤と白の十字にラテン語で書かれた軍旗に替えた。

永暦帝は、マカオのカトリック教会からの救援（軍事援助）は限定的であることから、明朝を立て直すには程遠いと認識していた。そして、マカオからの情報によると、ヨーロッパ（ローマ）にはカトリック教会の総本山である〝ヴァティカン〟（Status Civitatis Vaticanae）があり、強力な軍隊を有していると聞いた。もしローマ教皇庁側が救援してくれれば、明朝の再興も夢ではなく実現でき

マカオの聖パウロ学院（大三巴牌坊または三巴寺）（Ruinas de St.Paulo）
出典：著者個人所有。

るかもしれないと考えるようになった。

その後は福建省出身の中国人と日本人の母との間に生まれ７歳まで平戸に住んでいた鄭成功の協力を得て、広東省から広西、貴州、雲南地区を勢力下においたが、やがて清軍の攻勢を受け支配地域は縮小、１６５０年（永暦４年）１月に桂林が陥落すると華南各地を放浪した。

第６節　「永暦帝」、ローマ教皇に使節団を派遣
――清朝攻略のための軍事援助を要請か――

こうした清軍の激しい攻撃で窮地に立たされた永暦帝は、外部からの軍事援助がなければ清軍との戦いには勝てないと考えるようになり、清王朝攻略のためローマ教皇に救援を求める使節団を密かに派遣することを決めた。使節団のメンバーはいずれも永暦帝の信認の厚いイエズス会所属の宣教師たちであり、卜弥格・ミハウ・ピオトル・ボイム（Michele（＝Michaelem）Pierre Boym）（１６１２～１６５９）を正史とし、アンドレアス・チェン（Andream 又は Andreas Chen）、とジョセフ・グオ（Josef Guo））の２人の中国人のイエズス会士を随行員とした３人で編成された。１６５０年冬、〝西遊〟３人組と称された使節団は、永暦帝の嫡母の寧聖慈粛皇太后の書簡（密書）を持参してローマへと旅立った。

使節団はローマ教皇宛の書簡だけでなく、ポルトガル国王、ヴェネツィア共和国大統領やローマ・

ポーランド人イエズス会士
ミハウ・ピエレ・ボイム
（Michael Pierre Boym）（1612～1659）
出典：Deutsche National Bibliothek 所蔵。

イエズス会本部ピッコロミニ（Paccolomini）総長宛てにそれぞれ書簡を持参した。

〃西遊〃３人組がローマへ発つ前にピエレ・ボイムは、中国国内で宣教活動をしていた同僚のイエズス会士たちに協力を求めた。しかし、ほとんどの同僚たちは当時、軍事的に優勢であった清朝廷の保護の下で布教活動を行っていたので、永暦帝のローマ教皇のもとへの使節団派遣には否定的であった。

ところで、ローマ教皇宛の書簡は、永暦帝自身が直接教皇に宛てたものではなく、皇太后が書いている。南明朝を代表する永暦帝の書簡としないで寧聖慈粛皇太后の書簡にした理由は、

(1)　皇太后ら後宮の皆が霊的指導を受けていたポーランド人イエズス会士アンドレアス・コフレル（瞿紗微）（Wolfgang Andreas Koffler）（１６０３～１６５１）らの助言で、永暦帝はカトリックの洗礼志願者であったが、まだ正式に洗礼を受けていなかったことから、２年前にカトリック教の洗礼を受け敬虔な信徒であった寧聖慈粛皇太后から救援を求めた方が効果的であると判断した。

(2)　永暦帝を助けるための救援（軍事援助）要請を何とか承諾してもらうため、皇太后がローマ教

皇に直接懇願した方が同情を寄せることができるのではという心理作戦であった。などが推察される。

永暦帝の特使としてローマ教皇のもとに派遣されたポーランド・リトアニア共和国出身のボイムは、１６３１年にイエズス会に入会し、１６４２年にポルトガルのリスボンを発ち、マカオに赴任した後、１６４７年に海南島の定安に派遣された。当時は既に清王朝が中国を支配していたが、南方にはまだ南明の勢力が残存していた。１６４９年にマカオに戻り、永暦帝の特使としてローマに赴いたのである。

ボイム以外のイエズス会の宣教師で南明朝の宮廷を中心に布教活動を行っていたのは、アンドレアス・コフレル（瞿紗微）やローマの名門大学グレゴリアン大学出身のドイツ人ヨハン・アダム・シャール（Johann Adam Schall）（１５９２〜１６６６）などがいるが、彼らは布教活動と並行して西洋の最先端の科学知識（天文学など）を惜しみなく中国に伝えた。

ドイツ人ヨハン・アダム・シャール
（Johann Adam Schall）（1592〜1666）
出典：goodrich, L. Carrington; *Fang, Chaoying, eds.* (1976). *Dictionary of Ming Biography,* 1368-1644. *Columbia University Press. p.* 1136.

第7節　大明国寧聖慈粛皇太后（永暦帝の嫡母）によるローマ教皇宛て書簡

大明国の寧聖慈粛皇太后（孝正皇后）がイエズス会総長とローマ教皇インノケンティウスX世に宛てた書簡（Lettera dell'imperatrice Elena Ningsentseso, della dinastia Ming, al Papa Innocenzo X. s.l., 4 novembre 1650）（９２０×５２０㎜）は、現在、ヴァティカン機密文書館に所蔵されている（A.S.V., A.A. 1790）。また、ローマ教皇が大明国の寧聖慈粛皇太后に宛てたラテン語の返書（A.S.V., Epist. I. 282）の下書きも同文書館に所蔵されている。

同書簡は、黄色の絹布に墨インクで文字が書かれており、北絹金縁で龍の刺繍が施されている。書簡は巻軸式で、紐で縛り、細長い竹筒に納められている。竹筒の外部は黄色紙で包まれ、金龍が描かれている。その表面には「因諾魯爵代天主耶蘇在世總師公教眞主聖父粛箋」、つまり、「〝カトリック教イエズス会総長および教皇聖下〟宛書簡」と記されている。なお、書簡の末尾上部には「寧聖慈粛皇太后宝」と、赤色の印章が刻印されている。

この書簡は永暦帝や皇太后から信頼されていたイエズス会のミハウ・ボイム神父に内密に託されてローマ教皇に届けられたものである。１６５０年11月４日付け書簡の内容は以下の通りである。(註1)

「大明国の寧聖慈粛皇太后がイエズス会総長と聖父（ローマ教皇聖下）に申し上げます。

私は皇宮の中で暮しており、皇室の礼儀作法は知っておりますが外国の教育を理解していないことをご承知おきください。

幸いにも皇朝（朝廷）にあって、イエズス会の神父である瞿紗微（Wolfgang Andreas Koffler）による聖教（キリスト教）の布教活動によって天主（イエス・キリスト）のことを知るところとなりました。

私は聖教が国外から伝来してきたことを存じており、しかも入信して洗礼を受けることができて大変光栄であります。

皇太后馬利亜(註2)（Maria）、中宮皇后亜納（孝剛匡皇后）（Anne）と皇太子当定(註3)（Constantine）も入信の洗礼を受け、既に三年が経ちました。この間に多くの教理の教えを受けましたが、ついに自ら恩徳に報われることはありませんでした。

聖父は国外におられ、我国からあまりにも遠く、どんなに聖父を敬慕しても直接教えを受けることは非常に困難であります。

聖父（教皇聖下）に懇願し、カトリックの教えを前に私共のような罪人に同情をくださり、この世（現世）を離れるとき、私たちが犯した全ての罪を赦されるようにお願い申し上げます。聖父と聖公から更に多くの教えを賜ることを望んでおります。

我が国の太平と繁栄と、明国太祖十二代の孫である第十八代皇帝（永暦帝）の救援をお願い申し上げます。我々は真主イエス・キリストを畏敬し、更に多くの宣教師を派遣して頂き、広く布教して頂けることを望んでおります。

聖教は教理を説くだけではなく、天下に仁愛と憐憫の情をもたらしてくださいます。貴修道会の卜弥格（Michel Boym）は我が国の国情を理解しておりますので、帰国の際には彼が聖父の御前で我々の願いを詳しくお伝え致します。

天下が太平になった暁には私達が使者を派遣し、聖ペトロ聖パウロへお礼を申し上げに伺います。

どうか、聖父はこの書簡をもって愚見をお聞き届けください。

永歴四年十月十一日

（一六五〇年十一月四日）

この書簡の後半部分で皇太后は、「「卜弥格」はわが国の国情を理解しているので（ローマへ）帰国した際に卜弥格が教皇の御前で私たち

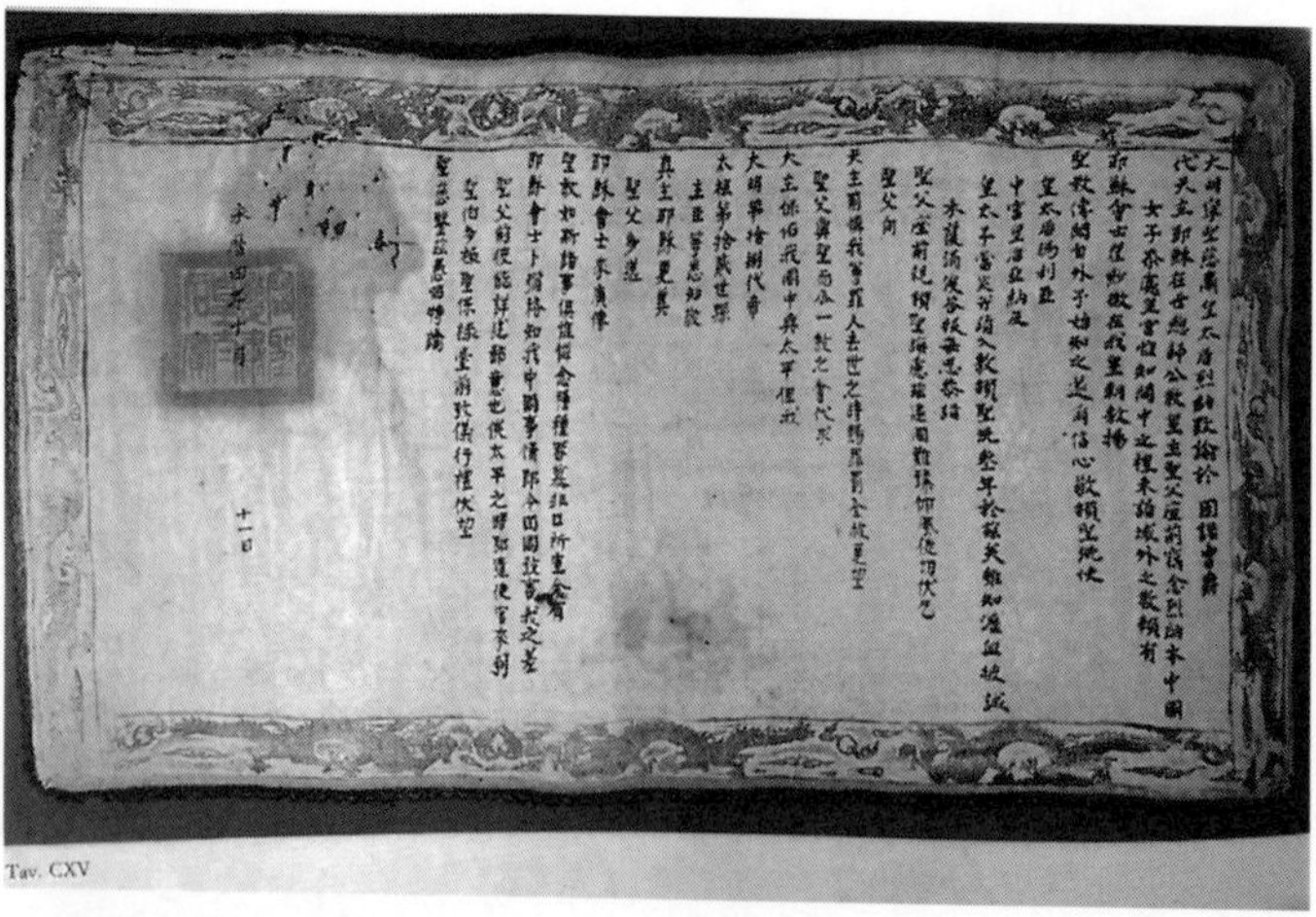

大明国の寧聖慈粛皇太后（孝正皇后）がローマ教皇とイエズス会総長に宛てた書簡（嘆願書）

出典：ヴァティカン機密文書館（ASV）AA., I-XVIII, 1790（CXVI）（著者撮影）。

の願いを詳しく伝えます」と、書簡には書けない具体的な請願事項について直接教皇に詳しく話をすると述べている。つまり皇太后は、清軍の激しい攻撃から永暦帝を救うためにローマ教皇に具体的な（軍事的）救援を要請したのである。そして、書簡の中で間接的な表現であるが、その見返りとして、教皇とイエズス会総長に対し、中国国内に多くの宣教師を受け入れ、広範囲にわたり宣教活動を許すというものであった。

このように使節の教皇謁見の最大の目的であった極秘の軍事支援の内容については、親書には直接記述せず、使節の「卜弥格」の口頭によって伝えられたと推察される。後述する伊達政宗の教皇パウルスV世宛ての親書の後半部分に書かれた「……ソテロと六右衛門とが口頭で申し上げるところに従って判断してほしい」とまったく同じ表現であった。

しかしながら、南明朝末の衰退期の使節派遣への政治的意義は非常に限定的であったため、使節の目的を果たすことはできなかったのである。

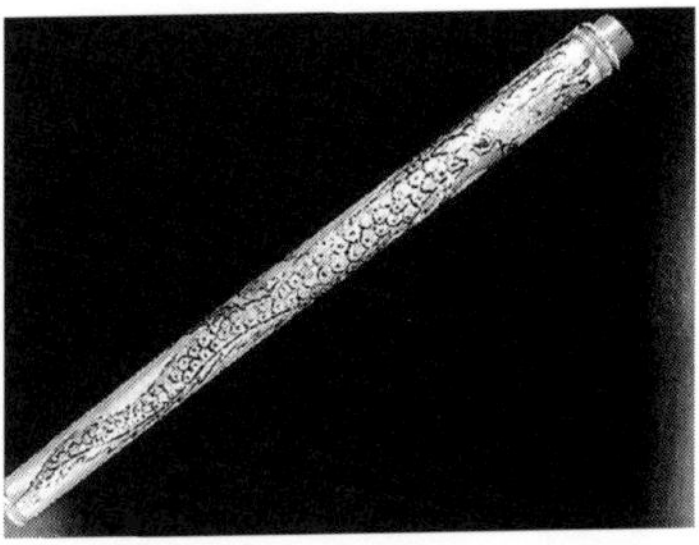

竹筒の表面には「因諾魯爵代天主耶蘇在世總師公教眞主聖父粛箋」《“カトリック教イエズス会総長および教皇聖下”宛書簡》と記されている
出典：ヴァティカン機密文書館。

この書簡の末尾に〝寧聖慈蘇皇太后宝〟の四角の印が押されている。文中の〝聖而公一教之会〟は、ラテン語の原文では“Santa Catholica Ecclesia”となっており、この中の“Catholic”の一字句は、〝全ての〟、〝一般的な〟あるいは〝全ての人の〟という意味を指しており、いわゆる〝公（おおやけ）〟という意味である。またそれは、カトリック教における〝（神が指示された）唯一の公的な〟教会のことである。

黄一農氏によると、王皇太后（孝正皇后）がこの書簡に用いた〝致〟という文字は、すなわち通常では皇帝の詔勅を指す〝諭〟という文字と並行して用いられるが、（皇帝でない）王皇太后（孝正皇后）の書簡の文章で用いられている。

ラテラーノの聖ヨハネ大聖堂（S. Giovanni Laterano）は325年にコンスタンティヌス帝が教皇シルヴェスターにプラティウス・ラテラヌス官と広大な土地を提供したが、その周辺地域にローマ大司教座聖堂として建てられた。現存している聖堂は、1585年に教皇シクストスV世によって再建されたものである。その後、幾度も再建されたが最後の建築は1650年のもので、ペルニーニ（1598〜1680）の好敵手であったバロック時代の建築家ボロミーニの設計によるものである。内陣のくぼみには堂々たる使徒たちの像が並んでいる。中央祭壇の上の天蓋はゴシック様式だが15世紀のものである。天蓋の金色の柵の中にある聖ピエトロと聖パオロの像の頭の中に、それぞれの聖人の頭蓋骨が納められている。イエズス会の修道士は、慈炫皇子の霊名をコンスタンティン大帝に倣って命名したのは、元来はコンスタンティン大帝を範とし、〝太平〟の（世が到来した）後、カトリック教会が中国で大いに発揚し、その時慈炫皇子あるいは永暦帝がローマ教皇の許に使節団を派遣し、コンスタンティン大帝が洗礼を受けたラテラノ教会で盛大な歓迎式典を執り行ってもらうことを期待したのである。

第8節　寧聖慈粛皇太后の人物像

イエズス会士ミッチェル・ボイムにローマ教皇宛ての前述の書簡（嘆願書）を託した永暦帝の嫡母（王氏）の寧聖慈粛皇太后（1600～1654年）は、崇禎年間に桂王朱常瀛と結婚した。崇禎16年（1643年）張献忠の勢力を避け、朱常瀛と共に広西へ逃亡した。1646年、永暦帝が南明の皇帝に即位すると、嫡母の王氏が皇太后に尊された。翌年の1647年、カトリックの洗礼を受け、ヘレナ（またはエレナ）の霊名を授けられた。明晰で決断のはっきりした人物として名高かった。永暦5年（1654年）4月、崩じた。南寧に葬られ、「孝正荘翼敦仁端天恵聖皇太后」の諡号が贈られた。

ポーランド人イエズス会士
瞿紗微（Wolfgang Andreas Koffler）
出典：D. H. Shore, Last Court of Ming China Diss Princeton 1976.

本書簡の中の昭聖太后（1578～1669年）は桂王朱常温の側室で、永暦帝の生母であり、姓は馬氏という。カトリックの洗礼を受け、マリア"MARIA"という霊名を授かった。1646年に永暦帝が即位すると、馬氏は「慈寧皇太后」の称号を賜ったが、間もなく昭聖恭懿皇太后に替わった。永暦帝が新寧に巡行した際、昭聖仁壽皇太后の尊号を受けた。永暦9年（1655年）6月に再び慈恵の号を賜り、その後昭聖慈恵仁壽皇太后と称した。ボイム使節団がローマを訪れていた時期に、永暦帝は、清軍によって広東から貴州・雲南へと追い詰められ、ついに1659年に皇太后は永暦帝に従ってビルマ北部の山岳地帯に逃れたが、1662年に清軍の武将呉三桂(註3)の侵攻を受けたことでビルマ王ピンダレにより清軍に引き渡された。永暦帝が昆明で処刑されたことを知ると、「逆賊呉三桂よ！汝の謀反によって、われらの家は罠にはめられた。われらは死して、地下から見張って汝の屍をすべて砕かれるのを見てやる！」と嘆き、かっての明王朝の武将でありながら清軍に投降して南明政権を滅ぼした呉三桂を罵った。北京へ送還される途中で永暦帝の皇后孝剛匡皇后と互いの喉を絞めて死のうとしたが、昭聖太后だけが生き延びた。北京の宮廷では同情を受けて敬意を払われ、清の支援を受けて余生を過ごし、1669年、91歳の高齢で死去した。

　ミチェル・ボイムとアンドレアム・ハビエルは、大明国の寧聖慈粛皇太后（永暦帝の嫡母）のローマ教皇宛ての嘆願書を1653年にラテン語に翻訳した。それを携えてローマに辿り着いた時は、教皇インノケンティウスX世は、1655年1月7日に亡

Interpretatio Literarum Sinicarum,

Ab Imperii Sinici Imperatrice D.Helena, *nomine suo, & Reginæ Matris* D. Annæ, *& Reginæ uxoris* D. Mariæ, *nec non filii Imperatoris Principis & Hæredis* D. Constantini *missarum.*

AD SANCTISSIMUM D. N.

Per Patres Andream Xavier, & Michaëlem Boym Societatis JESU, in Aula Imperatoris *Sinensis* pro tempore Assistentes, facta.

Clarissimi Imperii Sinici *Integerrimæ, Sapientissimæ, Clementissimæ Venerabilis Imperatricis* Helenæ *sermo ante Thronum* JESU *Dei in Terris Vicarii, Universalis Doctoris Catholicæ Doctrinæ, Supremi Domini, Sanctissimi Patris.*

„ EGo Helena perpendendo me „ hujus *Imperii Sinici* humilem „ filiam erubesco morari in Pala- „ tio Imperatoris. Olim tantum novi „ penetralium observantiam: ignora- „ vi exterarum terrarum leges: Acci- „ dit Societatis JESU Virum Patrem „ Andream Xavier in nostra Aula „ commorari promulgando sanctam „ doctrinam, aliorum relatione cæ- pi illum cognoscere, & ecce credidi, „ & reverenti corde ab illo suscepi Sanctum Baptisma: feci, ut Regina Im- „ peratoris Mater Maria, Regina ejus „ legitima conjunx Anna & filius Im- „ peratoris Princeps hæresque Con- „ stantinus simul omnes instructi reci- „ perent sanctam aquam, exindè jam „ tertius annus est. Nunc licet debe- „ rem stillato sanguine medullam ani- „

N 3 mi

ボイムによってラテン語に翻訳された「大明国寧聖慈粛皇太后（孝正皇后）」の書簡

出典：D. H. Shore, Last Court of Ming China Diss Princeton 1976.

教皇アレクサンデルⅦ世
（Alexander VII）（1599〜1667 年）
出典：ヴァティカン機密文書館蔵。

くなっていた。そこで同年４月７日に新しくローマ教皇に選任されたばかりの教皇アレクサンデルⅦ世（Alexander VII）（１５９９〜１６６７）に皇太后の書簡が手渡された。新教皇は、就任後、東オスマン帝国と西欧諸国の宗教改革問題の解決のため頭を悩まされていたので、南明朝に軍事的な救援隊を派遣する余裕はなかった。その上、ボイムが持参した嘆願書が実際に皇太后によって書かれたものかどうか疑わしいと考えられたことと、既にアダム・シャールが清王朝の順治帝の下で宣教活動をしている現状で教皇が反清勢力を支援する理由がなかったことなどから、返事は長引き、ボイムは嘆願書が書かれてから５年後の１６５５年12月18日付けでようやく書かれた返信を受け取った。その返書の中で教皇は、エレナ（皇太后）とコンスタンティヌス（皇太子当定）がカトリック教に改宗したことに対し喜びを伝え、皇帝一族に対し教皇の祝福を与えたが、皇太后が期待した（軍事的な）救援を得られるような内容ではなかった。

　ボイムは１６５６年にリスボンを経由してインドのゴアに到着したが、オランダ人に阻まれてそこから先に進めなかった。おそらく１６５８年にシャムに上陸し、そこから陸路永暦帝（当時は雲南にいた）のもとを目指したが、その途上、広西省周辺で１６５９年８月22日に没した。

第９節　永暦帝の最期

永暦帝は１６５９年（永暦13年）にはビルマ（現在のミャンマー）に逃れているが、この時、永暦帝に従った家臣はわずか６５０人程度に過ぎなかったと言われるまで勢力が縮小していた。ビルマに逃れた後も清朝に投降した呉三桂の攻撃を受け、永暦16年（１６６２年）２月、清軍の勢威を恐れたビルマ王ピンダレによって永暦帝は清軍の将、呉三桂に身柄が引き渡され、同年に一族とともに昆明（雲南省）で、処刑、または火刑に処されたと伝えられている。享年40歳だった。こうして、明王朝の皇統は断絶したのである。

第8章　奥州王伊達政宗がローマ教皇パウルスV世に宛てた親書

――書簡に隠された極秘事項とは――

第1節　2つのグループで編成されていた慶長遣欧使節団

――幕府および伊達藩の合同企画で派遣された「訪墨（通商）使節団」――

著者の半世紀以上にわたる史料批判を伴った一次史料を論拠とする精緻な研究成果により、東西学会において広く知られている伊達政宗の「慶長遣欧使節団」は、

(1)　伊達藩が幕府と合同で企画編成した、ヌエバ・エスパニア（新イスパニア＝メキシコ）との通商交易開始を目的とした「訪墨（通商）使節団」および

(2)　「訪墨（通商）使節団」に便乗してメキシコから伊達藩単独で、ローマ教皇に「服従」と「忠誠」を誓って支配下に入り、ローマ教皇とスペイン国王から宗教的および「サンティアゴ騎士団（Orden Militar de Santiago）」の様々な規則・管理・運営ノウハウなどの軍事的な支援を受ける目的で、極秘に派遣された「訪欧使節団」

の2組の使節団によって編成されていたことが明らかである。以下、各々の論拠について客観的な史料に基づいて概観してみることにする。

①　まず、「訪墨（通商）使節団」について、ヌエバ・エスパニア副王が国王フェリッペⅢ世とインディアス顧問会議に宛てた1614年10月9日付『覚書』（公文書）（A.G.S.E.E 256, 30葉）の冒頭に、

「このナオ（サン・ファン・バウティスタ号）と「（訪墨通商）使節団」は、皇帝（家康）とその息子（秀忠）である王子の認証（承認）と許可を得て来たものであります。そしてこのことはヌエバ・エスパニアの副王宛ての彼ら（家康および秀忠）の書簡と進物が送られてきていることから明らかです」

②　「訪墨（通商）使節団」は、偉大な日本の皇帝（将軍）が派遣した使節団であり、格式の高い歓迎を受けた」（チマルパインの日記）

と、記録されている。ちなみに、『伊達貞山治家記録』に記録されている「訪墨（通商）使節団」の公式随行員は、支倉六右衛門常長、ルイス・ソテロ神父、松木忠作、今泉令史、西九助、田中太郎右衛門、内藤半十郎、其外右衛門、内蔵丞など伊達藩士12名のほか、幕府の船奉行向井将監忠勝の家臣10人余りが随行していた。

次に、「訪墨（通商）使節団」の使節船が出帆する直前になって、「訪墨（通商）使節団」に便乗して伊達藩単独でメキシコからヨーロッパへ派遣された「訪欧使節団」は幕府の認証を受けないで極秘

に派遣されたものであることを立証した文書は以下の通りである。

第2節　伊達藩単独で「訪欧使節団」を編成

①　メキシコ副王が国王フェリッペⅢ世とインディアス顧問会議に宛てた前記副王の『覚書』の中で、

「この使節（訪欧使節団）は個人的に一人の王（政宗）が皇帝（家康）に知らせないで派遣したもので、特に、（日本の）キリスト教界の利益になるためでありました。それは皇帝が好まないことであったため、不愉快な思いをさせる原因となったかも知りません」（A.G.S. Estado E. 256）。

と、証言している。

②　インディアス顧問会議が国王陛下に上奏した伊達政宗の「訪欧使節団」のスペイン訪問の目的に関する調査結果報告書（１６１５年1月16日付）で、

「（日本からの訪欧）使節は、日本皇帝（将軍）が派遣したのではなく、（日本国内の）一地方の領主が派遣したものなので、イタリアの下級諸侯から派遣されてきた者と同様に待遇してよろしい」

と、スペイン政府は、支倉らの「訪欧使節団」は日本皇帝（将軍）が派遣したのではないことを正式に認証した。この決定によってスペイン政府側の支倉らに対する待遇や扱い方が大きく変わったのである。ちなみに、インディアス顧問会議がこのような判断を下した背景には、同顧問会議のマルケス・デ・サリナス候がソテロと支倉から使節団の資格、目的、交渉事の動機などについて直接事情聴取するために、通商院（Casa de Contratación）院長ドン・フランシスコ・デ・ウアルテを派遣した。その時にウアルテがまとめた1614年11月4日付の報告書（インディアス総文書館（A.G.I.）Filipinas. I.n 224）が影響している。これによると、支倉とソテロは、宣教師の派遣要請は皇帝の認証を得たものであると虚偽の説明を行った。これに対しスペイン政府側は、「キリスト教の禁教令を公布した日本皇帝が、宣教師派遣を要請している奥州王（政宗）と同じような対応をするはずがない」と、その矛盾を突いて、訪欧使節団が皇帝派遣でないことを確認した。

③　政宗からメキシコ副王宛の書簡で、

《此布羅以・類子・曹天呂ヲ使僧ニ相頼、同侍三人相添差越候而、進之候、此内一人ハ、奥国迄指遣申候間、御状ヲ被添被下候、其上路次中之事、諸事頼入候、今ニ人ハ、従貴國帰朝仕筈ニ候、……》（伊達貞山治家記録）（ソテロ神父には私の家臣3名を附添いとし、そのうちの一人（支倉）は、奥南蛮（ヨーロッパ）に赴き、他の2名（松木、今泉）は、貴国（メキシコ）から（日本へ）帰国することになっております）」と、通達していたが、実際には、使節団は支倉を含め総勢29名で編成してヨーロッパへ派遣している。また、政宗は1620年（元和6）9月23日付で、幕府老中土井大炊助に宛てた「支倉の帰朝報告」を綴った書簡でも、「……基砌拙者内之者（支倉六衛門常長）遣申候、奥南蛮（ヨーロッパ）へ参ルニ付、七、八年滞留御坐候而、……」（伊達貞山治家記録）と、最後まで「訪欧使節団」の構成員数や随行員の氏名を明かさず、あくまでも支倉一人だけを奥南蛮（ヨーロッパ）まで派遣したと嘘の報告をしている。（詳細は拙著『伊達政宗の密使』洋泉社、２０１０年、を参照乞う）。

これらの理由のほかに以下に述べる点からも「訪墨（通商）使節団」と「訪欧使節団」は、全く異なる集団であったことが分かる。

④　支倉大使以外の使節団の構成メンバーがメキシコから「日本のキリスト教徒」の代表者3名が加わり、すべて「訪墨（通商）使節団」の公式随行員と異なっている。

⑤　伊達藩と幕府が合同で企画した「訪墨（通商）使節団」には幕府側から船奉行向井将監の家臣が10名余り公式随行員としてメキシコまで随伴しているが、「訪欧使節団」には幕府側から一人も加わっていない。仮に、「訪欧使節団」も伊達藩と幕府の合同で企画されていたならば、当然幕府側の役人が随行していたはずである。ちなみに、「訪欧使節団」の随行員の氏名は極秘にされていたためか伊達藩の公式記録『伊達貞山治家記録』には記載はなく、「使節一行のローマ入市式の報告書」（ヴァティカン極秘文書館所蔵）にメンバー全員の名前が記載されている。同報告書によると、まず、大使（支倉六右衛門）の随員、従者、小姓の7人の氏名が記されている。彼らの名前は以下の通りである。

シモン・サトークラノジョー（佐藤内蔵丞）伊達藩士

トメ・タンノキウジ（丹野久次）伊達藩士

トマソ・ヤジャミ・カンノヤジェモン

（菅野弥次右衛門）伊達藩士

ルカス・ヤマグチ・カンジューロー

（山口勘十郎）伊達藩士

ジョヴァンニ・サトー・タロザエモン

（佐藤太郎左衛門）伊達藩士

ジョヴァンニ・ファランダ・カンエモン

（原田勘右衛門）巡礼者

ガブリエル・ヤマザキ・カンスケ

（山崎勘助）巡礼者

これら7人のうち5名は伊達藩士であり、原田・山崎の2名は巡礼者となっている。彼らは日本で受洗し、ソテロの勧めで使節団に加わった人物であろう。続いて、名誉ある武士（貴族級）という紹介で4人の随員の氏名が記されている。ちなみに、彼らの氏名には貴族の敬称の"Don"が付けられている。

ドン・トマソ・タキノ・カヒョーエ

（瀧野嘉兵衛）日本のキリスト教代表者

RELATIONE
DELLA SOLENNE ENTRATA
FATTA IN ROMA
DA D. FILIPPO FRANCESCO
FAXICVRA,
CON IL REVERENDISS. PADRE
FRA LVIGI SOTELO
Descalzo dell'Ordine Min. Osser.
AMBASCIADORI PER IDATE
Masamune Re di Voxu nel Giapone.
Alla Santità di N.S. Papa PAOLO V.
l'Anno XI. del suo Ponteficato.

In ROMA, Appresso Giacomo Mascardi. MDCXV.
Con licenza de' Superiori.
Si vendono à Pasquino per Marc'Antonio Benuenuti.

RELATIONE.

Venient annis
Saecula seris, quibus Oceanus
Vincula rerum laxet, & ingens
Pateat Tellus, Typhisq. nouos
Detegat Orbes, nec sit Terris
Vltima Thule

194

ローマ教皇庁による使節団一行のローマ入市式の公式報告書

出典：ヴァティカン機密文書館所蔵。

ドン・ピエトロ・イタミ・ソーミ（伊丹宋味）　日本のキリスト教代表者
ドン・フランシスコ・ノマノ・ファンペ（野間半兵衛）日本のキリスト教徒代表者
ドン・アロンソ・コンデライケ・ゲジ（小寺池（小平の読み違い）外記）伊達藩士

これらの４名のうち小平外記を除く上記３名が日本のキリスト教徒の代表者であり、支倉大使の随員の伊達藩士より優遇され重要な人物として名を連ねており、彼らは教皇パウルスⅤ世の推挙で支倉や秘書官の小平外記と共にローマ元老院より貴族の称号を与えられ、『ローマ市民権証書』が授与されている。

第3節　「訪欧使節団」をヨーロッパへ派遣することが決まった経緯
――イエズス会士ジェロニモ・デ・アンジェリス神父およびルイス・ピニィエロ神父の証言から――

ところで、使節船がメキシコへ向けて出帆する直前に「訪欧使節団」が編成され、スペインとローマへ派遣することが決まった経緯について、イエズス会のジェロニモ・デ・アンジェリス神父が、ローマのイエズス会本部に宛てた書簡で次のように証言している。

「……ソテロが後藤寿庵に、ナベッタ船が商品の売却のために好ましい結果が得られるように……と説明した」といった。つまり、使節船で持参する商品がメキシコで売れるようにメキシコ副王に働きかけてもらうためにローマ教皇とスペイン国王の許に使節団を派遣するべきだと伝えたようである。しかしながら、日本から持参する商品の売却先はあくまでもヌエバ・エスパニア（メキシコ）であり、スペイン国王やローマ教皇の働きかけがなくても副王の権限範囲で十分交渉ができたのである。そして、伊達藩の将来を左右するほどの重要な目的がなければ、スペイン国王とローマ教皇のために豪華な進物まで持参する必要などなかったのである。これはあくまでも詭弁であって、ソテロの説明には重大な極秘事項が隠されていたのである。アンジェリス神父は当時、フランシスコ会と激しく対立していたイエズス会の神父だったため、秘密が漏れるのを恐れ後藤寿庵は渡航先変更の真の目的については、語らなかったと考えるのが妥当であろう。しかしながら、イエズス会側の記録によると、実際に「訪欧使節団」のローマ訪問目的についての断片的な情報がイエズス会本部に伝えられていたと推察される。

さて、ここで渡航先の進路をローマまでとソテロが後藤寿庵を通して政宗に変更を申し立てた真の理由は何だったかを検証する必要がある。

まず、使節船が日本を出帆する約1カ月前に江戸においてソテロが主宰していた「勢数多講」所属の28名の信徒が幕府（秀忠）のキリシタン弾圧によって斬首された事件が関係していると考えられる。このキリシタン迫害についてイエズス会士ルイス・ピニィエロ師の『1612～1615年までの日本におけるキリスト教弾圧史』（1617年、マドリード発行）によると、1613年8月16日に、「勢数多講」の世話役格のミゲル（またはミカエル）・笹田 Miguel Sasanda、ファン・門前 Iuan

Monzen、ルイス・神田 Luys Canda、ビセンテ・田辺 Vicente Tenage、アントニオ・大工 Antonio Daicu ら8名が牢から引き出されて江戸と浅草との間のトンカイ（Tonchai：鳥越）で斬首に処せられ、その首は7日間さらされた。そして翌17日には、マルコス・喜左衛門 Marcos Quizaimon、シモン・彦右衛門 Simon Ficozaimon、ダミアン茂助 Damian Mosque ら14名が斬首に処せられ、総勢28名が殉教したことが分かる。

ルイス・ソテロが洗礼を授けた「勢数多講」所属の信徒28名が殉教した後、彼が以前布教活動をしていて多くの住民に洗礼を授けたことのある京阪・畿内地方を中心とした日本国内におけるキリスト教徒たちと信仰を守るための方策について語り合ったことが、ヴァティカン機密文書館に所蔵されている、畿内キリシタンがローマ教皇パウルスV世に宛てた「畿内キリシタン連書状」（勢数多講）（１６１３年9月29日付）によって分かる。そしてソテロは伊達政宗にその希望を託し全国のキリシタンと手を結んで伊達領内に「キリスト教国（キリシタン共和国）」を建設することを勧説し、ローマ教皇から認証を得るために「訪墨通商使節団」に便乗して、ローマ教皇の許に支倉六右衛門常長ら伊達藩士のメ

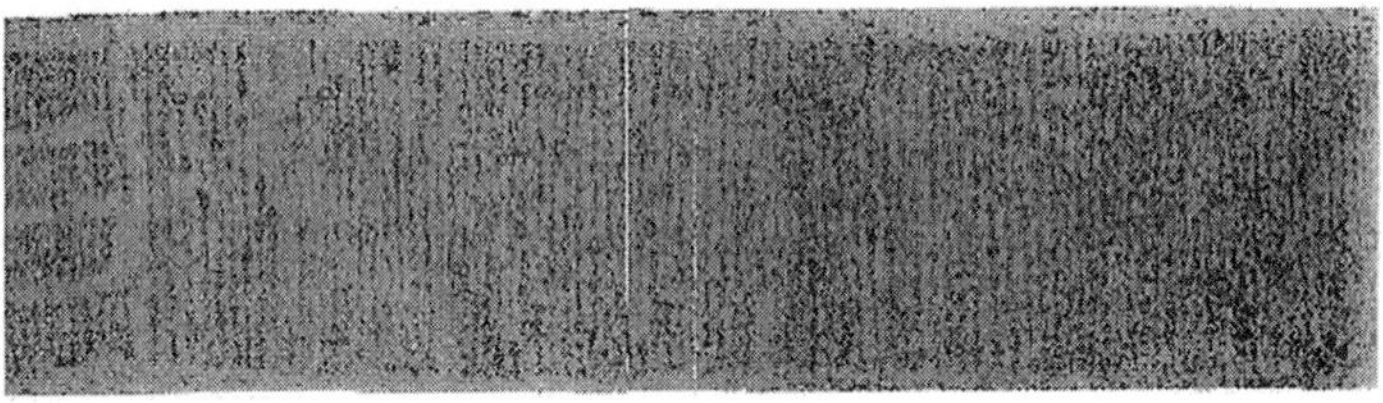

畿内キリシタンがローマ教皇パウルスV世に宛てた「畿内キリシタン連書状」（勢数多講）（1613年9月29日付）

出典：ヴァティカン機密文書館所蔵。

ンバー以外に日本のキリスト教界の代表者3人を加えて「訪欧使節団」を派遣するように嘆願し、承諾を得たと考えるのが妥当である。こうした事実を裏付けているのが、前述の「畿内キリシタン連書状」（勢数多講）とラテン語で書かれている「日本のキリスト教徒のローマ教皇パウルスV世宛ラテン語訳書簡」（1613年10月1日付）（慶長18年8月17日付）（A,S,V., A. ARMI-XVIII, 1838. Arm VII. Caps. V, NO.27）である。

これらの書状には、ソテロ神父の仲介による伊達政宗と日本キリスト教徒の代表者との濃密な関係が浮き彫りにされている。ローマ市庁やローマ教皇庁で支倉同様に貴族として厚遇された瀧野嘉兵衛、伊丹宋味、野間半兵衛の3人のキリスト教徒代表者の出目や、彼らが政宗によって使節団の公式随行員に加えられてローマまで派遣された経緯が書かれている極めて重要な第一級の史料である。

前者の「畿内キリシタン連署状」には、

「……、同奥州之屋刑（形）伊達政宗より、御前（教皇）様へ使者のたてられ候間、此心中ととのい申様ニ奉頼候、己来までの切子旦之たよりとなり可申候、此人（政宗）日本にて、一番之大名知恵深き人にて御坐候へは、日本之主（将軍）になり候との取沙汰御坐間、……」と、

また、後者の「日本のキリスト教徒のローマ教皇パウルスV世宛ラテン語訳書簡」には、

「……奥州の強力な王伊達政宗によって（ローマ教皇）聖下のきわめて神聖な御足の許に、私たち（瀧野、伊丹、野間）を派遣されることになったとき、神が私たちに与えてくださった素晴らしい

機会を利用して、私たちは神に感謝し、一つの場所に集まってこの国のキリスト教界の状況と、同時に請願する方法で聖下に要請した霊的および（現世の）物質的に彼らが必要とする援助について述べてくれることを教皇聖下に知らせるべきであると決心しました」（A.S.V.,AA. ARM. I–XVIII, 1838）（著者訳）

と、政宗によってキリスト教徒の3名の代表者が教皇の許に派遣されることが決まった後に（ソテロや（京阪・畿内地方の）キリスト教関係者が）一つの場所に集まって教皇に説明する日本国内におけるキリスト教界の現状、と、請願する霊的および物質的な内容について話し合ったことが述べられている。さらに、この書簡を書いた信徒たちは、（自分たちの信仰を守ってくれる）政宗は誰よりも強大で、すぐに皇帝（将軍）になることを望んでいると次のように期待を述べている。

「教皇聖下様、前述の偉大で権力のある奥州王（政宗）を神が召し出して、彼に光を投じたとき、大きな門が開かれたことを疑わないでください。彼はその勢力と権力において、ほかの誰よりも強大であり、私たちは彼が直ぐに将軍（皇帝）になることを望んでおります」

瀧野、伊丹、野間の3名のキリスト教徒代表者は、伊達藩士を中心とした支倉ら使節団員とは別にソテロとフランシスコ・イグナシオ・デ・ヘススを伴って個別の請願事項をもって教皇パウロV世に謁見している。これらの３名が教皇聖下に直接奉呈した前記連書状によると、その際に、彼らはローマ教皇に対し、フランシスコ会の宣教師の派遣要請、司教の任命、幕府によるキリシタン弾圧の様子等について説明し、秀吉によって処刑されて殉教したフランシスコ修道会の６人の修道士と20人のキリスト教徒の列聖（日本26聖人）、信心会（勢数多講）の設立の許可、神学校の設立許可などの請願事項と共に、同連署状の末尾に、「……（中略）、彼（伊達政宗）の生来の英知とその心の偉大さは、きらめく星のようにすべての者の中にあって輝いており、このことは上述の者（３人のキリスト教代表者）たちによる一連の報告から明らかになるでしょう」と、記述されているので、書面には書けない機密事項は口頭で請願したはずである。

ところで、東北大学名誉教授平川新氏は自著書『戦国日本と大航海時代』で、

「「五畿内キリシタン連書状」は署名の筆跡が同一であるために、ソテロか、あるいはソテロに近い人物が作成したのではないかと指摘されている。この３人の日本人教徒が作成に関与していた可能性が、もっとも高い。そもそも支倉使節に日本人キリシタンを同行させるというアイデアはソテロの発案であったろうし、その同行日本人に、こうした役回りをさせることも計算ずくであったに違いない。」（平川１９１頁）

と、自説を述べて、「畿内連署状」を第一級史料として扱っていない。しかしながら、「畿内キリシタ

ン連署状（勢数多講）」および「日本のキリスト教徒のローマ教皇パウルスＶ世宛ラテン語訳書簡」の両書簡が作成された日付けを見ると、使節船〝サン・ファン・バウティスタ号〟が日本を出帆した1カ月も満たない１６１３年9月29日および10月1日付となっている。この点から、連書状に名前を連ねている信徒たちの出身地の京阪（京都・大阪）、幾内（京都周辺の山城・大和・河内・和泉・摂津の5カ国）地方と伊達藩（仙台）との地理的な距離間の問題と、切羽詰まった時間的な制約があったと認識すべきである。そのため連書状に名前を連ねている40名以上の信徒一人一人に署名させることが事実上困難で、連署状に書かれている内容についてキリシタン信徒であれば誰でも納得するであろうという暗黙の了解の下、キリシタン代表者が実在している信徒の名前（署名）を代筆したと考えるのが妥当である。

いずれにせよ、これら2通の書簡に記述されている内容がヴァティカン機密文書館に残されている複数の公式文書とも符合し、史料価値が極めて高いことが判明している。ちなみに、東京帝国大学教授箕作元八博士は、「畿内キリシタン連署状」を第一級史料として扱いドイツの権威ある歴史学会誌に全文ドイツ語による非常に重厚な論文を発表している。

第4節　ローマ教皇支配下でスペイン国王が管理する「サンティアゴ騎士団」による支援を模索し、拒否される

１６１５年2月17日、国王の臨席の下で洗礼を受けた常長は、受洗式直後に国王とレルマ公に対し、「サンティアゴ騎士団」の騎士（Caballero）に任命してくれるよう、請願書を提出して強く要請した。この上奏文は、インディアス顧問会議が国王陛下に宛てた支倉の請願に対する同顧問会議の決議書である。そもそもサンティアゴ騎士団とは、12世紀にレオン王国の首都レオンで国家の庇護のもと創設された騎士団である。１１７１年、騎士団はローマ教皇アレクサンデルⅢ世の特使ハシント枢機卿により最初の戒律を授かり、ガリシアとアストゥリアスの聖人・聖ヤコブの旗の下、イベリア半島のイスラム勢力との戦いにそなえてローマ教皇の直轄下に置かれた。特にイスラムの勢力が強いスペインでは、イスラムとの抗争と巡礼の保護のため、民族的傾向の強い十字軍の騎士団が結成された。

「サンティアゴ騎士団」への入団は、結成当初はそれほど難しくなかったが、徐々にその存在価値が高まるにつれ、厳しくなった。騎士団に入団が許可される者は、ローマ教皇聖下およびカトリック王であるスペイン国王の騎士なのでカトリック教徒であることが最低条件であった。したがって、ユダヤ教やイスラム系の血を受け継いでいる者、カトリック教会から見た異端者、ユダヤ教やイスラム教からの改宗者などは入団が厳しく制限されていた。

国王フェリッペⅢ世は、サンティアゴ騎士団の基礎知識、騎士団の重要な三誓願（清貧、貞潔、従順）、同騎士団の規則の宣言、ヴェレスの修道院の創設、騎士団長、修道院長および数人の騎士の目録などについて、法学士ディエゴ・デ・ラ・モタに執筆させてヴァレンシアで印刷し出版している。

ところで、この上奏文を見ると、支倉はスペイン政府側に騎士団の騎士に任命されたい目的や主旨などについて何も説明せずにいきなり国王に請願したのである。というよりは、本音で請願の目的を明かすことができなかったのである。そのためインディアス顧問会議から途轍もない要求と受け止められ、何か特別な目的（野望）が隠されているのではないかと疑われたのである。教皇聖下に謁見する前だったので、支倉らは自らの「サンティアゴ騎士団」入団の目的などの本心を明かすことはできなかったので、疑われても当然なことであった。

サンティアゴ騎士団の騎士
出典：López Fernandez Manuel, El orign de la Mesa Maestral en la orden Santiago, 2009.

本章で紹介する慶長18年9月付けで政宗がローマ教皇パウルスⅤ世に宛てた親書の後半部分に次のような見逃すことのできない記述がある。

「……向後ゑすはんや（エスパニア＝スペイン）の大帝皇とんひりつへ（ドン・フェリーペ）様と可申談候、……」（この先、さらにスペインの国王陛下ドン・フェリッペとも対談するつもりでおります）とある。つまり、支倉やソテロは日本を出発した後、最初はローマ教皇に謁見し、その後で、教皇の取次でスペイン国王に謁見することを考えていたのである。そしてローマ教皇から教皇支配下の「伊達藩内のキリスト教徒の騎士団」の創設の認証を得た後、教皇の推薦でスペイン国王から支倉を「サンティアゴ騎士団」の騎士に任命してもらうことを考えていたと推察される。ちなみに、支倉が「サンティアゴ騎士団」の騎士に選ばれるということは、支倉自身がカトリック騎士団の団員（騎士）として身に付ける必要があった前述のようなローマ教皇支配下の騎士団の基礎知識、騎士団の重要な三誓願（清貧、貞潔、従順）、同騎士団の規則などを学び、伊達藩内に創設することを計画していた「騎士団」団長として、日本人騎士団の指導に当たる重要な役割を担うはずだったと推察される。

そもそも当該使節団は、計画の初めの段階ではローマ教皇に謁見し、その後で、教皇の取次でスペイン国王に謁見するはずであった。しかし、実際にはまったく逆になってしまったのである。そのため支倉とソテロはスペインでは、何も交渉事を進めることができなかったのである。このことは支倉とソテロにとって政宗が受洗していなかった不都合と合わせて大きな誤算であったはずである。交渉事を進める場合は今も昔も順序というものがある。最初に時の最高権力者であるローマ教皇聖下に謁見して、様々な請願事項について検討してもらい、その後でスペイン国王に会って話を進めれば異なった結果が出た可能性があった。たとえば支倉の「サンティアゴ騎士団」の騎士任命の請願の件などは、政宗が仮に受洗していてローマ教皇から「キリスト教徒の騎士団」の創設を認めてもらっていれば、支倉の騎士任命が認められていたかもしれない。

話を戻すが、支倉がスペイン国王にこのような重大な請願をしたのは上奏文にも明記されているが、ソテロの考えによるものだったことは明らかである。問題は、ソテロの単独による請願だったのか、それとも伊達政宗との合議によるものであったのか分からないことである。仮に、支倉がサンティアゴ騎士団の騎士に任命された場合のメリットの一つは、支倉が政宗の臣下であると同時に、スペイン国王直属の臣下（騎士）になることである。そうなれば仮に伊達政宗が受洗してカトリック王に叙任された場合には、ローマ教皇とスペイン国王から軍事支援を含む物心両面の支援を受けられるようになる。だが、支倉とソテロの思惑を知らないインディアス顧問会議は、支倉が「サンティアゴ騎士団」の騎士になるということは、政宗の臣下であると同時に、ローマ教皇およびスペイン国王に服従と忠誠を誓う直属の臣下になることであった。つまり、ヨーロッパでは当時は臣下が2人の主君に同時に仕えることはタブーだったので、上奏文に記述されているように、スペイン側から見れば支倉は主君である奥州王伊達政宗に対する忠誠心を捨てスペイン国王の臣下になれば、政宗が不愉快な思いをするであると懸念したのである。いずれにせよ、訪欧使節団のスペインおよびローマ教皇庁訪問の目的がヌエバ・エスパニアとの直接通商交易の開始だけであったならば、ヌエバ・エスパニアの副王グアダルカサール候に請願することで十分目的を果たすことができたはずである。そのための莫大な経費と仙台から持参した箪笥や進物類の運搬のための労力を費やしてスペイン本国およびローマ訪問は無意味なことであった。

第5節　伊達政宗が教皇パウルスＶ世に宛てた書簡

「於世界、広大成貴御親五番目之はつははうろ（教皇パウロＶ世）様之御足を、於日本、奥州之屋形伊達政宗、謹而奉吸申上候、

於吾国、さんふらんしすこ（サン・フランシスコ）の御もんは（門派）の伴天連ふらいるいすそてろ（フライ・ルイス・ソテロ）、たつときでうす（貴きデウス）の御法をひろめニ御越之時、我等所へ御見舞被成候、其口より、きりしたんの様子、何れてもてうすの御法之事を承わけ申候、其付しあん（思案）仕候程、しゅせう（殊勝）なる御事、まことの御定め之みちを奉存候、それにしたかつて（従って）、①きりしたんニ成度乍存、今之うちハ難去さあわせ申子細御座候而、未無其儀候、乍去、某分国中、おしなへて下々迄、きりしたんニ罷成申候やう（様）ニ、わうせれはんしや（オプセルバンシア＝厳修派）の伴天連衆、御渡被成可被下候、何やうニもしゅせう大切ニ可存候、御渡被成候其伴天連衆ニ、万事ニ付而、御ちからを御ゆるし候て可被下候、其伴天連衆ニ、我等手前より寺をたて、万ニ付而御ちそう（馳走）可申候、同我国之うちニおゐて、たつとき（貴き）てうすの御法を御ひろめ被成候ために、可然と思食候程之事、被相定可預候、別而大きなるつかさ（司教）を御一人定め被下可預候、さやうニ御座候者、頓而〳〵皆々きりしたんニ罷成候事一定と奉存候、我等何やうニも請取申候間、御合力之儀、すこしも御きつかい（気遣い）被成間敷候、是ニ付而、我等心中ニ存候程の事、此ふらいるいすそてろ被存候間、貴老様御前、奉叶申やう

ニ頼入、我等使者を相定渡申候、其口を御聞候て可被下候、此ふらいるいすそてろニさしそへ候て、我等家之侍一人、支倉六右衛門尉と申者を同使者として渡申候、我等めうたい（名代）として御したかい（従い）のしるし、御足をすい（吸い）たてまつるために、能ろうま（ローマ）迄進上仕候、此伴天連そてろ、みちニ而自然はてられ申候者、そてろ被申置候伴天連を、おなしやうニ我等か使者を（と）おほしめし候て可被下候、某の国とのひすはにや（ノビスパニヤ＝メキシコ）之あひた近国に而御座候条、②向後ゑすはんや（エスパニア＝スペイン）の大帝皇とんひりつへ（ドン・フェリーペ）様と可申談候、如其、其元被相調可被下候、伴天連衆渡海成ため奉頼存候、猶以某之上、貴きてうす天道之御前ニおゐて、御ないせう（内証）ニ叶申やう奉頼申候、猶此国如何様之御用等可被仰付候、随分御奉公可申上候、是式ニ御座候得共、日本是道具乍恐進上仕候、③猶此伴天連ふらいるいすそてろと、六右衛門尉口上ニ而可申上候、其くち（口）次第ニ可被成候、早々恐入候、誠恐誠惶敬白」

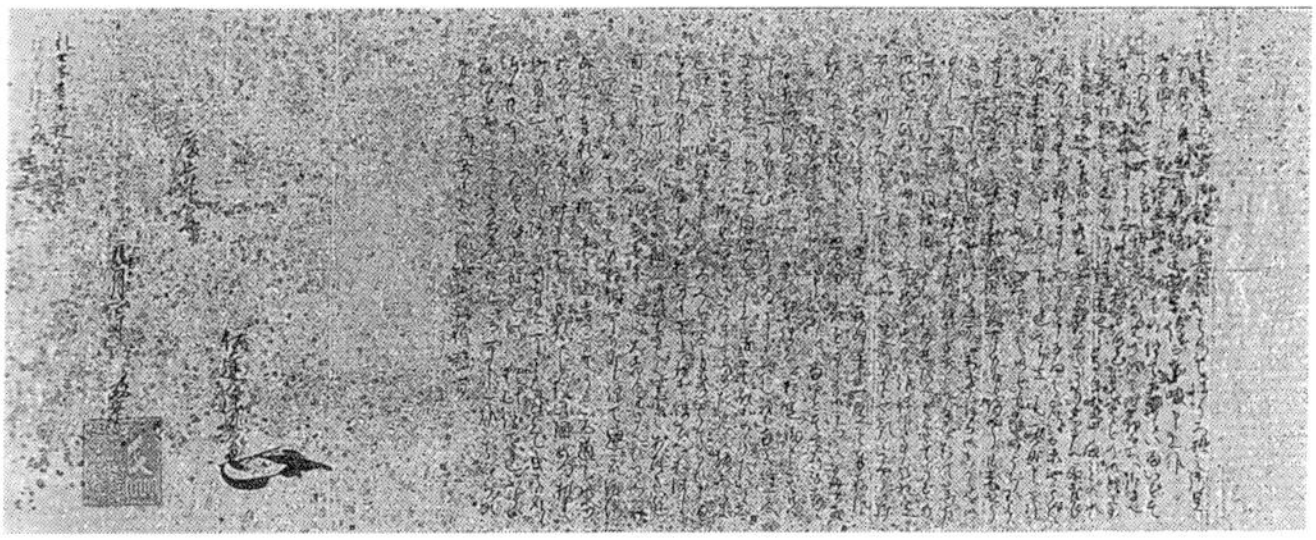

伊達政宗書状　ローマ教皇宛

出典：ヴァティカン図書館。

伊達陸奥守（花押）

慶長十八年

九月四日　政宗（朱印）

於世界貴御親五代目之

はつははうろ様

進上

（傍線部著者）

さて、政宗の教皇宛親書のポイントは３つある。まず、ここで政宗は、【傍線部①】キリシタンになりたいと思って入るが、今のところは事情があって、まだ洗礼は受けていないことを告白したこと。次に、【傍線部②】この後、スペイン国王フィリッペⅢ世と交渉に入るという目論見を説明していること。最後が、【傍線部③】ソテロと六右衛門とが口頭で申し上げるところに従って判断してほしい、と訴えていることである。ほかの部分は、定説にもある内容で、さほど重要ではない。⑴フランシスコ会所属の宣教師の派遣要請、⑵司教区の設置および（フランシスコ修道会所属の）高位聖職者（司教）の任命、⑶メキシコとの直接通商交易開始を実現させるための仲介の３点は、既に明らかになっている。

これに加えて、使節団が持参した『畿内キリスト教徒の連署状』では、⑷コレジオ（神学校）の設立許可、(5)日本人殉教者の公式認知（列福、列聖）、(6)「勢数多講（信心会）」の設立許可なども請願している。問題は、これら6点の請願に対する回答であるが、下記に示す政宗の親書の冒頭にある

《世界ニ於て広大成る貴き御親、五番目のはつは・はうろ（教皇パウルスV世）之御足を、日本奥州之屋形ニ於て伊達政宗、謹みて吸い奉り申し上げ候》とあるが、これはローマ教皇やスペイン国王に謁見が許された者がする「服従」を表す動作である。

次に、親書の文中に、「ルイス・ソテロ神父に支倉六右衛門という家臣一人を使者として派遣しました。その目的は、自分（政宗）の名代としてローマ教皇に服従を誓うため、わざわざローマまで差し向けたのです」とあるが、このことからも政宗は、最初からロー

支倉六右衛門常長肖像

出典：アマティー『伊達政宗遣欧使節記』ドイツ語版（1617年刊）ウイーン国立図書館所蔵。

ローマ教皇パウルスV世聖下

出典：ヴァティカン機密文書館所蔵。

マ教皇に服従を誓って、支配下に入る考えがあったことが分かる。つまり、政宗は、日本のキリスト教徒の王に叙任してもらい、日本のキリシタンの指導者となって、キリシタン帝国を築くことを計略していたのである。

さらに政宗は、日本とメキシコとの間は、お互いに交流するのに近い国なので、（通商交易ができるように）スペイン国王に取り次いでもらいたいと懇願している。

また、この親書に記述されている「政宗の願い」とは、「宣教師の派遣要請」や「（ソテロ神父の）司教の任命請願」以外、親書に書けなかった機密事項とは、後述する政宗の「キリスト教徒の王」の叙任の請願と、教皇権限下の「キリスト教徒の騎士団」の創設の認証などであった。

政宗の書簡が朗読され、静粛ののち、フランシスコ会のグレゴリオ・ペトロッカ神父による演説が行われた。ペトロッカ神父は、この演説で政宗がソテロ神父を通して、天上の真の神を崇拝するに至った

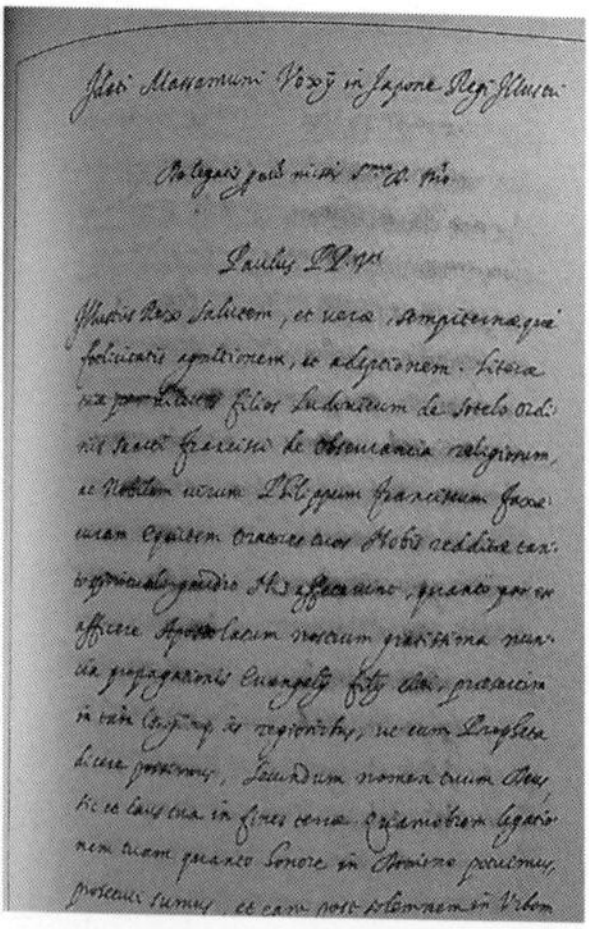

教皇パウルスⅤ世が伊達政宗に宛てたラテン語書簡（下書き）

出典：ヴァティカン機密文書館所蔵（著者撮影）。

伊達政宗像

出典：著者撮影。

経緯について説明し、そして、教皇が迎えるのは、２人の使者を通して奥州王伊達政宗である。これらの使者のうち一人は、政宗の家臣で異教徒の中で著名なキリスト教徒の騎士（武士）で、王家の血筋と姻戚関係があるフェリッペ・フランシスコ・ファシクラであり、もう一人は、フランシスコ会修道士ルイス・ソテロ司祭である。政宗を迎えるのは、畏敬と友好、服従と忠誠を誓う協約を交わすためである。教皇聖下はキリストとキリストの花嫁、ローマ教会のために異教徒（政宗）を受け入れる。異教徒は一人の王で、強権者であり、（政宗の）心中はキリスト教徒である。政宗は、武家社会で慣習になっている残虐な切腹制度を権威（布告に）よって禁止し、短期間のうちに神仏の像八十体を破壊した。また、ボンゾ（坊主）と呼ばれる司祭たち（仏教僧）を、キリスト教徒に改宗させた。改宗を拒否した者は、伊達が命令を下し、ファセクラが刑を執行して殺害した。右記の内容であった。ソテロがペトロッカ神父にかなりオーバーに伝えたことであるが、特に、支倉の身分を誇大して紹介したり、政宗のキリスト教観に関してはまったく根拠のない作り話である。

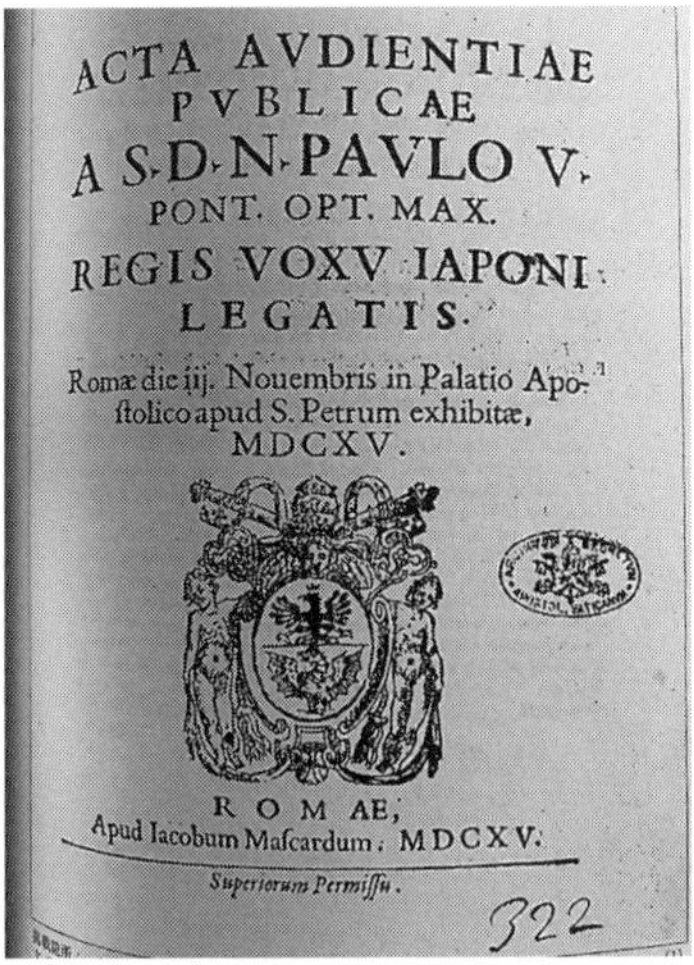
ACTA AVDIENTIAE
PVBLICAE
A S.D.N.PAVLO V.
PONT. OPT. MAX.
REGIS VOXV IAPONI
LEGATIS.
Romæ die iij. Nouembris in Palatio Apo-
stolico apud S. Petrum exhibitæ,
MDCXV.
ROMAE,
Apud Iacobum Mascardum. MDCXV.
Superiorum Permissu.
322

日本の奥州王使節団の教皇パウロⅤ世への公式謁見記録
（1615年11月３日、聖ピエトロ大聖堂にて）
出典：ヴァティカン機密文書館所蔵（著者撮影）。

政宗が、ローマ教皇のもとに使節団を

派遣した真の理由は何だったのか、使節団一行は、教皇に口頭で請願した極秘事項を公にしなかったために、疑問を抱かれたのである。ペトロッカ神父は、政宗が教皇に対し、敵対関係者を攻撃するため軍事的な支援を望んでいる、と理解したのであろう。この疑問に対し、政宗は、実際に使節団を通して、教皇支配下の「キリスト教徒の騎士団』創設の認証を請願している。ペトロッカ神父も政宗が洗礼を受けていない点に憂慮して、受洗するように求めたのである。

(1)　こうした事情について熟知しているルイス・ソテロを教皇聖下の許に自分（政宗）の願いを叶えてもらうために派遣したので、彼（ソテロ）の口から（私の意図していることを）直接聞いていただきたいと述べている。この書状に書けなかった政宗の願いとは一体何であったのであろうか。これについては「教皇勅書」、つまり、「日本の使節団がローマ教皇に請願した事柄に対する回答文書」によると、政宗の「キリスト教徒の王」の叙任を認証してもらうための請願と、ローマ教皇の支配下になる「キリスト教徒の騎士団」の創設の認証などであった。

(2)　「ルイス・ソテロ神父に支倉六右衛門という家臣一人を使者として派遣しました。その目的は、自分（政宗）の名代としてローマ教皇に服従を誓うためわざわざローマまで差し向けたのである」。このことからも政宗はローマ教皇に服従を誓って支配下に入る考えがあったことが理解される。つまり、後述するが自分（政宗）は日本のキリスト教徒の王に叙任してもらい、日本のキリシタンの指導者となってキリシタン帝国を築くことを目論んだのである。

(3)　政宗は日本とノビスパニア（メキシコ）の間はお互いに交流するのに近い国なので、（通商交易ができるように）スペインの国王に取り次いでもらいたいと依頼している。ただ、この書簡には「この先、さらにスペインの国王陛下ドン・フェリッペとも対談するつもりでおります」とあるので、当初はスペイン国王に簡単に会うことができないと考えたのか、まず教皇聖下に謁見した後、教皇聖下の取次でスペイン国王に謁見する考えであったことが分かる。

(4)「ほんのこれしきのものですが、日本でできた道具類（机、小机、調度品類）を、恐れながら進上仕ります」と教皇聖下に豪華な仙台の漆器類を献上した。

(5) 最後に、「なお、このパードレ・フライ・ルイス・ソテロと、（支倉）六右衛門とが、口頭で申し上げるはずですから、この人々の申し上げるところに従ってご判断頂きたく存じます」と、書状には記述できない機密事項について（教皇聖下に）請願しますので、そのことについてご判断下さいということである。彼らが口頭で申し上げる事柄（請願事項）とは、前述した政宗の「キリシタン王」の叙任の認証、ローマ教皇聖下の支配下に入る「キリスト教徒の騎士団」の創設の認証であったことは、ローマ教皇の回答文書から判断できるのである。

この政宗書簡のポイントは３つある。

まず、文中で「きりしたんニ成度乍存、今之うちハ難去さしあわせ申子細御座候而、末無其儀候、……」、つまり政宗は、キリシタンになりたいと思ってはいるが、今のところは事情があって、まだ洗礼は受けていないことを告白したことである。

支倉やソテロなど慶長遣欧使節一行が１６１６年1月6日にローマを離れる直前の前年12月27日付

けで書かれた伊達政宗宛のローマ教皇パウルスⅤ世の返書の下書きがヴァティカン機密文書館に所蔵されている。教皇の代筆者のサンタ・スサナ枢機卿による返書の原本は、支倉らに直接手渡され、それをソテロが日本語に翻訳して、支倉が伊達政宗に手渡したのではないかと推察される。本来であれば伊達藩内で大切に保存されているはずであるが、返書に書かれてあることが幕府に知られては困る内容であったため、他の関連文書などと共に処分されてしまったのであろう。ローマ教皇の政宗宛の返書の内容は次の通りである。

第６節　伊達政宗宛ローマ教皇パウルスⅤ世の書簡（１６１６年12月27日付）

―政宗に受洗を求め、「キリスト教徒の騎士団」創設の認証に意欲を示す―

（ヴァティカン機密文書館：A.S.V., Arm. XLV. 15)

（（）の番号は著者が記入。）

日本の奥州のいとも輝かしい王伊達政宗に宛てて、我らの聖なるパウロ（パウルス）Ⅴ世に、彼によって派遣された大使たちに関して、いとも輝かしい王よ、貴下が健康であり（salutem）、真実（の神への）改宗で永遠の（sempiternaeque）幸福を確認（認識）して獲得されることをお祈りします。親愛なる息子（子ども）たちである聖フランシスコ・オブセルバンシア（厳律）修道会の修道士（宣教師）であるルイス・ソテロおよび高貴な騎士（武士）であるフィリッポ・フランシスコ・ファシクラという大使たちによって我々に奉呈された（齎された）(1)貴下の書簡は、私たちの神の子（Filii Dei）、の福音伝道（propagationis Evangelii）の使徒職に勇気を与え、すべて道理にかなったものであり、私たちに多くの霊的な歓び（tanto spirituali gaudio）を満たしてくれました。とりわけ、非常に遠く離れた地域において、私たちが預言者と共に、「あなたの神の名前」に従って、言うことが出来ます。あなたの賞賛は、地の果てまで到達します。その理由によって、私たちは主においてできる限りの栄誉を表して貴下の使節団を歓迎します。そして私たちはローマにおける彼の荘厳な入市式の後で歓迎します。私たちの尊敬すべき兄弟たちである聖なるローマ教会の枢機卿たちの集会において、ローマ教皇庁の多数の高位聖職者およびそのほかの貴族たちの出席の下に、大使たちを歓迎しました。(2)あなたの使節団の随行員たちを洗礼水によって、至聖所（諸聖人）の同市民と客人および外来者（外国人）から、神の家族として改宗させられました。あたかも彼らは愛する子どもたちのようにローマの教会、すべての信者（信奉者）たちの母であるこの（ローマ）教皇庁に遠方からやって来ました。私たちはそれを見るとすぐに、私たちのはらわた（内臓）（viscera）が揺さぶられ（感動し）、私たちと共に留まったすべての期間は彼らを名誉ある者として待遇（手厚いもてなし）をするように命令しました。そして、(3)貴下が私たちの許へ使節団を派遣する誘因となった（動機の）ことと、私たちに要請（請願）をしたかった事柄について、貴下の書簡によって、理由を知った時、少なからざる霊的な歓びを得ました。(4)聖ペトロの座（教皇庁）の私たちの喜びを満たすために、唯一つ欠けていたことは、貴台がキリストの教会の胸の中（内部）において以外には救いがない聖なる洗礼を受けました、そして、異教（徒）の間違い（誤謬）そのものから解放されました、という知らせを聞くことでした。しかしながら、(5)貴下は神の恩寵によって神の真理（veritatem Dei）を知ろうと努力を示しました。そして他者の救いのために行動を始め、私たちの将来の心配（懸念）をある程度（少しは）和らげ（軽減し）てくれました。事実、私たちは貴下が天の助けによって既に神を知って（認めて）いるので、神を神のように讃えることを期待します。なぜならば、神の掟を聞くだけの者は神の前では篤信の者とはいえず、それ（神の掟）を守った（実行する）者になることです。そして、たとえ貴下は世俗の事柄のつながりや、貴下が言うように、私たちはほかの極めて深刻な妨げ（障害）を遮断する（引き止める）ことはできません。しかしながら、主に貴下を委ねることを勧め（奨励し）、そして、たしなめるようにします。私たちのための使徒的奉仕と、貴下の救いに熱心でなければなりません。主と我らの救世主イエズス・キリストが述べた、〝まず、神の王国を求めなさい。その後で、全てのものが貴下に授けられるでしょう〟、ということを、貴下が聞いたと、私たちが既にそれを信じています。

私たちの最後の日は不確実です。仮に全世界を獲得しても、自分の霊魂を損なうような苦しみは人には何の役にも立ちません。私たちは、心の底からの好意によって、貴下と貴下の王国の健康と栄光を求めたいと思います。私たちはすべて最上の物を与えに来る（主）の光の御父である神に執拗するように求めております。それ故に、(6)貴下の請願（要請）に関しては、最初に、貴下が私たちに求めていることを、主がそれを許したならばすぐに、貴下の望みに応えたいと思うので、決して疑わないで欲しいのです。次に、⑺今の時点で、実行（実現）できなかった幾つかの事柄があったことを知らなければなりません。しかしながら、私たちはできるだけ手短に、また、迅速に処理（解決）するように命じました、確かに、私たちが主において相応しい（適当である）と判断しました資格（能力）と権限を備えている（持っている）神の仕事（働き）を必要とする幾人かの修道労働者（修道会に所属する労働者）をその主の葡萄園に行くように命じました。⑻司教については、貴下の使節団が帰還する前に解決するに値する極めて重要な事柄です。しかしながら、私たちはできる限り早く（quamprimum）それ（司教）を任命するように努力いたします。このことが一度実際に行われ、それらの地域の霊魂の救いと神の信仰の拡大のために準備をするでしょう。⑼協定と貿易に関する事柄については、われらの最愛のキリストの息子である、スペインのカトリック王フェリッペと、彼の宮廷にいる私たちの教皇大使に、その事柄を協議するのに我らの影響力を講じるように命じました。私たちは彼が我らの主張のために（tum nostra causa）、また貴下たちの功績のために（tum ob merita tua）それを好意的に処理するだろうと期待しております。そのため、彼の自発的な懇願が決して足りないことはありません。聖霊の恩寵によって聖なる洗礼とともに再び生まれ変わった時、私たちの使徒的権威によって貴下と貴下の王国を認めることを求めています。そして、私たちの頭であるイエズス・キリストと教会のメンバーに加わったときに、それから、私たちは習わしとして備わっているこのローマ教皇庁の好意と恩寵をもって貴下と貴下の王国に敬意を払い（栄誉を与え）ます。そして、キリストの親愛なる子どもたちであるほかのカトリック諸王を強固にします。そして、私たちは貴下を私たちと聖ペトロの保護の下で受け入れるでしょう。同様に、聖霊の恩寵のお蔭で、貴下の王国と寛容なキリスト教徒が増大した（成長した）とき、貴下に不足し（欠け）ているものはありません。⑽貴下は自らの収入（資金）を用意したので、大聖堂や他の教会を建立します。そして、⑾私たちは、主が赦した暁には、貴台が請願した（desideriis）司教の任命と、騎士団（註1）（キリスト教徒の武装軍団）の創設に関する貴台たちの望みを解決するのに努力いたします。

貴下からの贈り物（註2）は、私たちにとって大変有難いものでありました。

いつもそれらの品を眺めていますが、貴下の永遠の救いと貴下の王国の繁栄と栄光のために、神に祈ることを駆り立てられています。しかしながら、私たちの犠牲において私たち自身が率先してそれをすることを止めません。私に残されているのは私たちが貴下の大使たちに頼ることだけです。しかし、彼らは多くの労苦と十分に委任された義務を熱心に遂行しました。

栄光の神、我らの主イエズス・キリストの御父、慈悲深い御父が、ご自分の恩寵（恩恵）の豊富さによって、貴下に恵みを授けて下さい。それは貴下がキリストと共生し、貴下の心のすべてと魂のすべてと共に地上で見るに値します。貴下のすべての力と天国でそれを見ることを好みます。そして、長い歳月のすべてによる彼らの聖人と共に享受します。

ローマにおいて、聖ペトロ、漁夫の指輪において、１６１６年12月27日、我らの教皇の在位12年目に。

サンタ・スサナ枢機卿

S. Card.lis S.tac Susannae.

第7節 「ローマ教皇宛請願事項」は政宗の幕府転覆計画の証左

支倉や「日本のキリスト教徒の代表者」３人が書簡および口頭にてローマ教皇へ請願した事柄の詳細な内容については、『回答文書（教皇小勅書：ローマ教皇によって出された最も重要な正式通知。末尾には教皇の印章（Bulla）が添えられる）』（下書き）（A.S.V., Fondo Borghese, Serie IV, No. 63, Lettere dicerse, 1615）に掲載されている。

さて、ローマ教皇が伊達政宗に宛てたこの書翰を読んで、著者は次のような疑問や不自然さを感じるのである。まず、ローマ教皇支配下の「騎士団（キリスト教徒の騎士団（軍団）」の創設に関する記述の存在である。この請願事項については前述の『回答文書』にも同様のことが記述されているが、政宗が受洗していないという理由で却下されている。本書翰の中でも教皇が、政宗が受洗して神が赦せば創設を認めるために努力することを約束している。「カトリック王政宗」がローマ教皇のお墨付きで日本のキリスト教徒の騎士団を率いる—。これはまさに徳川体制に対する強烈な反逆にほかならない。

次に、ローマ教皇が政宗に対し、「貴下が私たちの許へ使節団を派遣する誘因となった（動機の）ことと、私たちに要請（請願）をしたかった事柄について、貴下の書簡によって、理由を知った時、少なからざる霊的な歓びを得ました。」と、述べている。ここで教皇は政宗が使節団を派遣する動機となった理由と、使節団が教皇に請願した内容を知って霊的な歓びを得たというが、メキシコとの通商交易開始の仲介要請や東日本における司教の任命、宣教師の派遣などの請願だけで歓ぶはずがない。教皇はまず、政宗は皇帝（将軍）から迫害を受けているキリスト教徒を保護していること、そして、「使節団の請願事項に対する回答文書」（下書き）によると、前述以外の請願事項には「政宗のキリスト教徒の王」の叙任の請願と「キリスト教徒の騎士団」創設の認証が含まれている。つまり、教皇はこれらの２つの請願を受けて、政宗が武力を用いて日本に「キリスト教共和国」を建設する計画を持っていることを知って歓んだのであろう。ちなみに、仙台市博物館の学芸員や東北大学の関係者は、元来、使節団のローマ訪問の目的をメキシコとの通商開始を実現させるための仲介と宣教師の派遣をローマ教皇に請願することであったと結論付け、「幕府転覆計画説」を否定している。

当該書簡で「貴下の請願（要請）に関しては、最初に、貴下が私たちに求めていることを、主がそれを許したならばすぐに、貴下の望みに応えたいと思うので、決して疑わないで欲しいのです」と、政宗が洗礼を受けた暁には、政宗の請願した事柄を認証することを述べている。

一方、教皇書簡の中で「貴下は神の恩寵によって神の真理（veritatem Dei）を知ろうと努力を示しました。そして他者の救いのために行動を始め、私たちの将来の心配（懸念）をある程度（少しは）和らげ（軽減し）てくれました」と述べているが、政宗が神の真理を知ろうとしたとか、他者の救いのために行動を始めたという記述は、政宗の本心ではなくあくまでも自らの目的を果たすための手段として用いられた表現であり、結果的に教皇を騙すことになったと解釈するのが妥当であろう。

第9章　伊達政宗宛ローマ教皇グレゴリウスXV世のラテン語書簡の下書き（1623年5月27日付ローマ発信）（A.S.V., Arm. 45, Grego XV an. III, fol. 80b, n.99）

―政宗に強く受洗を求め、伊達領内に「キリシタン共和国」の建設に期待―

第1節　グレゴリウスXV世が伊達政宗に書簡を送った経緯

支倉六右衛門ら遣欧使節団一行に謁見を許したパウルスV世が1621年1月28日、70年の生涯を終えると、同年2月9日、後任の教皇にグレゴリウスXV世が243代ローマ教皇に就任した。新教皇は前任のパウルスV世の東アジア地域における布教拡大政策を受け継ぎ、とりわけローマまで遣欧使節団を派遣した仙台藩主伊達政宗の日本におけるキリスト教共和国の建設構

ローマ教皇グレゴリオXV世
（在位：1621～1623年7月）
出典：ローマ・ヴァティカン図書館所蔵。

想に関心を抱いていた。こうした状況下でグレゴリオスXV世教皇は、伊達政宗に対し書簡を送って、日本における「カトリック王」の叙任を認証するために不可欠な受洗を極力勧めたのである。

第2節　教皇グレゴリオXV世が伊達政宗に宛てた書簡

最強の国王よ、貴下にご挨拶申し上げ、神の恩寵である光を求めました（Potentissime Rexsalutem, et lumen Divinae gratiae）。ローマは、全（水陸の）世界の勝利者であり（triumphatrix Orbis）、著名な男の子の母であり、そして、人類の主人（domina）であるよりも先に母と見なされることを好み、昔、非常にたくさんの慈悲（tanta clementia）をもってその帝国の威厳と力で穏和にしました（Roma clarissimorum Virorum parens, actriumphatrix Orbis terrarum maiestatem ac vim Imperii sui olim tanta clementiatemperavit, ut generis humani mater quam domina haberi mallet）。事実、その都市と権力を分け合う（共有する）ために降伏した（負けた）敵を招いたとき、他人のものを強奪（略奪）するためではなく（non ut diriperet）、自分に分配する（割り当てる）ために、武器による暴力（armorum violentiam）を用いたようです。そして、合流し難い大洋の潮流（dissociabilis Oceani fluctus）と、近づき難い山々の頂上が妨げになっていた諸地域を勝利の法によって統合さ（力を合わ）せるためでした（Cum enim devictos hostes vocaret insocietatem civitatis et potentiae, idcirco armorum violentiam videtur adhibuisse non utdiriperet aliena sed ut propria communicaret, easque regions victoriarum legibusconiungeret, quas dissociabilis Oceani fluctus et inaccessorum montium iugadiremissent）。要するに、（ローマは）一つの都市と国家（共和国）のようなものを建設し、全世界のすべての民族の財産（Omnium nationum bonis）を分け合う（統合する）ために、一生懸命に努力しました（Omnino id agree conabatur, ut consociatis Omnium nationumbonis ex universe orbe una velut urbs, atque respublica Constitueretur）。しかし、その昔の帝国の巨大な組織（枠組み）は、たとえ海や川に囲まれており、軍隊によって守られていたとしても、野蛮な諸民族の凶暴さ（barbatrarum nationum furors）や時代の逆境（不運）によって、破壊させられたのです（At enim tantam vteris illius Principatus vdd compagem, quamvis mari, rores, Fluminibus septam, legionibusque munitam, barbatrarum nationum furors, et temporisIniuriae labefactarunt,）。事実、その組織は天国の救い（助け）よりも人間の技法（技能）によって支えられていたのです（humanis enimartibus potius nitebatur, quam colestibus auxiliis）。しかし、人々に命じていたこの組織は、悪魔や偶像に最も惨めな方法で仕え（奉仕し）ていたのです（Quae enim imperitabathominibus, diabolis, et Idolis miserrime serviebat）。しかしながら、軍隊の神（軍神）（Exercituum Deus）は、彼らの城壁（sua moenia）にすべての人々が駆けつけた後で、ご自分の大きな善良さをはっきり示す（明らかにする）ために非常に大きな権力の頂点に導いた（持ち上げた）ようです（Eam tamen ad tantae potentiae fastigium provexissevidetur Exercituum Deus, ut bonitatis suae magnitudinem gentibus cunctis in suamoenia confluentibus patefaceret）。このように、神が同意（承認）したとき

に、世界の主であったこの都市（civitatem）を光の武器（armis lucis）によって優しく（suaviter）鎮圧を始められました（Quare ubi tempus advenit Divini beneplaciti, civitatem gentium dominam armis lucis subigere suaviter coepit）。そして、いったん悪魔の崇拝（demonum cultu）からキリストの信仰に改宗したこの都市に、誰も土地の境界（Terrarum finibus）による制限がなく、また期限（時間）にも縛られることがない新しい統治（支配）（novum Imperium）に任せ（委ね）ました（eique a demonum cultu, ad Christisacra traductae novum Imperium dedit nullis Terrarum finibus, aut annorum spatiis conclusum）。……（中略）

66王国からなっているこの島に関して、私たちに語ったことによると、遠方の大洋の固有（独自）の神秘さと名声の沈黙で長い期間覆われていた間、これまで正義の太陽で真理と救いの日が齎されたことのないこれらの民族に同情していました（Cum autemTamdiu Insulam istam sexagintas, quibus hactenus sol iuex Regnis, ut accepimusnobilem, ipsum remotissimi Oceani arcanum, et famae silentium abdiderit, miseruitNos populorum istorum, quibus hactenus sol justitiae non attulit diem veritatis etsalutis）。私たちの慰め（慰安）（Solatium）と私たちの主な望みは、閣下の信心です。つまり、立派な（高潔な）大使によって、絶大な権力を持つ（全能の）王であるローマの教皇庁において少し前に崇拝しました。そして、そこに居住しているキリスト教徒たちの後援者（保護者）（patronus）であり、また幇助者（支持者）（fautor）であると言われております（Solatium tamen et praecipua spes nostra est pietas Maiestatis tuae, cum enim inRomana Sede omnipotentem Regem non ita pridem per honorifica legatione veneratussis, christianorum etiam isthic commorantium patronus, et fautor esse diceris)。したがって、(貴下は)極めて偉大な王と言われたのですから、キリスト教国家(ChristianaeReipublicae)(の建設)を望む(願う)ことです。私たちは貴下に使徒的書翰(apostolicisliteris)によって私たちの慈悲を貴下に証明することが相応しいと判断しました。

あなたたちの徳の評判(名声)は、私たちが住んでいるこのもう一つの世界にも到達しており、伊達の王の勝利と賞賛を祝う者は、世界の諸国民と祖国の集合体である、この都市では少なくありません(Quare cum tanti Regis foelicitas Christianae Reipublicae votum sit, par esse censuimus apostolicis literis tibi charitatem nostrum testari. Peragravit fama virtutum tuarum hunc alterum terrarium orbem, quem incolimus, nec desunt in hac Urbe, quae nationum conventus, et mundi patria est, qui Regis Idati victorias, ac laudesloquantur.)。彼らはあなたを悪魔たちの克服者(支配者)(daemonum domitorem)と呼ぶべきであると言っております。というのは、あなたは昔からの迷信(superstitionis)から来る不信心な恐怖によって保護されたあなたの偶像の寺院80を、以前に破壊したと言われております(Te enim daemonum domitorem nuncupandum aiunt, qui octingenta eorumIdola impio veteris superstitionis terrore custodita isthic iampridem confregisse diceris)。

その上、あなたは人間らしさを忘れた人々(homines humanitatis oblitos)の間で野蛮な獰猛(残忍)の撃退者(barbaricae feritatis depulsor))という称号を与えられています(Porroautem inter homines humanitatis oblitos barbaricae feritatis depulsor appellaris)。諸侯たちの埋葬（葬儀）の際に残酷な内臓の殺戮（腹を切る）行為を貴下は布告によって禁じました（cuius edicta illas viscerum lanienas in principum funeribus prohibuerunt)。貴下のこれらの徳の偉業と神の好意（慈しみ）(divinae benevolentiae) の証拠が私たちにもたらした、貴下の救いに対する何とも大きな願望は、言葉で表現することはありません。それ故に、私たちは神性なこの至聖所（Divinitatis sanctuario）から、聖霊によって忠告した預言者の言葉をもって閣下と日本の人々に叫びます。〃島々よ！　耳を傾けなさい。そして遠くの人々よ、聞きなさい（Haec tuae virtutis facinora, et divinae benevolentiaeargumenta vix dici potest, quantam nobis salutis tuae cupiditatem iniecerint. QuareSpiritu Sancto monente ex hoc Divinitatis sanctuario ad maiestatem tuam, et Iaponicasnations clamamus Prophetae verbis)。汝らは選ばれた民族の乳を飲むでしょう。そして、もし、主（イエズス）キリストが汝らの心の中で支配することを許されていたら、キリストの王たちの乳房（mamilla Regum Christianorum）によって乳が与えられるでしょう（Auditae Insulae, et attendite populi de longe. Sugetis lac gentium electarum, etmamilla Regum Christianorum lactabimini, si Christum Dominum in cordibus vestrisregnare patiemini,)。また、諸王国の確かな保護者（certissima Regnorum tutela）の主張である汝らの知恵（知性）と汝らの真の自由（verus libertatis）が神聖なものにするでしょう。立ち上がりなさい（Consurge）、立ち上がりなさい！　キリスト教への愛（christianaeReligionis amore）による著名な王よ。以前から貴下を呼びよせておら

れる神の胸中へと、出来るだけ早く避難（confuge）しなさい（eique, qui verus libertatis author, et certissimaRegnorum tutela est, ingenia, voluntatesque vestras devovetis. Consurge, consurge Rex christianae Religionis amore celeberrime, et in Dei te iamdiu vocantis amplexus confuge quam citissime）。ついに（tandem）永遠の救いの港に入るようにしなさい。その港には有益な（salutiferas）キリスト教の洗礼水（christi baptismatis undas）によってしか到着することはありません（Ingredere tandem aliquando portum salutis aeternae, qui nonnisi per salutiferas christiani baptismatis undas aditur.）。前述の天上の不滅（永遠）の治世が約束された時どんなに遅れ（遅延）でも憎むべきです。その一方では、死を免れない（死すべき）命（vitae mortalis）の経路（流れ）は、短いだけでなく、不確かでもあります。地上に横柄な態度を取る者の誰が明日の日を約束するでしょうか？（Odiosa autem omnis mora est, ubi sempiternus coelestis beatitudinis principatus promittitur, et vitae mortalis non brevissimus modo, sed incertus est cursus. Quis in Terra ausus fuerit fuerit tibi diem cra diem crastinum pollicere ?）閣下はもし、日本のすべての王国だけでなく、世界を手に入れた（獲得した）としても、貴下の霊魂に不名誉な苦痛を被るのであれば、何の幸福を得ることができるでしょうか？（Quae Maiestatis tuae foelicitas esset, si non modo cuncta Iponiorum Regna, sed universum etiam mundum lucrans animae tuae detrimentum patereris ?）この世においては確かに、私たちは既に追放された身か、あるいは王国で生きております。私たちは如何なる身分（状況）で生きていようと（conditione vivamus）、私たちは常に不運（悲惨）な谷間

の中か、死（終焉）の（死すべき）牢獄の中で（in mortalitatis carcere）、涙を流しているのです（Hic enim siye in exilio, sive in Regno, quacunque conditione vivamus, semper in miseriarum valle, et in mortalitatis carcere lacrymamus.)。しかし、天上においては、福音の法が不死（不滅）の命の喜び（gaudia vitae immortalis）と至福の栄光の（beatissimae gloriae）世界をあなた方の信者たちに約束しております（In coelo autem gaudia vitae immortalis, et beatissimae gloriae principatus fidelibus suis evangelical ex pollicetur.)。従って、私たちは貴下が以前からそれらの戒律（規則）を熱心に学んだことと、貴下の精神（考え）が生けるが神のイメージと共により一層満足するために今まで洗礼志願者のままでいたを知っております（Proinde cum sciamus, te eius praecepta iamdiu diligenter discere, et cathecumenum hactenus permansisse, ut solertius in simulacrum Dei viventis mens tua conformaretur)。ようやく（やっと）私たちはキリスト教会の陣営の中で既に活動しており、神の子どもたちの養子縁組に呼ばれることを（in adoptionem vocatum）熱望している子どもがどれほど貴下を抱きしめたいと望んでいるか申し述べることができます（vix dici potest, quam cupiamus te desideratissimum filium complecti in Christianae Ecclesiae castris militantem, et in adoptionem vocatum filiorum Dei.)。閣下が洗礼を受けるならば、信仰が勝利し（Triumphabit religio）、また天は歓喜するでしょう。力のある主は貴下を戦いの中で天使たちの軍団（部隊）（Angelicarum legionum）によって守って保護するでしょう。その主がご自分のために住みかとして選ぶことを望まれた貴下の胸から、貴下はすべての恐れを力強く敬虔に除去することを義務付けられるでしょう（Triumphabit religio, et exultabit Coelum in baptismate Maiestatis tuae, teque Angelicarum legionum excubiis custodiet Dominus potens in proelio, ut e tuo pectore, quod ille seligere vult habitationem sibi, debeas timores omnes fortiter acpie eliminare.)。もし何か逆境のことが突発したとしても、火の中の金のような貴下の粘り強さによって吟味（評価）する神を信じなければなりません。そして貴下に天上の勝利の機会が提供されています（Non deerunt, qui prudentium specie a tanta re deterrebunt Maiestatem tuam, tibique rebelles populous, et principes adversos minitabuntur.)。

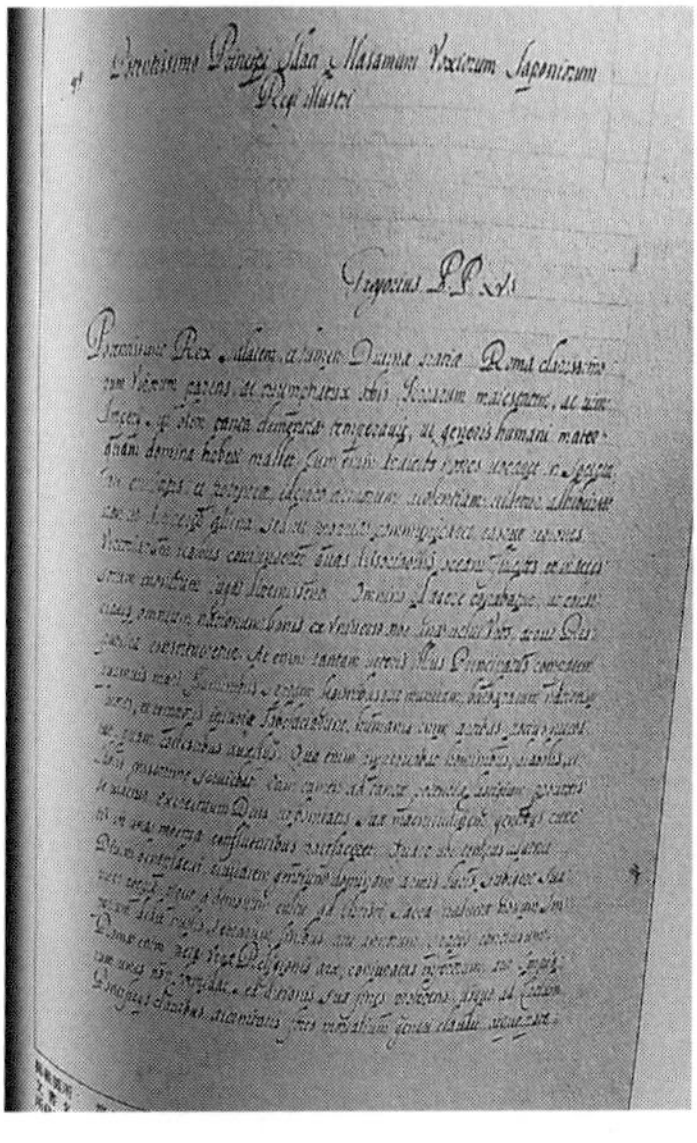

教皇グレゴリオスXV世が奥州王伊達政宗に宛てたラテン語書簡の下書き
出典：ヴァティカン機密文書館所蔵（著者撮影）。

第３節　教皇グレゴリオXV世が伊達政宗に宛てた書簡
―伊達政宗の早期の改宗を望む―

教皇グレゴリオXV世の政宗宛書簡から、次のような教皇側の政宗に対する期待感や、願望が理解される。これを箇条書きにして整理してみることにする。

(1)　この書簡で教皇は、政宗の領地内におけるキリスト教徒たちの後援者（保護者）であり、また幇助者（支持者）(fautor) であると絶賛している。そして、「私たちの慰め（慰安）(Solatium) と私たちの主たる望みは、閣下（政宗自身）の信仰心です。」と、政宗の受洗を熱望している。

(2)　教皇が「(貴下（政宗）は) 極めて偉大な王と言われたのですから、キリスト教国家 (Christianae Reipublicae)（の建設）を望む（願う）ことです」と、日本全国がキリスト教国になることを熱望していたことが分かる。その背景には、遣欧使節団が政宗の「キリスト教国」の建設にかなり意欲的であったことを教皇側に伝えていたからであろう。

(3)　「伊達の王の勝利と賞賛を祝う者は、世界の諸国民と祖国の集合体である」と述べられているが、伊達の王の勝利とは何を意味するのであろか。唯一、推察されることは伊達が日本のキリスト教徒と手を結んで（キリスト教徒を迫害している）幕府との武力による戦いに勝利することを意味しているのではなかろうか。

(4)「あなたは昔からの迷信（superstitionis）から来る不信心な恐怖によって保護されたあなたの偶像崇拝の80の寺院を、以前に破壊したと言われております」という記述は、遣欧使節団にマドリードからローマまで案内人兼通訳として随行したイタリア人歴史家シピオーネ・アマチの「遣欧使節記」にも同様の記述があるがルイス・ソテロ神父の狂言であり、事実ではないことが判明している。

(5)「立ち上がりなさい！　キリスト教への愛（christianae Religionis amore）による著名な王よ。以前から貴下を呼びよせておられる神の胸中へと、できるだけ早く避難（confuge）しなさい」というのは、教皇は政宗に対し「キリスト教国」を建設するために神が求めている洗礼をできるだけ早く受けなさいと、期待しているのである。

以上であるが、教皇グレゴリオスXV世は政宗に対し、一貫して政宗が教皇パウルスV世に請願した事柄を認証するための唯一の条件は、政宗自身が早く洗礼を受けることであることを繰り返し述べている。

ところで、本書簡のローマ発信日付は１６２３年5月27日となっている。仮に日本国内に持ち込まれたとするならば発信日付から２～３年後の１６２５年～１６２６年頃と推察される。

１６２０年代中頃といえば日本全国にキリシタン禁教令が発布されて宣教師の国外追放や信徒に対する厳しい迫害が行われていた。もちろん伊達藩内でも厳しいキリシタン弾圧が始められていた時期である。こうした状況の下で教皇書簡は果たして政宗の手元に届いたのであろうか。仮に届いていたとしても政宗は支倉常長の帰国と同時にキリシタン弾圧に踏み切っていたので、教皇の期待に応えられるような状況にはなかったのである。そういう意味では教皇書簡は何の意味もない単なる紙切れに過ぎなかったといえよう。

プロローグ《歴史研究の真髄》
―「史実」（歴史的事実）と「物語」の峻別を！―

1．歴史叙述の基本作業の条件
―「史料批判」と一次史料による事実認定が不可欠―

史学に第一の必要条件は正確にして適切な事実認定であり、史実の確定こそ言うまでもなく常に史学に不可欠な基礎条件である。それを担保するものは史料批判を含めて（一次）史料しかない。然るに事実確定の困難さは、現代法廷の刑事裁判を見るまでもなく明白なことである。近代史学の祖レオポルド・ランケの言うと聞く「神は細部に宿り給う」とは這般の事情を語るのであろうか。

さて、「歴史研究は、第一次史料に基づいた史実でなければならない」という、基本理念に基づき、研究素材としての一次史料の収集、正確な解読、史料が持つ証言能力の確認、そして史料の信憑性、信頼性を検討する「史料批判」が重要であることは論を待たないであろう。

著者の既刊書でも述べたが「史料批判」とは、歴史学の研究上、史料を用いる際に様々な面からその正当性、妥当性を検討することである。

史料批判の必要性は、たとえば当事者間の対立による利害関係の絡む史料というものが存在することから生ずる。これらの史料は権利に関わるものであるだけに、大切に保管される場合も多い。一方、何らかの理由で偽造や錯誤が生じ、その史料に誤った説明が加えられて踏襲されることもある。このような理由で研究史料の正当性・妥当性は、常に注意深く吟味されなければならない。また、史料が語る内容について、有効性や信頼度（どの程度信頼できるかまた、どの程度の証左能力を持つか）を評価する必要がある。これに関しては、証言者は事実を述べることができたのか、事実を述べる意思があったのか、の2点より検討されなければならない。

次に、史料分析（批判）の方法としては、

第1に、外的批判がある。これは史料そのものが後世に偽造や改作を受けたものでないかどうか、一次史料に相当するか否かなど、その外的条件を検討することである。これらは史料の証左価値の判定基準となる。

第2は、史料作成の時期および場所である。史料はいつ書かれたのか、あるいは作成されたのか（日付）日時・場所を明らかにすることは、出来事の経過や状況を知るための基本である。

第3は、誰によってつくられたか（作成者）である。その史料の作者の立場、地位、性格、職業、系統などが明らかにされれば、それがその史料の信憑性等を判断する根拠となって、その史料を用いる際に都合がよくなる。

第4は、既にあるものからつくられたかである。史料作成者は、一般常識となっている歴史的知識を無視できないと考える。歴史的知識を無視した場合、その内容は作り話になり、歴史的知識を無視した場合、歴史的事実としては評価されることはない。

第5は、オリジナルな形式によってつくられたか（一貫性が伴っているか）である。ほかの史料の引用・孫引きか、記述者本人の見聞か、伝聞か、といった点を把握する。

第6は、史料の信頼性を吟味し、史料の性格や価値を判断することである。信頼性とは記述者と書かれた内容の関係を考察し、記録の正確さを検証する。

2．文字史料に無頓着だった日本人の歪んだ歴史観

著者の半世紀以上にわたる伊達政宗の「支倉六右衛門常長　慶長遣欧使節」研究を通して驚いたことは、日本の多くの歴史学者と著述者の歪んだ歴史観である。つまり、わが国では正当性や妥当性のある史料が何も存在しなくても、個人的な主観や単純な「状況判断」だけで当たり前に歴史がつくられている事実があることである。そして、それらの虚偽の歴史は公的機関（メディアをはじめ博物館や歴史研究所など）や御用学者に後押しされていつの間にか通説となって定着していることである。そもそも文字史料こそが歴史を証言することが明白であるが、ヤマト時代以来日本人は文字を刻むことに無頓着で文字史料を大切にしてこなかった。そのため曖昧な伝聞（伝説）による事跡が多く、真

実の追求が困難なのである。たとえば、墓誌が存在してないため前方後円墳・大山古墳〈仁徳天皇陵〉が本当に〈仁徳陵〉なのか確定できないでいる。このような曖昧な歴史遺跡が全国に多く散在している。その背景には現代社会まで国家レベルで公文書（条約、宣言、外交文書、報告書、伝達メモ等）のような重要な文字史料を後世に残すために保管する公文書館や管理システムが存在していなかった。ちなみに、わが国で公文書館設置の必要性を初めて世に提唱したのは、東京帝国大学教授箕作元八博士[註1]（1862〜1919年）である。箕作博士は明治20年代初期に歴史学研究のためドイツ・ハイデルベルク大学、テュービンゲン大学に留学し、明治24年（1891年）年に同大学より歴史学の博士号を取得し、ヨーロッパ各国の文書館、とりわけヴァティカン機密文書館を訪れた際に歴史上重要な文書が専門の学者によって採録され、保管されているのを知り、わが国に「記録局（公文書館）」の設立を呼びかけたのである。それから60数年経った昭和30年代になってようやくその重要性が認識されるようになり、山口県文書館が日本最初の公文書館として1959年（昭和34年）に開館した。国家レベルにおいては「国立文書館」が1971年（昭和46年）にようやく設立された。ちなみに、国立文書館の総床面積は1万1550平方メートルで、所蔵する資料の総延長（所蔵量）は59キロ・メートルであり、海外の文書館に比べると、かなり小規模である。

一方、ヨーロッパではその歴史は古く、17世紀になってフランスで「古文書学（Paleografia）」と「公文書学（diplomatica）」が誕生し、1790年に手稿文書や印刷された報告書、記録文書および外交文書などを永久保管するためのフランス公文書局（Archives de France）と手稿文書の「字

（文）体」や「略語」および「語句転綴」などを学ぶための専門学校である国立古文書院（Cole national de Chartes）が設置された。(註2) ちなみに、同文書館の総床面積は日本の約16倍、所蔵量は約6倍である。

3．〝懐疑心〟を持てない国民性
―記述されていることを疑わず、そのまま鵜呑みにする特異な国民性―

日本人の伝統的な思想（国民性）に、相手と不和が生じないように「相手に疑念を抱かない」、「名指しで個人を批判しない」、というものがあり、日本人の日常生活の隅々まで根を下ろしている。したがって、日本社会では学問上に関したことでさえ（他人を）「疑ったり」、「名指しで批判する」ことはタブーであり、日本の暗黙の社会規範ともいえる「和」の思想（国民性）を乱すことになるという考えが強いのである。つまりわが国では、人と人が仲良くすることこそ最も尊いことであるという言葉で始まる通り、「和」の思想を重視してきている。

ところが、時代の変化と共に近年、こうした日本社会全体に浸透している伝統的な社会通念（規範）を逆に悪用して、どうせ誰からも疑われたり、批判されることがなく、非難されることもないだろうと、平気で歪曲や捏造をして欺瞞の歴史を創る学者や著述者が非常に多くなっている。余程のことでない限り直接その当事者が名指しで批判され、罪に問われることが少ないからである。近年特に、こうした悪しき伝統が蔓延するようになった背景には、インターネットやスマートフォンなどのIT産業の急激な普及による出版社の経営難の問題がある。つまり、出版物の内容の優劣に関係なく、売れる本であればどんな内容の本でも構わないという風潮が見られるようになった。だからと言って、このような悪しき伝統を放置していたのでは、半永久的にわが国の学問の水準が向上するはずはない。こうした深刻な問題の解決策の一つとして、現在既に制度化されている大学や学会のほか、公的機関や民間の財団法人による学術専門書に対する出版助成金とは別に、一般読者に売れ難い優良図書の出版を可能にするために出版会社に対し査読認定された書籍の印刷・製本などの製作費を助成する国際交流基金の日本版ともいえる「優良図書出版助成基金」を文科省か文化庁内に設置すべきである。そして、基金が刊行された出版物を買い取って全国の図書館（2018年度社会教育統計によると3360施設）や大学図書館に「文科省指定優良図書」として無償で搬入し、一般書店でも販売できるようにすれば出版会社の経営も成り立ち、また、国民の知的レベルの維持にも繋がるはずである。

話を元に戻すが、わが国では、中国の古典に倣って「人の短（欠点）を言うことなかれ己が長（長所）をとく事なかれ」と、個人的なことで相手を攻撃するのは非常に嫌悪感があると厳しく批判される。

一方、民族学者で文化勲章受章者の梅棹忠夫博士は、生前、日本人の「批判」に対する受け止め方について、次のように語っている。

「大半の日本人は批判に弱く、批判されると非難されたように思ってしまうのである。(日本人が)正論を貫くことを避けるのは、批判を恐れるというより、評判を非常に気にするからである」

確かに日本の「ムラ社会」では、意見の対立は尊重されず、相手に対する名指しの批判をタブーとし、そして意見と対立を避ける理由は、自分の評判を悪くしないためなのである。そして日本では、はっきりと口に出さないことが美徳という価値観があたかも不変心理であるかのように語られている。しかしながら、少なくとも学問上の批判は当たり前のこととして容認されるべきである。また、学問上の論争ともなれば、学者としての資質も争点である。相手の「短」を筋道立てて客観的に指摘し合うのがあるべき姿であろう。ちなみに、欧米における学者間の、学問上における批判や論争は許容されており、相手が誰であれ構わず正しいと思ったことは、客観的な史料に基づいた論拠を提示して断固主張する。相手の誤りや矛盾をとことん追究してその主張を理論や客観的な論拠で包囲して逃げ道を塞ぎ、徹底的に議論する。ただ、自分が優勢なときは相手に退路をつくってやるので恨まれたり、憎まれたりすることはほとんどなく、また、名誉棄損などで、法的に問われることなども滅多にない。このような次第につき、本書では恣意的に史実を歪曲したり、黙認しかねる重大な誤認の歴史認識に対しては、遠慮なく指摘させてもらうことにする。なぜならば、間違いだらけの著作物を誰も訂正せずに放置しておけば後世にそのまま伝えられることになるので訂正が不可欠である。とはいえども、著者も何度も経験したが、日本では正論でズバリ相手の間違いを指摘したり、批評したりすると、それを謙虚に受け止めて反省するどころか、批評された相手からプライドを傷つけられたと言わんばかりに、時にはインターネットで誹謗中傷されたり、名誉棄損で法的に訴えてやるなどと、逆に脅かされることが多い。

4．伊達政宗の「支倉常長　慶長遣欧使節」の真相

⑴「支倉常長　慶長遣欧使節」研究に求められる4つの要件

東北大学名誉教授・元宮城学院女子大学学長平川新著『戦国日本と大航海時代』（中公新書、2018年刊）が発刊された後、歴史専門雑誌や新聞・雑誌などの書評に大きく取り上げられ、注目を浴びるようになった。著者も「日欧交渉史」の専門家の立場と50年以上にわたる慶長遣欧使節の研究家として、平川氏の上記書を一読した。一通り読んでみたが、書かれている多くの内容が史実と余りにもかけ離れており、客観的な論拠に欠けたフィクション（物語）という印象を抱いた。したがって、痴がましいようであるが、平川氏のご所見に客観的な論拠を提示して異を唱え、その間違いを率直に指摘させていただく所存である。もとより学問の純粋性に立ってのことであって、それ以上の他意はないのでご承知いただきたい。

平川氏が『大航海時代史』および『支倉常長　慶長遣欧使節史』の専門家と自負して堂々と世に向けて書籍や雑誌などを通して著述するならば、通常の歴史研究に求められる専門知識以外に、次に挙げる4つの特別の知識が求められることを肝に銘じて欲しい。

① 海外の文書館や図書館に所蔵されている当該使節関係の古典ロマンス語（ラテン語、スペイン語、イタリア語、ポルトガル語、フランス語）表記の古文書学（Paleografia）の高度の学識（特に、癖のある難解な手書きの古文書の翻（字）刻能力および正確な日本語訳の翻訳能力が求められる。

② カトリック教会とその教義・信仰に関する十分な知識。特に、当時のローマ教皇庁内の慣習などに精通していること。

③ 国際的識見と冷静かつ客観的な判断力。特に、当時のスペイン、イタリア、英国などのヨーロッパ史やカトリック教会史に関する広い見識を持っていること。

④ 関係諸国の識者や諸機関との厚い交誼。

これらの4点のうち、最も重要なのは、①のロマンス語による古文書の解読である。原文書が読めないからといって翻訳文に依拠すれば解決する問題ではない。やはりプロの研究者として自らの翻刻・翻訳文を用いての研究成果でなければ信頼できないのである。平川氏は伊達藩の歴史や日本近世史に詳しく、自らは日本史料に関してしか専門家でないにもかかわらず、難解な手書きのロマンス語による原文書の解読能力が求められる東西交渉史の専門外のことに関わる慶長遣欧使節のことについて、あたかも、その件に関しても権威者であるようなことを書いたり語ったりすることにある。つまり慶長遣欧使節関係の在外史料は、言語のことだけを考えても誰でもやすやすと扱えるものではない。ロマンス語の解らぬ人はまず研究者とは言い難いのである。

また、②のキリシタン研究に携わる者は、その教義、教会、信仰に関する知識を身に付け造詣を深める必要があるのはもちろんのこと、その研究成果が一般の人々に対する影響力を持つものであることをきちんと自覚する必要がある。さらに③の当時のスペインとイタリアを中心としたヨーロッパ史やカトリック教会史に関する豊富な知識を持つことも不可欠である。

以上述べた当該使節研究に不可欠な4つの要件以外に、当該使節に関する国内外の研究史料が極めて限定的であることから、使節団のスペインおよびローマ訪問の真相を知るためには、スペイン、イタリア、ヴァティカン市国の文書館や図書館に所蔵されている膨大なロマンス語による一次史料（公文書、教皇勅書、議会の議事録、外交交渉記録、備忘録など）に依拠しなければならないのである。

さて、平川氏の著書には問題箇所が多すぎて戸惑いを感じているが、細かなことをすべて指摘することは紙面の制約上不可能なことなので、特に無視できない重要な箇所だけを訂正させてもらうことにする。

平川氏の上記書に散見される間違い箇所を訂正する前に、同氏の指摘していることと根本的に異なる「慶長遣欧使節」のローマおよびスペインへの派遣目的（訪欧使節団の派遣目的）およびその背景について再検証してみることにする。

⑵ ローマ（教皇謁見）派遣目的の真実
—平川氏、イタリア語原文書を解読できずローマ教皇謁見目的の真相を見逃す—

話は変わるが、平川氏の著書（174頁）には、スペイン国王とローマ教皇への「訪欧使節団」派遣の主目的は、

① メキシコ貿易を確かなものとする（メキシコとの通商開始の交渉）ため、
② 宣教師の派遣を求めるため

であると、記されている。果たしてこの通説が正しいのかどうか、改めて検証してみることにする。

平川氏にはまず、下記の支倉ら「訪欧使節団」がローマ教皇パウルスV世に公式謁見した主目的が詳細に記述されているローマ教皇庁のイタリア語表記の公式報告書「使節一行のローマ入市式の報告書」（(原文全8頁）の7頁24～26行目）(Relatione della Solenne entrata in Roma da D. Fillippo Francesco Faxicvra. Con il Reverendissscalzo dell, Ordine Min. Offer Ambasci per Idate Massamune Re di Voxu nel Giapone, Alla Santita di N.S Paolo V. I Anno XI del suo Pont）に注目してもらいたい。

「*"A di 3. Di Nouembre giorno statuito a dar l'Obedienza per il suo Ré auanti la Santita di Nostro Signore papa paolo V. Circa le vintun hora partissi dall'Araceli in cocchio tutto vestito di nero, come ancora era tutta la sua famiglia la quale in altri cocchi seguitauano"*」

このイタリア語文の正確な日本語訳述は次の通りである。つまり、

「十一月三日、彼（支倉大使）が王（政宗）の名代として、我らの教皇パウルスV世聖下の面前で、服従を誓う指定された日であり、（使節一行は）21時（午後4時）頃に、馬車でアラチューリ（修道院）を出発し、大使はすべて黒の衣服を身に着け、かれの随行員も全員おなじ衣服で他の馬車でそれに続いた……」

ところが、平川氏自身が編集委員のメンバーとして編集に携わり、同氏の上記著書の中で多くの翻訳史料が引用されている仙台市博物館発行の『仙台市史　特別編8　慶長遣欧使節』（2010年、第186号、267頁）（以下『仙台市史』と記す）には、何と原文書の意味とはまったく異なる次のような日本語訳文が掲載されている。

「十一月三日、教皇パウルスV世聖下との謁見に定められた日、使節一行は21時（午後4時）頃にアラチューリを馬車で出発し、大使はすべて黒の衣服を身に着け、かれの随行員も全員おなじ衣服で他の馬車でそれに続いた……」

つまり、「……彼（支倉大使）が王（政宗）の名代として、我らの教皇パウルスV世聖下の面前

で、服従を誓う指定された日であり、……」という、当該使節の真相を究めるための極めて重要な教皇との謁見目的の日本語訳がすべて省略されているのである。そのため『仙台市史』の翻訳史料集を引用した平川氏は、当該使節のローマ教皇謁見の真の目的を見失ってしまい、読者諸氏も含めて従来の通説の「宣教師の派遣要請」と「メキシコとの通商交易開始のための仲介要請」説を踏襲しているのである。

翻訳が省略されている部分は、支倉使節団のローマ（教皇庁）訪問の目的がローマ教皇パウルスV世に「服従」を誓うためであったということを証明できる極めて重要な文章である。この文章が省略されていることを知らずに自らも編集委員として編集に携わった『仙台市史』を引用して書いた平川氏の著者に重大な欠陥があると言っても過言ではない。

平川氏は〝自分はイタリア語の原文書が読めないのでそのような事実があったことを知らなかった〟と、開き直って曖昧にしてしまうのであろう。しかし、著者が指摘したように当該使節研究に不可欠な前述の4つの要件のうちで最も重要なロマンス語の解読ができない人（平川氏を含む）は当該使節の研究者として相応しくないことが立証されたのである。

ローマ教皇庁の公式文書に記述されているこの事実を覆すことはできないので素直に受け入れ、従来の考えを改める必要がある。それにしても『仙台市史』のイタリア語の翻訳担当者や編集委員会が当該使節研究の全貌を知る上で極めて重要な文章をなぜ省略したのであろうか。その理由を明らかにする必要がある。つまり、文章の省略が意図的に行われたのか、それとも他の理由によるものなのかを説明を求める必要がある。そこで著者は、使節のローマ派遣の真相を隠蔽する目的で意図的に省略したのではないか？　と疑問を呈して仙台市博物館に問い合わせた。間もなく同博物館の遠藤俊行前館長から、次のような回答が届いた。

「『仙台市史』第186号のうち、267頁上段にある。「十一月三日、教皇パウルスV世聖下との謁見に定められた日」については、逐語訳した場合、ご指摘のとおり「教皇パウルスV世聖下の面前で服従を伝える（誓う）」となるものと思います。しかし、その点をもって、本書の翻訳担当者もしくは当編さん委員会が使節団のローマ教皇訪問目的の真相を隠蔽するために意図的に文章を削除して翻訳したと推測されるのは、余りにも一方的な認識と言わざるを得ません」

と、イタリア語原文書の翻訳を削除した肝心な理由について一言も説明せずに、逆に著者の指摘が一方的であると反論されてしまった。当該使節団のローマ教皇との謁見の主目的が明記されている上記の文章がすべて削除されている理由を一言も説明しないで問題点を曖昧にしてしまうことは納得できるものではない。仙台市博物館は、『仙台市史』のほかの翻訳誤謬の指摘に対する回答でも決まって印刷会社のミスであるとか、校正の不備によるものであるといった言い訳の説明に徹している。だが、『仙台市史』の版元の仙台市博物館は、なぜ重要な文章を削除したのかその理由を読者に説明しなければならない義務がある。どんな理由であろうとも原文書の翻訳を削除する行為は、翻訳者や編さん委員会の倫理性の欠如の問題である。こうした問題について『仙台市史』編さん専門調査分析委員会委員を務め、『仙台市史』の編集作業の中心的な役割を担った東京大学名誉教授五野井隆史氏は、自著書『日本キリシタン史の研究』（吉川弘文館、２００２）序文で、「……、（原文書の）翻訳者が原文を省略せずに、また抄訳せずに原文に忠実に逐語的に翻訳しているか否かという、翻訳者の倫理性に関わる問題がある」と、厳しく持論を述べている。

(3)　ローマ教皇謁見目的は、「服従」と「忠誠」を誓うため

ローマ教皇庁の公式記録によると、支倉ら「訪欧使節団」のローマ教皇謁見の主目的は、支倉が政宗の名代として教皇に「服従と忠誠」を誓うためであったことが明らかである。教皇庁の公式文書以外で支倉が政宗の名代で教皇に「服従」を誓うためであったことを示す主な文書は以下の通りである。

①インディアス顧問会議からスペイン国王に宛てた意見書（１６１６年３月10日付マドリード発信）：

「……。（支倉大使）はローマ教皇聖下に「服従」を誓いました（embajador) fue a dar la obediencia a su Santidad.」（AGI. Filipinas 1,244）と証言している。

②アマティー『伊達政宗の遣欧使節記』第27章に、「……奥州王に代わって教皇聖下に「服従」と「忠誠」の誓い（obedienza e giuramento di fedela）を無事にできるように導いてくれた神に対

し感謝したい……」

③アマティー『伊達政宗の遣欧使節記』第27章に、「……、大使らが奥州王の名代として教皇聖下に「服従」を誓うために（Signori Ambasciatori haueuano a darli a nome del Re di Voxu）……」

ここで私たちが理解しなければならない重要なことは、政宗がローマ教皇聖下に「服従」を誓うということは、スペインのカトリック王フェリッペⅢ世と同様に教皇聖下の支配下に入ることであった。政宗がローマ教皇に「服従」と「忠誠」を誓って支配下に入ろうとしたのは、教皇に何らかの軍事的な支援を懇願する企てがあったからと推察される。

平川氏の論法で言えば、「政宗の承諾なしでソテロが勝手に支倉に教皇パウルスV世に「服従」と「忠誠」を誓わせた」と言わんばかりだが、そんな言い訳で納得できる話ではない。

使節団のローマ教皇謁見の主目的が、定説の宣教師の派遣依頼とメキシコ（スペイン）との貿易実現のためだけだったならば、政宗は教皇に「服従」を誓う必要はなかったはずである。もちろん安土桃山時代の超豪華な漆器類の進物をわざわざ人足まで同行させて日本から持参する必要もなかったわけである、一方、教皇庁側としても盛大な入市式を挙行したり、カトリック信徒でもない政宗が派遣した支倉使節団と謁見などする必要がなかったのである。教皇が政宗に送った書簡などによると、教皇が支倉らと謁見したのは、日本政府の激しいキリシタン迫害が行われているにもかかわらず、使節を派遣した政宗が弾圧を受けていたキリスト教徒を匿って保護し、将来的に領内に「キリスト教国」

を建設しようという極秘の計画が伝えられていたからにほかならない（教皇パウルスV世の政宗宛書簡等）。

一方、政宗にとっても莫大な藩の経費を投入し、メキシコとの通商交易開始の仲介だけを頼むために大勢の家臣をローマ教皇の許に派遣する必要はなかったのである。実際に使節団をローマまで派遣したということはそれだけ大きな目的とメリットがあったからにほかならない。

ところで、『仙台市史』では、oboedientia（羅語）、obediencia（西語）、obbedienza（伊語）（いずれも「服従」の意）を一般的に馴染みが薄く、「服従」（他人の意思・命令に従う）より柔らかい表現の「恭順」（命令に対して慎み従うこと）と、すべて統一して日本語訳をしている。しかしながら、カトリック教会内で用いられている両者の間の上下関係が明白な「服従」（「絶対服従：逆らうことは少しも容認されず、何かあろうとも君主や上位者の命令に従うさま」）」は、上位者に対する絶対的な服従の意味であり、「恭順」とは、まったくニュアンスが異なる。

⑷　極秘事項を胸に秘めてローマ教皇に謁見した使節一行
―近年、新しく発見された使節団の通訳兼折衝役シピオーネ・アマーティ書簡の証言から―

慶長遣欧使節の通訳兼折衝役として、マドリードからローマまで半年（1615年8月～1616年1月）にわたり一行に同行したシピオーネ・アマーティ（Scipione Amati, 1583-1655?）の『事由書』(註3)に、アマーティは慶長遣欧使節の動向をパウルスV世に説明する段階で、「アマーティは極秘にされていた使節の（訪問）目的、隠匿されていた奥州国の政治状況について秘密裏にパウルスV世に報告している」。なお、これらの極秘情報は匿名人物の主導によって編まれたものであり、アマーティのほかに教皇側近シピオーネ・コベッルチオ、ジョエ・バプティスタ・コスタクードも使節派遣の真実をよく心得ていた」と、記述されている（Pro expedienda legatione Paulu V de secretiori legationis sensu. Ac politico Regis Voxij arcano, scripto quodam satis erudito, et secretu informavit, Scipione Cobellucio, et Joe Bapta Costacuto tantu conscijs）[註4]、つまり、アマーティは使節団の極秘目的や隠匿していた伊達領内の政治状況について水面下で教皇の側近たちを介して教皇パウルスV世に報告していた事実が分かる。使節団が教皇パウルスV世に直接謁見して内密に報告するまで、彼らの真の目的については公にされることはなかったのである。ちなみに、アマーティは使節折衝役として使節一行と積極的に関わり、使節の真実を知る立場として教皇パウルスV世との間に立ち、いわば外交的役割を担った人物であった[註5]。

アマーティが教皇パウルスV世に報告した使節団が政宗から託された極秘事項や支倉が政宗の名代として「服従」を誓った理由等については、教皇謁見式の当日になっても前述の教皇側近以外誰も知らなかったのである。そのため、1615年11月3日、ローマ教皇庁聖ピエトロ大聖堂において催された使節一行の教皇への公式謁見式において、政宗の書簡が朗読された後のフランシスコ修道会グレゴリオ・ペトロッカ修道士（Oratio Fratris Gregorio Petrochae Mantuani,Ord.Min,de ober）が陳述で、次のような使節の教皇謁見の目的に関する疑念を表明したのである。

「彼（政宗）は何のために教皇（パウルスV世）の許に（支倉）大使たちを派遣したのですか？何のために（使節団の）受け入れを（教皇に）要請したのですか？　おそらく急を要する必要な援助を、教皇が軍隊を用いて彼（政宗）を助けるためですか？　あるいは彼らの敵の無礼な攻撃を鎮圧するためですか？　又は彼（政宗）の権力に対して反乱を起こして打ちのめすためですか？　伊達は彼の王位を、（枢機卿の方々聞いて下さい）彼の王冠を、彼の王笏（Sceptrum）を、彼（政宗）の外衣をこれらの聖なる御足の下に向けてください」（Biblioteca Apostólica Vaticana, Vat. Lat.12, 321）

と、ペトロッカ修道士の使節団に対する質問の内容が、使節団の教皇謁見の目的が教皇に「服従」を誓って、政宗が教皇から何らかの軍事的な支援（援助）を受けようとしたことが分かる。そして、政宗の王位や王冠を教皇の支配下に置くように語りかけたことである。

（Acta Avdientiae Pvblicae A.S.D.N.Pavlo V. Pont. Opt. Max. Regis Voxv. Japoni Legatis)（Bibliotéca Apostólica Vaticana, Vat. Lat. 12.321）Romae die iij (3). Nouembris in Palatio Apostolico apud S. Petrum exhibitae, MDCXV)

こうした著者の第一級の原文史料に基づいた客観的な研究成果に対し、特に、スペイン語、ラテン語、イタリア語およびポルトガル語などのロマンス語表記の手稿原文書を読めない大半の史家たちは、客観的な論拠を何も提示せず、ただ漠然と「荒唐無稽」な説だと結論付けている。特に当該使節関連のロマンス語表記の原文書を読めない東北大学や仙台市博物館の関係者は、著者が翻刻・邦訳して提示している拙論を凌駕するような客観的な史料を提示することなく、当該使節は「仙台藩領内におけるキリスト教の布教推進支援とメキシコとの直接交易の実現」という従来の通説を挙げ、拙論は「憶測にとどまるように思われる」と酷評しているのである。

レオポルド・ランケのいう、史料（歴史史料）を渉猟し、それを批判的に分析（史料批判）し、事実を再構成するという実証的な歴史研究の手法を無視し、平川氏は自己流の手法を新しい歴史研究の出発点であると自負している。

ちなみに、ルイス・ソテロ神父の私文書の中には確かに一部誇張されて書かれているものも含まれているが、ヴァティカン機密文書館やスペインの国立文書館に所蔵されている公文書（勅書、教皇および国王への奏議（上奏）文など）に記述されている事柄はほぼ１００％事実であると認識すべきである。したがって、それらの公文書史料に記述されている事柄を儀礼的な表現だとか、誇張しているとか、信憑性が無いなどと否定してしまったら真実を追究する歴史研究が成り立たなくなるのである。問題は、前述した政宗の宣教師の派遣要請は交易を行うための方便だったという間違った説をそのまま引用して紹介している刊行物が意外と多く、読者諸氏がそれらの刊行物を読んで正しい説であると信じ込んでいることである。

5．間違いだらけの平川新著『戦国日本と大航海時代』論考
―客観的証左の乏しい謬説を糾す―

(1) ヨーロッパにおける当時の「国王」と「皇帝」の概念
―基本的な定義を無視した平川氏の日本の「帝国・皇帝論」―

平川新氏は、「当時ヨーロッパでは日本が「世界屈指の軍事大国」として認識され、秀吉と家康が「皇帝」と称されるようになった」と、日本がヨーロッパから「世界屈指の軍事大国」として認証されていたという客観的な証左（論拠）を何も提示せずに次のように述べている。

(1) 翻訳文にもあらわれているが、（ロドリゴ）ビベロは日本を〝Imperios〟「帝国」や〝Emperador〟「皇帝」と表現している。わが母国スペインの君主ですら〝Rey〟「国王」であり、〝Reino〟「王国」であるのに対して、日本に対しては、それより格上の〝Emperador〟「皇帝」であり、皇帝が統べる国としての〝Imperios〟「帝国」と表現していたのである。そこにはもちろん、強大な権力をもつ日本の君主、そしてマニラのスペイン勢力をも脅かす軍事大国としての日本、というイメージが投影されているとみてよい。ビベロの報告書には家康をして、〝Emperador〟「皇帝」とする表現があふれていた。（平川138頁）

(2) 「スペインでは、秀吉と家康を〝皇帝（Emperador）〟と称するようになります。当時ヨーロッパでは、スペイン国王ですら〝王〟で、皇帝と称されるのは神聖ローマ皇帝だけでした。つま

り、日本は世界屈指の軍事大国として認識されるようになったのであり、これ以降、スペインとポルトガルは日本の武力征服を諦めるようになります。」(平川264頁)

(3) さらに、本書で紹介した家康や政宗の外交史料のなかに、「皇帝」や「帝国」という言葉が頻出することに気づかれたと思う。スペインで宣教師ソテロが日本を紹介するために書いた文書では、徳川家康のことを"Emperador"(皇帝)と呼び、伊達政宗を"Rey de Voxu"(奥州の王)と記されてる。日本は"Imperio"(帝国)と称されていた。日本の国家としての格は「帝国」であり、その君主は「皇帝」、「大名」は「王」(国王)だったのである。(平川262頁)

(4) 当時、世界最強を自負したスペインの国王は"Rey de España"であった。呼称上の格からいえば、"Rey de Voxu"と称された「奥州の王」(伊達政宗)と同列になる。イギリスもオランダもフランスも王国であり、国王であった。一方、当時のヨーロッパにおける皇帝は神聖ローマ皇帝であり、帝国は神聖ローマ帝国(現在のドイツ、オーストリア、チエコ、イタリア北部を中心に存在していた国家)だった。"Emperador"や"Imperio"と称された徳川家康や日本は、それと並び称される存在として認識されていたのである。(平川262頁)

いったいこれを、どう理解すればよいのか。いつから日本は「帝国」になり、誰のときから「皇帝」と呼ばれるようになったのか。じつに興味深い課題が浮かび上がってくることになる。その初見は豊臣秀吉からであった。(平川262頁)

特に注意しておきたいのは、「帝国日本」と「日本皇帝」は日本人による自称ではなく、ヨーロッパ列強が共有した日本評価だということである。となると、なぜそのような評価が生み出されてきたのか、が追究すべき大きな課題となる。これも従来にない論点の提示となるが、この「帝国日本」論については、近世日本の世界史的位置づけに関わることから、幕末・維新期までを視野に入れて、別な機会に改めて全体的な見通しを提示したいと考えている。（平川２６３頁）

(5)　……かくして秀吉や家康政権期に、日本は世界屈指の軍事大国としての姿を、くっきりと世界史の中に……（平川２６４頁）

(6)　日本の戦国時代は、軍事力を巨大に蓄積した時代であった。秀吉・家康の統一政権は、軍事大国としての日本を確立した。なぜ、秀吉や家康が西洋列強から畏敬をこめて「皇帝」と呼ばれていたのか、なぜ日本が「帝国」といわれるようになったのか。そこには、こうした日本の実力的根拠が存在したからであった。（平川２６８頁）

(7)　そしてなによりも驚いたのは、支倉常長をヨーロッパに案内した宣教師のソテロが、徳川家康のことを“Emperador”（皇帝）と呼んでいたことである。当時ヨーロッパで“Emperador”と呼ばれているのは、神聖ローマ皇帝だけだった。スペイン国王ですら、“Rey de Espana”であったから、称号では伊達政宗の“Rey de Voxu”「奥州国王」と同格だった。つまりヨーロッパ人からすれば、領国を支配する大名が国王であり、それらを統合する存在が皇帝だったのである。身分的には将軍が最高権力者だが、二代将軍の秀忠は、“Principe”（皇太子）だった。大御所として将軍の上に君臨していた家康こそ、実質的な皇帝だとみなされていた。注意して文献をみると、

ソテロ以外の多くのヨーロッパ人も同様の表現をしていた。（平川272頁）

(8) なぜ日本が「帝国」と尊称されたのか。本書でみたように、その始原は豊臣秀吉にあったが、「帝国」であることの実質は、徳川政権がポルトガル人とスペイン人を日本から追放することによって証明された。世界中を植民地化してきた両国人を日本は、その力をもって完全に排除したからである。（平川274頁）

(9) 幕末の1853年にペリーが将軍宛に持参したアメリカ大統領親書には、"His Majesty, "The Emperor of Japan"（日本皇帝陛下）とあった。翌年の日米和親条約の前文にも、"THE United States of America and Empire of Japan"（アメリカ合衆国と日本帝国）とある。これを見ると、江戸時代の日本は欧米から一貫して、「皇帝」が統べる「帝国」とみなされていたということができる。

アメリカ大統領親書や和親条約は周知の史料だが、この表記に注目して、なぜ日本が「帝国」だったのかを論じた研究は不思議なことに見受けられない。欧米列強に押しまくられたかのような幕末期の外交をみれば、「帝国」といった称号は名目的にすぎないと理解してきたのだろうか。だが、「帝国」の遺産と幕府による必死の外交があったからこそ、19世紀の植民地化の時代にも、日本は欧米の植民地にならなくてすんだという解釈が可能だろう。そうだとすると、260年にわたる近世＝江戸時代において、「帝国」日本のありようとは、どのようなものだったのか。それは、どのようにして変容して幕末にいたったのか。これらが次の検討課題になる。（平

川274〜278頁）

と、平川氏は「帝国・皇帝論」の定義を無視した自説を繰り返し述べている。ここで見逃せないのは、こうした平川氏の憶測による論難ともいえる日本の「帝国・皇帝論」が新解釈として、注目を浴び高く評価されたことである。そして、同書がマスコミ界の注目の的となり、著名な新聞紙上や雑誌の「書評」・「著者インタビュー」などに大きく取り上げられ、第31回（平成30年度）「和辻哲郎文化賞」を受賞している点である。果たしてこうした評価が正しいのかどうか検証してみることにする。

まず、同書の間違いを訂正する必要がある。上記⑴の「わが母国スペインの君主ですら“Rey”「国王」であり、“Reino”「王国」であるのに対して、日本に対しては、それより格上の“Emperador”「皇帝」であり、皇帝が統べる国としての“Imperios”「帝国」と表現していたのである」と、述べている。しかしながら、1609年9月、日本の房総半島付近で遭難した前フィリピン総督ロドリゴ・デ・ビベロが日本の方が母国スペインより（軍事大国であるという理由で）格上であるなどと、語ったり、記述した客観的な記録は存在しない。詳しいことは後述するが、「ビベロの報告書（『日本見聞録』）〈La relación de Rodrigo de Vivero de su estancia en la Corte de los Tokugawa en Japón, en 1609-1610〉（Real Academia de la Historia de Madrid, Tomo X, Colección Muñoz legajo 9-4789, folio 3-57）」には、「日本は66ヵ国の王国と地方（属領）を有し……」（Tiene el Japón 66 reinos y Provincias……）」と記述されている。このことから、ビベロは日本が軍事大国だから「帝国」であると解釈して呼称したのではなく、66カ国の連合王国であることを根拠に「帝国」と称し、最高権力者の家康を「皇帝」と呼び、秀忠を「皇帝」の継承者と認識して「王子」(Principe)と呼んだのである。

ところで、著者が上記のロドリゴ報告書のスペイン語原文を確認したところ、平川氏が指摘しているような記述は見当たらないのである。それでも平川氏が上述したようなロドリゴの記録が存在すると主張するのであれば、引用した翻訳文の原文史料名・頁数、所蔵先等を正確に明記すべきである。

平川氏は、自書の表紙の裏側の帯に、「本書は史料を通じて、戦国日本とヨーロッパ列強による虚々実々の駆け引きを描き出す」と、記述している。しかしながら、上述したように、同書で引用したという大部分の史料の名称や出典、頁数などが具体的に示されていなかったり、後述するような原文史料を恣意的に改竄したりしているので、同書全体の信憑性が欠けてしまっているように思える。

特に、(1)の「翻訳文にもあらわれているが……」という記述があるが、平川氏がここで言っている「翻訳文」とは、何の史料の翻訳文なのか読者には理解できず、記述内容の信憑性が失われている。この翻訳文とは、ロンドンの大英博物館に原本が所蔵されている『ロドリゴ・デ・ビベロが国王陛下に献呈する、スペイン君主の良き政治のための提示および提案を含めた日本国についての報告と情報』(1609年)のスペイン語表記の日本語訳なのであれば、原文の名称や典拠名などを明記する必要がある。

総じていえば、ビベロは後述する当時のヨーロッパの「帝国=皇帝」の概念を名目的に用いていたにほかならないのである。次に平川氏は、(2)〜(9)で繰り返し、「ヨーロッパにおいて日本は軍事大国であったので「帝国」として認識され、その君主だった秀吉や家康が「皇帝」と呼ばれるようになった」、また「皇帝」の位の方が「国王」よりも格上であったと持論を述べている。しかしながら、これらの平川説はいずれも客観的な論拠に基づいたものではない。平川氏の論難箇所について以下に詳しく説明することにする。

まず、当時のヨーロッパ社会で認識されていた「帝国＝皇帝」と「単独国家（王国）＝国王」の基本概念について述べてみることにする。

⑵　ヨーロッパにおける「帝国・皇帝論」

前述したように、平川氏の論法によれば「帝国」とは「軍事大国」のことであるという。しかしながら、英国の著名な辞典“Oxford English Dictionary”によると、「帝国」とは、「一つの組織によって制御される複数の国や州の集合体」と定義されている。また、“Webster's Encyclopedic Unabridged Dictionary”によると、「皇帝または他の強力な統治者や政府によって支配される、通常は単一の王国より広大な範囲の地域（領土）や人々の集合体」と定義されている。すなわち、「定義」に従えば、「帝国」とは「軍事大国」のことではなく、「多数の民族国家を統治している「連合国家」のことであり、または、「複数の地域や民族を含む広大な領土を支配する「連合国家」のことを「帝国」と呼称したのである。この定義に該当したのは、13の植民地を有した「大英帝国」、「モンゴル帝国」、「ロシア帝国」、16～18世紀末までヨーロッパ、アメリカ大陸、アジア、北アフリカ、太平洋地域（フィリピン諸島など）に領土を獲得し、１７９０年には人口６千万人を抱えた「スペイン帝国（Imperio español）」などがある。このような多民族や広大な領土を支配していた「帝国」の統治者（支配者）を「皇帝」と名称したのである。日本全土の広大な地域および領国（王国）を有し、「連合王国（国家）」であった日本もこの概念に該当し、「日本帝国（Imperio Japón）」と呼称されたのである。「日本帝国」以外に、「帝国」と称されたのは、スペインに簡単に植民地されたペルーの「インカ帝国」（Tawantinsuyo, Imperio Incaico o Inca（1438–1533）やメキシコの「アステカ帝国」（Imperio Azteca）（１３２１頃～１５２１年までの約95年間栄えたメソアメリカ文明国家）などである。日本も含めこれらの「帝国」の支配者はいずれも「皇帝」と呼ばれていた。ちなみに、インカ帝国の最盛期には80の民族と16百万人の人口を抱え、最後の皇帝は〝Atahualpa（1500–1533）〟で、現在のチリ北部からアルゼンチン、コロンビア南部にまで勢力を拡大していた。また、複数の地域や民族を支配し、人口７百万を抱えていたアステカ帝国の最後の皇帝（último Tlatoani del Imperio azteca）は、スペインの征服者エルナン・コルテスに最後まで抵抗した国民的英雄であるアステカ第11代皇帝クァテモク（Cuauhtemoc）(1496–1525)であった。

一方、「国王」は、１カ国のみの単独国家の統治者を「王」と称したのである。たとえば、英国の君主が「皇帝」（Emperor）を名乗ることはあったが、これは単に複数の国々を支配する君主という意味であった。ちなみに、英国王権が「帝国」を名乗り始めるのは、植民地獲得よりも大きくさかのぼる。ヨーロッパにおける「帝国」（インペリウム）のもともとの意味は、教皇などの王国外権力から独立していること、並びに複数の国・勢力を支配下に治めていることである。英国にとってのインペリウムにあたるのは、スコットランドの併合と宗教改革である。七王国時代、アングロサクソンの有力な王たちは、他部族を支配するうえで「アングル人の帝国」を名乗り、時折自らを「皇帝」と称した。本書第5章「英国王ヘンリーⅧ世の離婚許可の嘆願書」で紹介したが、ヘンリーⅧ世時代、「英国は帝国である“England is an empire”」と、1533年4月にローマ教皇と絶縁し、主権国家を宣言した「上訴（告）禁止法」（“Henry VIII's Act in restraint of Appeals of 1533”）（―Krishan Kumar, “Visions of Empire” How five imperial Regimes Shaped the world, Princeton university press, Princeton & Oxford, 2017, p.9）は、ローマ教皇の権力を英国から除くことを目的としていた。こうした「インペリアム」は、ヨーロッパ各地で教皇から独立せんとするために、または近隣勢力を征服するための大義名分として機能した。

⑶「律令国家」（帝国）の誕生
―日本全土に66カ国を有する「連合王国」を「帝国」と呼称し、その支配者を「皇帝」と称した―

さて、日本に関しては当時、ヨーロッパでは前に述べたように、基本的な「帝国」の定義に基づいて日本全土の「66の複数の領国または藩（王国）」を統治する「連合王国」と位置づけられ「日本帝国（Imperio Japón）」と呼称されていたのである。

古代日本の「律令国家」は、大和地方に現れたヤマト政権を中心とした日本の統一国家となるもので、大化元年（645年）の大化の改新から始まり、大宝元年（701年）には「大宝律令」を制定して地方の支配体制を確立していった。「律令国家」は全国を支配していく過程で武力による支配や、国造の流れを汲む地方豪族の領地安堵する、いわゆるお墨付きを与えることによって支配した地域を含め、それらの地域に行政区画として「郡」を定めた。

「律令国家」の国は大宝律令以前の7世紀に「毛野国（けのくに）」を上野国と下野国に分割した。日本全体の国郡名を明記した地図で現存するものとしては、室町時代後期（1550~1560年頃）の作とされる唐招提寺所蔵の「南亘瞻部洲大日本国正統図」と題する「行基図」が挙げられる。この「行基図」には周囲の欄外下部に目録と称する地誌が書かれており、それによると、国66、島2、郡601、郷9万8千、村90万9858と記載されている。

ちなみに、イエズス会の巡察師アレハンドロ・ヴァリニャーノ（Alejandro Valignano）の「日本諸事情要録」(Sumario de las Cosas de Japón)（1583年）にも、「日本は北緯37・8度に位置し、66ヵ(王)国に分割されている」(Una Provincia de diversas islas, repartida en

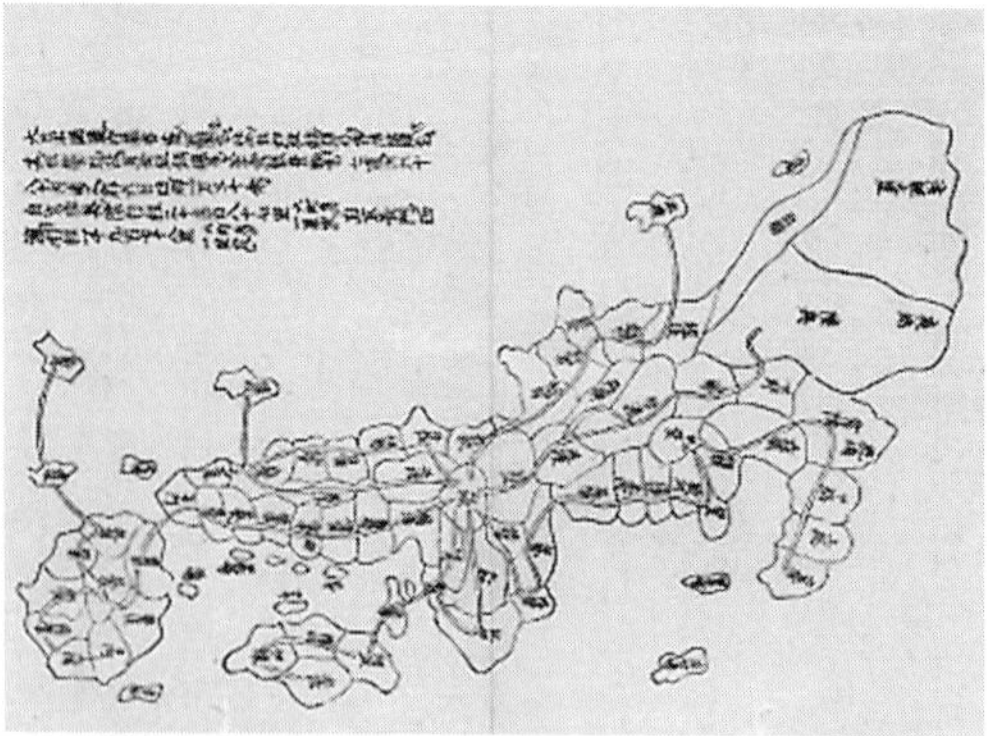

日本最古の全国土地図の行基図
出典：早稲田大学図書館 WEB 展覧会。

Sesenta y Seis reinos）と、同様のことが記述されている。日本は66カ国を有するという『イエズス会日本報告書』を辿ってゆくと、１５６４年7月15日の「日本報告」までさかのぼることができ、この年以後報告書には「日本は66ヵ国」という記述がしばしば見られるようになった。これはヴァリ

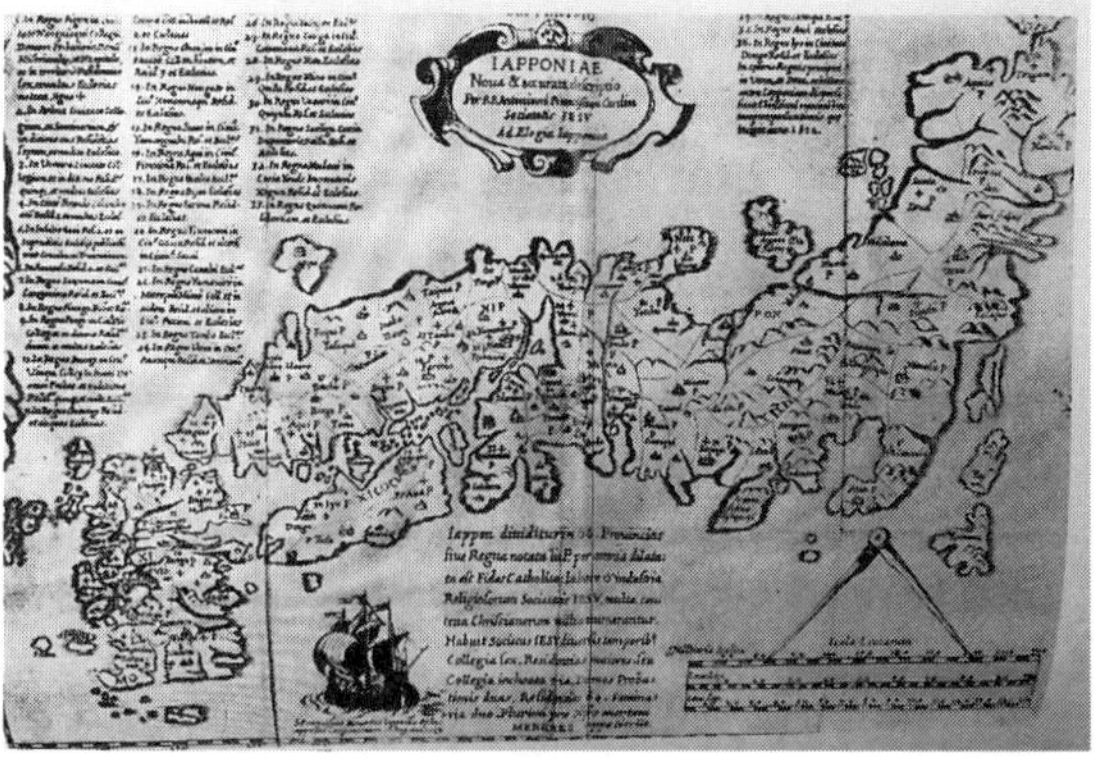

17 世紀当時の日本の 66 の属領及び王国（領国）（＝「日本帝国」）地図

出典：Antonio Cardim, S. J., Fasciculus e Japonicis, Roma, 1646 (518×800, 287×192).

Source gallica.bnf.fr / Bibliothèque nationale de France

バドリアン・レランド（Hadriano Relando）の《日本帝国（IMPERIVM JAPONICVM）》地図（1715 年作）（750×605）

出典：Beinecke Library 蔵。

ニャーノが「行基図」からの情報を基にして報告したものと推察される。

一方、イエズス会士アントニオ・カルディム（Antonio Cardim, J.S.）が１６４６年に作製した地図にも、「日本は66の「地方【属領】」あるいは「王国」に分割されている（jappon dividiturin ６６ Provincias sive Regna)」と記述されている。また、ユトレヒト大学のオランダ人東洋学者バドリアン・レランド（Hadriano Relando）（１６７６〜１７１８）が１７１５年に日本の原図から作製した日本地図の表題は「66ヵ国別の日本帝国」となっており、「66ヵ国の領域（地域）に分割されている《日本帝国（IMPERIVM JAPONICVM)》地図」（Imperium Japonicum per regiones digestum sex et sexaginta）とラテン語で明記されている。

当時、日本に在住していたヴァリニャーノをはじめイエズス会士からの日本報告をもとにしてヨーロッパでは１５６０年代後半頃から、日本は66の属領および王国を有する「連合王国」と広く認識され、「帝国」と呼ばれるようになったのである。このように当時のヨーロッパ人は誰でも、日本が66ヵ国の「連合王国＝帝国」であり、その最高権力者（支配者または統治者（天下人））であった太閤秀吉、徳川家康、秀忠らのほか歴代将軍を「皇帝（emperador）（＝将軍）」と呼んでいたのである。

⑷　信長、秀吉、秀次、秀頼、家康、秀忠、日本の最高権力者として「皇帝」と呼称される
―「16・17世紀イエズス会日本報告集」より―

イエズス会総長宛の日本年報、日本年報補遺、やイエズス会総長宛のイエズス会士の書簡などが収

録されている『16・17世紀イエズス会日本報告集』には、日本の最高権力者（織田信長・豊臣秀吉・豊臣秀頼・徳川家康・徳川秀忠）の地位について、「テンカ」人（＝天下人）、「タイコウサマ」（＝太閤様）、「ダイフサマ」（＝内府様）、「クボウサマ」（公方様）、「テンカドノ」（＝天下殿）、「ショウグンサマ」（＝将軍様）、「ゴショ」（＝御所）などと記載されている。これらの言葉はいずれもラテン語でインペラトール（Imperator）、スペイン語でエンペラドール（Emperador）で、「皇帝」、「帝王」の意味である。ちなみに「皇帝」とは帝政の国の君主のことである。

これらの言葉は日本語の読みをそのまま使用しないと表現できない政治権力の概念（日本固有の権力形態）であり、ラテン語、イタリア語、スペイン語、ポルトガル語などには容易に翻訳できない政治的地位を表す言葉であった。

秀吉、秀頼、家康、秀忠の4人は、いずれも「皇帝」を意味するインペラトール（Imperator）あるいは、インペラトーレ（Imperatore）という原語が使われており、この4人が日本の統治者として最高権力者であったことの明確な証左となる。

日本の最高権力者が初めて「皇帝」と称されるようになったのは、織田信長である。イエズス会の『日本報告書』に、たびたび「今や全日本の「皇帝」のようになっている信長」（『16・17世紀イエズス会日本報告集』（同朋舎出版、１９９２年刊）３期５巻、（68頁）３期５巻、（１３４頁）３期６巻、（36頁）３期７巻、（１８１頁）（天正５年～同９年）、68頁）と、記載されている。これによって信長は天下統一への道を確かに歩んでいたことが分かる。

また、豊臣秀吉については、1597年2月5日に長崎で秀吉によって処刑された26聖人殉教図（1628年頃の制作）がメキシコ市から約75キロにある避暑地クエルナバカのカテドラル（聖母被昇天大聖堂：司教座聖堂）にある。このカテドラル正面の壁画（右壁）に〝Emperador Taycosama mandó Martirizar por（～のために皇帝太閤様（秀吉）が殉教を命じた〟と書かれている。また、『日本報告集』に「天下人の関白殿」、「日本で最高位の関白殿」、「残酷な暴君で、日本全体の絶対君主」（3期7巻、118頁、134頁、207頁）、「国王太閤様」、（1期2巻、37頁）（天正13～同16年）などと記載されおり、名実共に日本の「皇帝」と称された。なお、豊臣秀次については、「日本国全体の主君」、「日本国の新関白殿」（1期1巻、279頁、307頁）（天正19年～文禄4年）と記載されている。

一方、家康について「皇帝」とする『日本報告集』での初出は、元和元年になってからであり、「日本の皇帝である内府」（2期2巻、197頁）（慶長18年～元和4年）、と掲載されている。また、秀忠については、家康死去（元和2年）後、秀忠が最高権力者となり、『日本報告集』には「新しい「皇帝」である将軍」（2期、2巻、284頁）（慶長18～元和4年）と、秀忠について「皇帝」という表記で初めて掲載されている。大坂の陣で豊臣家が滅亡し、さらに家康がその後死去したことにより、秀忠が最高権力者になったことを示している。

なお、秀吉死去後、秀頼が最高権力者（皇帝）であった慶長3年から秀忠の将軍就任の慶長10年まで、および家康が将軍に就任して退位するまでの慶長8年から同10年までの期間は、いずれも日本国内に最高権力者（皇帝）が2人存在した時代である。

ところで、当時のヨーロッパでは、日本全土の統治権を持っていた「天皇」も“emperador”と称され、鎌倉幕府の征夷大将軍であった源頼朝も同様に“emperador”（皇帝）と称されていた。(註6)

以上述べたように、平川氏が指摘しているような「日本は世界屈指の軍事大国」であったという理由で「帝国」と認識されて、秀吉や、家康、秀忠が「皇帝」と呼称されたのではなく、前述したように、日本全土の66ヵ国の「連合王国＝「帝国」」の最高権力者として「皇帝」と呼ばれていたのである。

話は変わるが、前述(8)で平川氏は、「徳川政権がポルトガル人・スペイン人（宣教師）を日本から追放できたのは日本が軍事力を保持していたからである」と述べている。しかし、当時の日本の最高権力者が禁教令を出して宣教師の国外追放（伴天連追放）を行ったのは、スペインやポルトガル勢力による日本侵略への警戒感が常に根底にあったからである。その証左として、「イエズス会の日本報告書集」（1期3巻、103頁）に、「太閤様は、外国人は日本の侵略を企てているのだという虚言を深く信じ込むことになるのである。」と記載されている。また、同『日本報告集』（3期7巻、253頁）に、「内裏の公家と語る時も、主要な領主や殿と語る時も、われらの教え（キリスト教）が一向宗の宗派より天下の平和には害があり、そのために我ら（イエズス会士）を日本から追い出すという同じ語り口を使っている。何故ならば最終的には、日本の多数の領主をキリシタンにして蜂起し、国王（秀吉）から支配権を奪おうとしているが、これを見出したのは彼（秀吉）である等と自らに栄光を帰している」と記されている。

一方、ルイス・フロイス『１５８８年度イエズス会日本通信』(Frois, Luigi, Lettera annale del Giapone, Scritta al padre Generale della Gompagni di Giesv, Roma, 1590) によると、秀吉が九州征伐先の博多で高槻城城主でキリシタン大名として知られた高山右近（１５５２〜１６１５）に棄教を迫った時の様子について次のように述べている。

「秀吉はジュスト右近と絶交することを決意した。キリシタンからこの大黒柱を奪えばほかの全員は弱体化するほかあるまい。予はキリシタンの教えが日本において身分のある武士や武将たちの間で広まっているが、それは右近が彼らを説得しているからと承知している。不愉快に思う。なぜならキリシタンどもは血を分けた兄弟以上の団結が見られ、天下に累を及ぼすに至ることが案じられる。もし今後とも武将としての身分に留まりたければ、ただちにキリシタンたることを断念せよ。」

これに対して右近は次のように答えたという。

「たとえ世界を与えられようとも致さぬし、自分の霊魂の救済と引き換えることはしない。私の身柄、封録、領地についてはは殿が気に召すように取り計らわれたい。」

天下取りに邁進していた秀吉にとって、こうした右近の揺るがぬ信仰心は到底理解できなかったであろう。ただ、秀吉はほかの大名たちに対する右近の影響力を危惧したのである。

つまり、秀吉はポルトガルやスペインの武力による侵略を恐れただけではなく、イエズス会の画策や高山右近のような有力大名による説得の影響によって多くのキリシタン大名が生まれ、彼らが結集して武装蜂起して支配権を奪われるかもしれないという警戒心を抱いていたのである。

こうした危惧を回避するために秀吉は１５８７年（天正15）７月24日九州平定後、キリシタンを邪法として禁止し、博多で「伴天連追放令」を発して、バテレンを20日以内に国外追放することを命じたのである。

家康も秀吉と同様の観点から、ポルトガル・スペイン勢力による武力侵略を恐れただけでなく、それ以上に国内でイエズス会（ポルトガル）やフランシスコ会（スペイン）さらにはドミニコ会（スペイン）の宣教師が多くの大名をキリシタンに改宗させ、彼らとキリシタン信徒の手を結ばせて倒幕目的で武力蜂起することを警戒したのである。そのため家康は、１６１４年に高山右近をフィリピンに流刑し、慶長17年８月に発布した５ヶ条の幕府法令（『御当家令条』）の第２条で、「伴天連門徒御制禁なり、若し違背の輩あらば、忽ち其の科遁るべからざる事」と定め、また、慶長18年（１６１３年）12月に家康は、金地院崇伝に命じて『伴天連追放之文』を起草させて、国内にいたポルトガル人やスペイン人の宣教師を国外へ追放することと、キリシタン信徒を弾圧することを指示したのである。

(5)「国王」と「皇帝」の上下関係は存在せず

話を元に戻すが、平川氏は、自著書で「当時ヨーロッパでは、スペイン国王ですら〝王〟で、〝皇帝〟と称されるのは神聖ローマ皇帝だけでした」と、神聖ローマ帝国の皇帝は、スペイン王国の国王よりも（軍事力に勝っていたから）格上なので皇帝と称されていたと断言している。しかしながら、スペインは15世紀に「スペインの帝国」（Imperio de España）（Monarquia universal española, Monarquia española）を樹立しているのである。「スペイン帝国」は、カスティリャ王国のイサベルI世とアラゴン王国のフェルナンドII世の結婚によって両王国の属領が統合されて誕生した（1492〜1516）。イサベル王とフェルナンド王は「カトリック王（Reyes Católicos）」としてローマ教皇に忠誠を誓い、宣教拡大を目標にしたのである。

「スペイン帝国」の主な植民地政策の目標は、新大陸からの金・銀・砂糖の獲得、アジアからの磁器、香料、絹製品などを入手することであった。しかし、スペインの植民地（領土）拡張政策によって「黄金の世紀（El Siglo de Oro）」（1521〜1643）を築いたフェリッペII世統治時代は、「帝国」の称号を使用しなかった（Se decia durante el reinado de Felipe II que "el Sol no se ponía en el Imperio)。その理由は、世界各地に散在している広大な領地をスペイン本国のマドリードやセビィリャから直接管理することが不可能であったからである（Este imperio, imposible de manejar, no fue controlado desde Madrid, sino desde Sevilla)。したがって、スペインは名実共に「帝国」であったが、その称号を用いないで、財政・軍事両面において、世界最強の「王国」として君臨したのである。
以上の観点から、平川氏が言っているようなスペイン王国の「国王」と神聖ローマ帝国の「皇帝」の地位上の上下関係は存在しなかったと認識される。この点に関する詳細な説明は以下の通りである。

⑹「神聖ローマ帝国」の「皇帝」は軍事力ではなく、選挙による選任

そもそも連邦国家（複合国家）である「神聖ローマ帝国（Sacrum romanum imperium）」は、962年、東フランク王国オットーI世がロー教皇から「ローマ皇帝」の冠をもらってから始まる、ドイツ王を中心とした連邦国家（複合国家）をいう。古代ローマ帝国を再興した中世のカール大帝の西ローマ帝国を継承し、ローマ・カトリック教会のキリスト教世界を守護するという理念から、神聖ローマ帝国と言われる。その実態が成立するのは12世紀ころとされる。16世紀にはパプスブルク家が皇帝位を独占し全盛期となり、「パプスブルク帝国」とも言われる。17世紀の30年戦争で実質的な支配権を失い、1806年ナポレオンによって消滅した。

神聖ローマ帝国の皇帝は、ドイツ王国、イタリア王国、ブルグント王国（1032年以降）の3つの王国の統治者だった。皇帝になるためには、その人物はまず3つの国王としての戴冠式をそれぞれ別の場所で行い、その上で、ローマ教皇より「ローマ皇帝」に戴冠された。帝国の重要な特徴は、武力行使によるものではなく選挙王制であった。9世紀以降、ドイツ王は国王選挙によって選ばれてい

7人の「選帝侯」を定めた皇帝候補者（ハインリヒⅦ世時代）
出典：ウィーン国立図書館。

た。選出された「ローマ王（Rex romanorum）」は名目上教皇による戴冠を受けなければ「皇帝」を名乗ることができなかった。

神聖ローマ帝国においてローマ王（ドイツ王）すなわち神聖ローマ帝国の君主に対する選挙権（選定権）を有した諸侯のことを「選帝侯（Kurfurst）」といった。

1356年カールⅣ世は金印勅書を発布して7人の選帝侯を定めた皇帝候補者たちは、票固めのために選帝侯たちと選挙協約を結んで特権面で譲歩を約束させられた。ちなみに、これらの7人の選帝侯とは、マインツ大司教、トリーア大司教、ケルン大司教の3聖職諸侯、プファルツ、サクセン、ブランデンブルク、ヘーメン（ボヘミア）の4世俗諸侯である。選挙権というのは特権中の特権だった。

多くの場合、国王たちはほかの責務に時間を取られて、皇帝戴冠には数年を要しており、しばしば彼らはまずは北イタリアの反乱や教皇本人との不和を解決せねばならなかった。

1508年にマキシミリアンⅠ世が教皇から戴冠されることなく「皇帝」を称してからは、後期の皇帝たちは「ローマ皇帝に選ばれし者」（Erwählter Römischer Kaiser）の体裁を取り、教皇による戴冠を省略してドイツ王＝ローマ王に選出された時点で皇帝を名乗るのが慣例化した。教皇によって戴冠された最後の皇帝は１５３０年の「カールⅤ世」（karl Ⅴ）（１５００～１５５８）である。

神聖ローマ帝国皇帝マクシミリアンⅠ世の孫のカールⅤ世は１５１６年、16歳の若さでスペイン国王に即位し、「カルロスⅠ世（Carlos Ⅰ）」（在位：１５１６～１５５６年）と称して40年間も統治した。次いで１５１９年、カールⅤ世が19歳の時神聖ローマ帝国のローマ皇帝をフランス王フランソワⅠ世と選挙で争って選出されてカールⅤ世となった。カールⅤ世が皇帝選挙を勝ち抜くには、膨大な資金が必要であった。身内や自分の財産だけでは足りず、南ドイツの大富豪・フッガー家から融資を取り付け、それを皇帝選出権のあるヨーロッパ中の有力者、後述する選帝侯たちにばらまき、彼はやっと勝つことができたのである。カールⅤ世が皇帝選挙で使った費用は85万グルデン（４２５億円）と言われている。ちなみに、16世紀前半の１グルデンは約５万円であり、そのうち54万グルデン以上をフッガー家が肩代わりしたことが知られている。

神聖ローマ帝国皇帝「カールⅤ世」兼
スペイン国王「カルロスⅠ世」
出典：“Das Weltreich der Hasbsburger — aufstieg und Fall einer Grobmacht”, Von Werner Schima, 2019, p.63.

こうしてパプスブルグ家の皇帝として、神聖ローマ帝国に君臨すると同時にドイツ王であり、オーストリア、ネーデルラント、スペイン、ナポリ王国などを相続し、またスペイン王としては新大陸に広大な領土を所有した。したがって、平川氏は「当時ヨーロッパでは、スペイン国王ですら〝王〟で、皇帝と称されるのは神聖ローマ皇帝だけでした」と、明らかにスペイン国王より神聖ローマ帝国の皇帝の方が軍事力に勝っていたという認識で記述している。しかし、前述したように神聖ローマ帝国の皇帝の地位は軍事力ではなく選挙によって選ばれていたのでスペイン国王の地位とは同列であった。それ故に神聖ローマ帝国の皇帝「カールV世」と、スペイン国王「カルロスI世」と称号を区別して同一人物が兼務して、各々統治していたのである。

カールV世が神聖ローマ帝国皇帝に戴冠した際にローマ教皇から贈られた剣

出典：Real Monasterio de Santa Clara 特別展示室所蔵（撮影禁止）（許可を得て2018年9月6日著者撮影）。

(7) キリスト教徒代表者3名が教皇聖下に口頭で請願した事柄
―平川氏、引用典拠文書を改竄し（?）、自説を正当化―

平川氏は、「……政宗は、「キリシタン王」の叙任を申請したというが、これも政宗自身が望んだものではなく、案内役のソテロが、日本での大司教（司教の誤り）ポストを得るために画策したものと考えられる」（同書187頁）と憶測で述べている。つまり、平川氏は政宗の「キリシタン王」の叙任請願と「キリスト教徒の騎士団」創設の認証を求めたのは、政宗の意思ではなく、フランシスコ会修道士ルイス・ソテロ神父が司教のポストを得るために勝手に請願したものであると述べている。そして、平川氏はその客観的な論拠として下記の慶応義塾大学教授浅見雅一氏の「仙台市博物館所蔵のルイス・ソテロの（イエズス会）関係文書」（『市史せんだい』所収、仙台市博物館、VOL.13、2003年7月、80~86頁）を提示している。そこには

「……キリシタン王の叙任や騎士団の創設についてイエズス会側では、ソテロが政宗の名前をかたって申請したものであり、そのことを政宗が知れば、ソテロのことを大変不快に思うはずだとまで指摘している。」（平川187頁）

と、述べられている。ところが、驚くべきことに浅見氏が邦訳したポルトガル語表記の原文には、「キリシタン王の叙任や騎士団の創設」などに関する記述はなく、上記邦訳文とはまったく異なる次の文章が綴られているのである。

「……彼（ソテロ）はキリスト教界についての諸問題を政宗の名の下にローマ教皇と交渉（tratou）したが、そのことについて彼（政宗）に話をしなかったことである（porque tratou como Papa pontos acerca da Christandade em nome de Masamune que nisto lhe não falou palavra)。(註8)」

つまり、平川氏は、ローマ教皇パウルスV世の小勅書（Breue）および教皇庁の異端審問会議（Congregatione del Santo Officio）の決議による「慶長遣欧使節一行がローマ教皇パウルスV世に請願した事柄に対する回答文書」（下書き）（ASV. Fondo Borghese Serie IV. No.63, 1615）に明記されている「キリスト教徒の王」の叙任およびローマ教皇支配下の「騎士団の創設」の認証の請願事実の典拠を曖昧にして自説を正当化する目的と思われるが、ローマ教皇庁の公文書と、浅見氏が原文から翻刻・邦訳した文が改竄されて記述されている。なお、この文書の中の「キリスト教界についての諸問題（pontos acerca da Christandade）」とは、「畿内キリシタン連書状」（勢数多講）」を通して教皇パウルスV世に請願された内容によると、主として、フランシスコ会所属の宣教師の派遣要請、東日本における司教座の設置および司教の任命要請、コレジオあるいはセミナリオ（神学校）の設立許可、秀吉の命により長崎で殉教したフランシスコ会の修道士ら26名の聖人への列聖等についての交渉であったと推察される。

さて、こうした同じような慶長遣欧使節関連の原文書の改竄の事例として、東北大学教授（現在は名誉教授）田中英道氏による、『武士、ローマを行進す―支倉常長―』（ミネルヴァ書房、２００７年）がある。田中氏はこの著書で紹介している、フランスのカルパントラのアンガンベルティーヌ図書館に所蔵されている「サン・トロペ候の書簡」（Fol.251R–251v–252R）に架空の文章を加筆して改竄している。田中氏は同書簡に記録されている支倉常長の容貌に関するフランス語原文の記述を恣意的に削除して、もともと原文に存在しない架空の褒め言葉を加筆して支倉の容貌を美化して記述したのである（拙著『支倉常長　慶長遣欧使節の真相—肖像画に秘められた実像』雄山閣、2005年を参照乞う）。

こうした平川氏の行為は研究者としての倫理性が問われる重要な問題である。なお、浅見氏はこのイエズス会文書に関する解説で、「この文書の執筆者がイエズス会であることを考慮すれば、記載された情報が全て正確であると考えることはできない」と否定的な見解を述べている。にもかかわらず、平川氏は正当性のある史料として扱ったのである。

したがって、平川氏が引用文書を改竄した事実が判明したことにより、同氏の主張は明らかに架空の事実であることが分かったのである。

平川氏はソテロ神父が司教のポストを得るための見返りに政宗の「キリスト教徒の王」の叙任の請願と「騎士団の創設」の認証をローマ教皇に請願したというが、本来、司教の叙階というものは、教会法（規定・規則）で定められた基準に従って任命権を持っている最高位聖職者（教皇）や当時のカトリック王によって任命されている。個人的な野望を遂げるためや何らかの見返りを求めて司教に叙階されることは今も昔も滅多にないことである。

平川氏が指摘しているようなソテロの司教叙階の認証請願は、政宗の教皇パウロV世宛の親書および「畿内キリシタン連書状」（勢数多講）（1613年9月29日付）および「日本のキリスト教徒のローマ教皇パウルスV世宛ラテン語訳書簡」にも記述されていて、これらの請願を受けて教皇がソテロの司教任命に同意している（ただ、司教の叙階式については、在マドリード教皇大使、スペイン国王、インディアス顧問会議と協議の上で決めるように指示した）。したがって、ソテロが司教のポストを得るために、政宗の「キリスト教徒の王」の叙任を画策したという、平川氏の指摘は誤認といえよう。

⑻ 幕府による伊達藩へのキリスト教「布教特区」説は仮構 ―伊達領内のキリシタン集落は「布教特区」にあらず―

平川氏は幕府が政宗のスペイン国王およびローマ教皇への宣教師派遣要請を認証していたという意外な見解を述べている。もちろん平川氏はこうした指摘を裏付ける史料を提示しているわけではなく、あくまでも同氏の憶測によるものである。平川氏はさらに、

「……しかし政宗による宣教師の派遣要請は、一転して禁教化を進めはじめた幕府の方針と対立することになる。にもかかわらず、幕府は政宗による宣教師派遣要請を止めなかった。なぜだろうか」（平川前掲書１６９頁）

と、述べており、そして

「……、家康のメキシコ副王宛の書簡には布教禁止が明記されているので、禁教政策に変更はな

い。しかし、伊達政宗がスペイン国王やローマ教皇に宛てた親書では宣教師の派遣を求めている。家康と政宗の考えている方向は正反対だといってよい。この矛盾した内容を合理的に説明できないために、政宗は密かにスペインと手を結んで討幕をねらっていたという討幕野望説、あるいは（中略）。だが、方向性の異なる二つの方策を一致させる手段が一つだけある。それは、布教は伊達領に限る、という合意である。現代風にいえば、布教特区とでもいうべきアイデアであった。」（平川前掲書169～170頁）

と、途轍もない考えを述べている。

⑼　政宗、スペイン側の「商教一致主義」を受入れ、領内でのキリスト教布教を容認
―キリシタン保護のために領内「福原見分」にキリシタン集落を設置―

そもそも政宗は、1611年（慶長16年）、ソテロの献策を積極的に採用し、メキシコと伊達藩との通商交易に乗り出すためにスペインの国是である「商教一致主義」を受け入れ、当時はまだ幕府のキリシタン禁教令が発布されていなかたこともあり、これに応える形でキリスト教を受容したのである。それが、伊達領内における布教活動を正式に認め家臣や領民にキリスト教に入信することを許可する布告を出し、教会堂を建てキリシタン保護の姿勢を明確に示したのである（政宗がセビィリャ市長に宛てた親書（1613年10月17日付）、政宗のローマ教皇宛親書、政宗のスペイン国王宛て親書、支倉常長がレルマ公に宛てた披露状など)。

そこで領内のキリシタンの増加に対応するために、政宗はキリシタンの世話係としてキリシタン浪人後藤寿庵を召し抱え、伊達領内の最北部地域の胆沢郡見分村(福原)地区にキリシタン集落を設け、千5百石の領主にした。

その後事情が一変し、「岡本大八事件」が契機となり、前述したが1612年8月6日、幕府は土井利勝、安藤重信、青山成重ら江戸の老臣たちが連署して全5箇条の法度を出し、伊達藩も含めた全国的なキリシタン禁教令を発布し、バテレン追放や布教活動の禁止を厳格に取り締まった。その時既に、政宗はスペインの「商教一致主義」を受け入れ、伊達領内への宣教師の派遣要請と、メキシコとの通商交易の開始の要請を主軸とした幕府との合同企画の「訪墨通商使節団」を派遣するための使節船の建造に着手していたのである。

⑽ 幕府の認証を得てない伊達藩とスペインとの間の通商条約『申合条々』(案文)——伊達藩とヌエバ・エスパニア(=スペイン)との密約(註7)——

政宗の宣教師派遣要請は、ローマ教皇およびスペイン国王宛の書簡のほか、伊達藩とスペインとの間の8箇条から成る、慶長18年9月4日(1613年10月17日)付けで作成した『申合条々』(案文)(スペイン側は「平和条約」)に書かれている。平川氏は論文「慶長遣欧使節と徳川の外交」(『仙台市史　特別篇8　慶長遣欧使節』所収(2010年、563〜573頁))の中で、

「政宗がスペイン国王に提示した申合条々は幕府に内密な軍事同盟だという説がある。しかし後述するように、この協定書は幕府の了解を得て提案したものだと考えるのが妥当である。内容も通商事項であって軍事的な内容は含まれていない」（平川367頁）

と、徳川幕府の認証を得たものであると述べている。ただ、この平川説を裏付ける客観的な史料は何も提示されていない。その内容は、

(1) 伊達領内への宣教師の派遣要請（貴き天有主之御宗門に、於吾等國、下々罷成候義、少もさまたけ申間敷候間、さんふらんしすこの御門派之伴天連衆御渡可披下候、御馳走可申事）
(2) 通商交易の開始の要請
(3) および(4) 通商交易における海運上の事故などがあった場合の対応の取り決め
(5) スペインが伊達領内で船舶を建造する場合の対応の取り決め
(6) スペインが伊達領内で商売をする場合の免税
(7) 伊達領内に滞在するスペイン人に対しての治外法権の保証
(8) スペインと対立するイギリス人、オランダ人などの追放

である。

この「申合条々」が幕府の認証を得ていないで伊達藩が単独でスペイン側に提案した案文であることを著者は自著書で繰り返し述べてきた（拙著『歴史研究と「郷土愛」―伊達政宗と慶長遣欧使

節―』（雄山閣、２０１５年、26～29頁を参照乞う）。その主な論拠について改めて述べることにする。

(1) 政宗がメキシコとの通商交易を実現させるための基本条件だったスペイン側の「商教一致主義」を受入れ、メキシコ副王との協定締結交渉で最重要条項として「宣教師の派遣要請」がメキシコ側に提案されることが決まっていたため、計画途中で幕府側のキリシタン禁教令が発令された後も変更されることはなかった。つまり、「宣教師の派遣要請」を断念すればメキシコとの通商交易開始計画そのものが頓挫することであった。そのため政宗は幕府政策に反することを承知の上で、「申合条々」（案文）の第1項で、「商教一致主義」を遵守するための最重要事項として、伊達領内への「宣教師の派遣要請」を行った。宣教師の派遣要請は、領内における布教活動による信徒獲得のためだけでなく、もう一つの重要な役目があった。それは、今も昔も変わらないが信徒たちは、カトリック教会が伝統的に認めてきた教会の７つの秘跡（Septem Ecclesiae Sacramenta）（①洗礼、②聖体（拝領）、③赦し（告解）、④結婚、⑤病者の塗油（終油）、⑥堅信、⑦叙階）を守らなければ

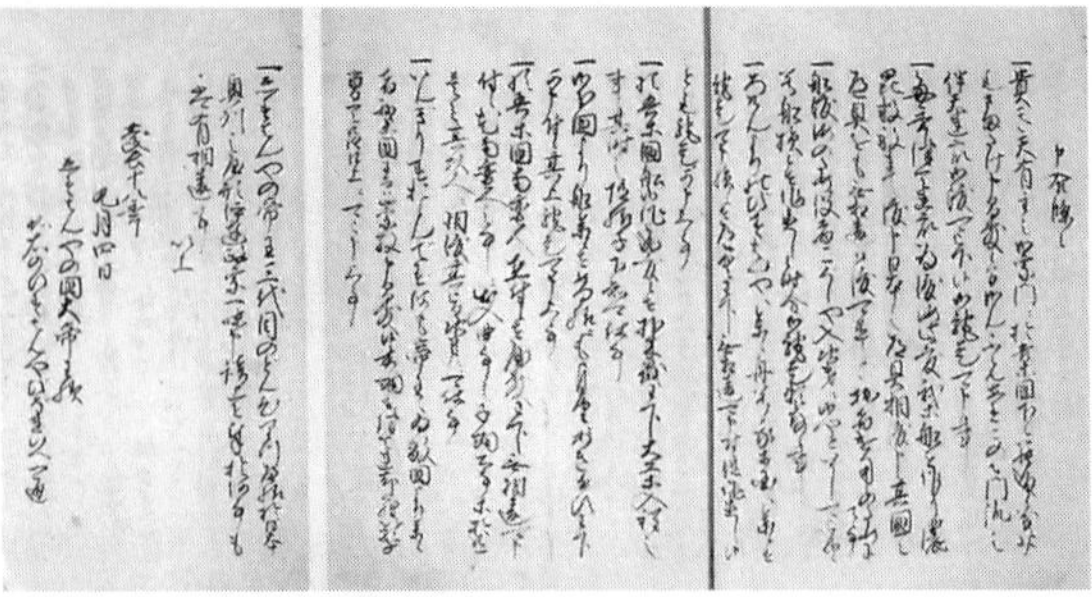

伊達政宗がスペイン政府に提示した『申合条々（案）』の下書き
出典：天理大学図書館所蔵。

ならない掟がある。これらの秘跡のうち①～⑤までを宣教師（聖職者（司教・司祭））が信徒に授けることができ、⑥および⑦は司教だけが授けることができるのである。そのためキリシタンが増えても宣教師や司教がいなければ彼らは信仰を維持することは不可能であった。事実、信徒たちが何年間も告解をしておらず、聖体拝領もできない状態で大変困っていると、こうした宣教師不足と司教不在の問題について前述のローマ教皇宛ての『畿内キリシタン連書状』の中で訴えている。ちなみに、ソテロが司教叙階を求めたのも自らの権力保持のためだけでなく司教に叙階されてこの重要な義務を果たすためでもあった。

(5)については、江戸幕府が樹立して間もない慶長14年（1669年）9月、幕府は「大船建造の禁令」を制定し、5百石積み以上の軍船と商船を没収し、水軍力を制限した。ただし、5百石以上の船格であっても外洋航行を前提とする朱印船は除外された。海外渡航船には許可制とし、朱印状を発行し、末尾に朱印を押したもので一航海限りのものであった。こうした事情から幕府が伊達藩に対し、スペインが伊達領内で自由に大型船を建造することを認めるはずはなかった。

(7)の伊達藩がスペイン人に対して治外法権を認めるということは、スペイン人が伊達領内で犯罪を犯した場合、身柄はスペイン側に引き渡されて、スペインの法律で裁くというものであり、これを認めることは伊達藩が独立国であることを認めることであり、幕府が認めるはずはなかった。

(8)ではスペイン国王と敵対関係にあるイギリス人とオランダ人を領内から追放することを約束しているが、前フィリピン臨時総督ロドリゴ・ビベロや答礼大使セバスチャン・ビスカイノも、家康にイギリス人とオランダ人追放を強く求めたが、家康は拒否していた。それなのに伊達藩だけにイギリス人とオランダ人の追放を認めることはなかったはずである。

以上述べたほかに、『申合条々』（案文）は、使節船が出帆するわずか12日前の慶長18年（1613年）9月4日に作成されたものである。12日間で仙台から江戸に早馬を走らせて幕府の認証を得て仙台まで持ち帰ることは物理的にも不可能なことであった。

以上、『申合条々』（案文）は、幕府によって認証されたものでないことを示す論拠について述べてみた。したがって、『申合条々』（案文）第1条の「宣教師の派遣要請」も当然幕府が容認したものではなく、伊達藩が極秘にスペイン側に提案したものである。つまり、幕府は政宗による宣教師派遣要請を止めなかったのではなく、幕府は政宗がスペイン（セビィリャ市、国王宛て等）やローマ教皇庁に対し、極秘に宣教師派遣を要請したことを知らなかったのである。

総じて言えば、平川氏が指摘しているような幕府による伊達藩へのキリスト教「布教特区」構想などはもともとあり得ない話であるといえる。なお、前述した著者の反論に対し異論がある場合は憶測ではなく、必ず客観的な証左を提示して論駁してもらいたい。

⑾ その他の平川氏の間違った「大航海時代」論考

① 平川氏の「ビベロの戦略」に関する間違った解釈

平川氏は自著書の「ビベロの戦略」の中で、村上直次郎註訳『ドン・ロドリゴ日本見聞録』（附録）（116頁）を引用して下記のように述べている。

「家康はビベロに、メキシコとの交易を開くだけでなく、鉱山技師の派遣も求めた。これに対してビベロは、採掘・精錬した銀についてスペイン側の取り分を多くするように求めた。それだけではなく、スペイン人鉱山技師や官吏、あるいは常駐する司令官や大使のために司祭や宣教師を伴うことを認めるよう要求している。

だが、司祭や宣教師を滞在させる「真の目的」は、「鉱山またはその付近にあるイスパニア人のあいだに居住せしむるを名として、諸宗派の宣教師をこの地方に入れ、各地に散在して努力し、前に掲げたる収穫を納めしむる」という点にこそあった。「前に掲げたる収穫」とは、日本征服のことである。ビベロは「皇帝（家康）が新イスパニア（メキシコ）貿易開始を望むを好機会」とし、大量の宣教師を日本に送り込もうとしたのである。まさしく布教を先兵として領土化をはかる戦略が赤裸々に語られていた。」（平川139～140頁）

平川氏の上記引用文は中途半端で分かりにくいので『ドン・ロドリゴ日本見聞録』（附録）（116頁）の原文の内容を改めて下記に紹介することにする。

「……、又基督教弘布し、キリシタンの数増加するに至らば現皇帝（家康）死したる時は新王は彼らを苦しむべきこと明らかなる者の中より選ぶことなく陛下を擧ぐべしと考へらる。是故に右の目的及び、更に重要なる多数の霊魂の救済の為、皇帝が新イスパニア貿易開始を望むを好機會とし、予は之を陛下に奏請することを約し、添附の書類中に掲げたる條件を俟。而して眞の目的は鉱山又は其附近に在るイスパニア人の間に居住せしむるを名として諸宗派宣教師を此の地方に入れ、各地に散在して努力し、前に掲げたる収穫を納めしむるに在り。陛下は基督教に熱心にして、王室の財産より多額の支出をなすも、若し一人の霊魂を救うことは得ば満足し給ふべく、若し多数ならば一層なるべきは、予の知る所なれども、予が計畫する所に依れば、陛下は何等支出せらるることなく……」（略）

となっており、平川氏の引用文には肝心な「是故に右の目的及び、更に重要なる多数の霊魂の救済の為」の部分が省略されている。つまり「右の目的」とはキリスト教の布教活動のことであり、また、多くの諸宗派（スペイン政府が後援するフランシスコ会、アウグスティヌス会、ドミニコ会）の司祭や宣教師を日本へ居住させる目的は、大勢のスペイン人鉱山技師や官吏たちに対して、赦し（告解）の秘跡を与え、聖体拝領をさせて霊魂の救済をするためであった。したがって、平川氏の引用文中の、「前に掲げたる収穫とは日本征服のこと」であるという指摘は間違いであり、「（布教による）キリスト教徒の増加」を意味するのである。

②「トルデシリャス協定」に関する曖昧な認識

平川氏の著書第5章「伊達政宗と慶長遣欧使節」の中の《家康は長崎、政宗は仙台へ》の項目で、次のようなことが述べられている。

「……長崎奉行は、マカオからポルトガル船が舶載した生糸を最優先買い付けしようとしたため、ポルトガル商人やそれを仲介するイエズス会としばしば対立した。それはまさに、長崎でのポルトガル貿易を支配下におこうとする幕府の意図を反映したものであった。これに対して政宗は、マニラ・メキシコ航路が仙台沖を走ることに着目し、食糧や薪水を供給する寄港地として、あるいはメキシコとの直接貿易地として、みずからの立地を活かそうとしていた。東南アジアには遠いが、太平洋の向こうのメキシコにはもっとも近いという逆転の発想であった。インド洋経由でヨーロッパとつながるポルトガル商人は、太平洋横断航路を使わない。そのため政宗のねらいは、マニラのスペイン人に絞っていた。政宗はスペイン商人を領内に呼び込むために、キリスト教の布教にも寛容だった。宣教師が貿易の仲介をすることが少なくなかったことから、九州の戦国大名たちはポルトガル船誘致のために宣教師を積極的に受け入れていた。家康が日本に滞在中のフランシスコ会宣教師を使者としてフィリピン総督のもとに派遣したのも、彼らが植民地行政官や商人との深いつながりをもっていたからである。イエズス会士はポルトガル船の誘致に協力し、フランシスコ会やドミニコ会の宣教師はスペイン船の来航に力添えをしようとしていた。政宗がフランシスコ会宣教師ソテロの力を借りてメキシコ貿易を開こうとしたのも、そのためだった。」（平川168頁）。

まず、平川氏はここで、「東南アジアには遠いが、太平洋の向こうのメキシコにはもっと近いという逆転の発想である。インド洋経由でヨーロッパとつながるポルトガル商人は、太平洋横断航路を使わない。そのため政宗のねらいは、マニラのスペイン人に絞っていた」と、述べている。

だが、平川氏が言っている「（伊達藩は）東南アジアには遠いが、太平洋の向こうのメキシコにはもっと近いという逆転の発想である」という表現は間違っている。

そもそも政宗のメキシコとの通商交易開始の構想は、政宗自身の発想で始められたのではなく、ソテロやヴィスカイノの誘いで始められたのである。

平川氏は、「インド洋経由（東回り航路）でヨーロッパとつながるポルトガル商人は、太平洋横断航路（西回り航路）を使わない」（括弧内は著者の加筆）と説明しているが、間違った表現である。これはポルトガル・スペイン両国間の「トルデシリャス協定」の取り決めによって、ポルトガルは「西回り航路」を使いたくても使えなかったのである。逆に、スペインは「東回り航路」を使えなかったのである。政宗の遣欧使節団は当初からスペイン政府およびフランシスコ修道会の援助によって西回り航路の使用を前提として企画編成されたので、政宗の個人的な考えで進められたのではない。

つまり、平川氏は16世紀初めに「イエズス会の援助国であるポルトガル船は「東回り（インド洋経由）航路」そしてフランシスコ会の援助国であるスペイン船は「西回り航路」を使用しなければならない」という、ポルトガル・スペイン両国間で取り決めた「トルデシリャス条約」の内容をよく理解しないでこのような記述をしたのであろう。

さらに、平川氏は、

「①政宗はスペイン商人を領内に呼び込むために、キリスト教の布教にも寛容だった。宣教師が貿易の仲介をすることが少なくなかったことから、②九州の戦国大名たちはポルトガル船誘致のために宣教師を積極的に受け入れていた。③家康が日本滞在中のフランシスコ会宣教師を使者としてフィリピン総督のもとに派遣したのも、彼らが植民地行政官や商人との深いつながりをもっていたからでる。④イエズス会士はポルトガル船の誘致に協力し、フランシスコ会やドミニコ会の宣教師はスペイン船の来航に力添えをしようとしていた。⑤政宗がフランシスコ会宣教師ソテロの力を借りてメキシコ貿易を開こうとしたのも、そのためだった」（同書168頁）

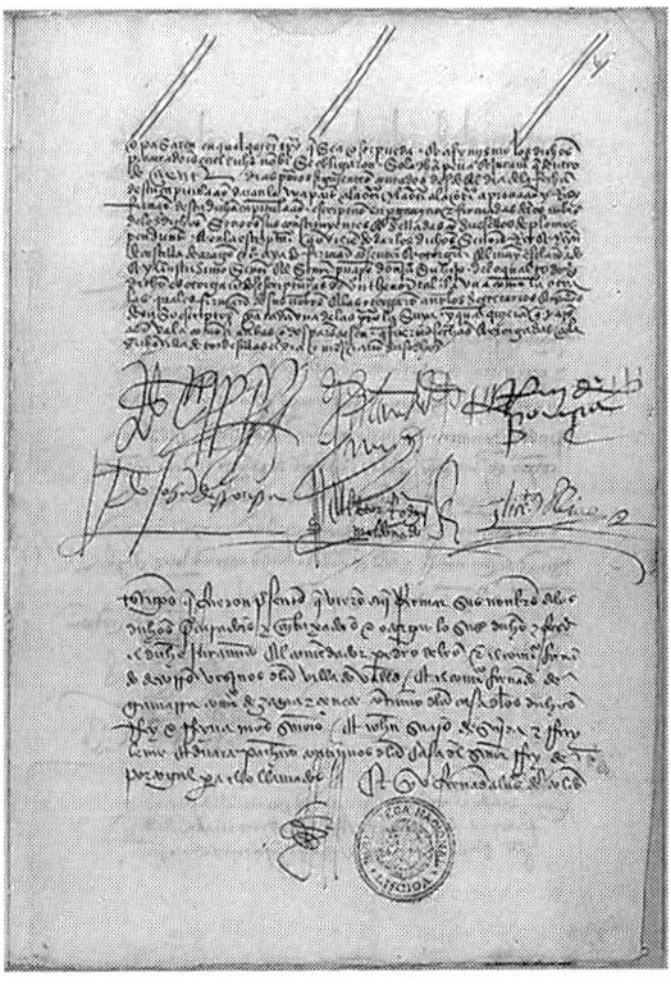

「トルデシリャス協定」の条文
出典：Biblioteca Nacional de Lisboa (Portugal).

と述べているが間違っているので、次のように訂正させてもらう。

①は、政宗が領内におけるキリスト教の布教に寛容だったのは、メキシコとの通商交易開始のスペイン政府側の「商教一致主義」を受け入れたためであり、スペイン商人を領内に呼び込む目的ではなかった。

③④は、「トルデシリャス条約」の規定によって、イエズス会はポルトガルが保護国であったのでイエズス会士がポルトガル船に協力するのが当たり前であった。またフランシスコ会士（修道会）はスペインが保護国であったのでフランシスコ会士がスペイン船に協力したのも当然のことであった。

③は、家康がフランシスコ会の宣教師をフィリピン総督のもとに派遣したのは「トルデシリャス協定」の規定によって、「フィリピン」がスペインの副王領ヌエバ・エスパニア（＝メキシコ）管轄の総督領であり、フランシスコ会と密接な関係があったからである。

③　ヌエバ・エスパニア（メキシコ）は国王直轄の副王領

「トルデシリャス条約」といえば大航海時代史を語る際に欠かせない用語であるが、平川氏はその

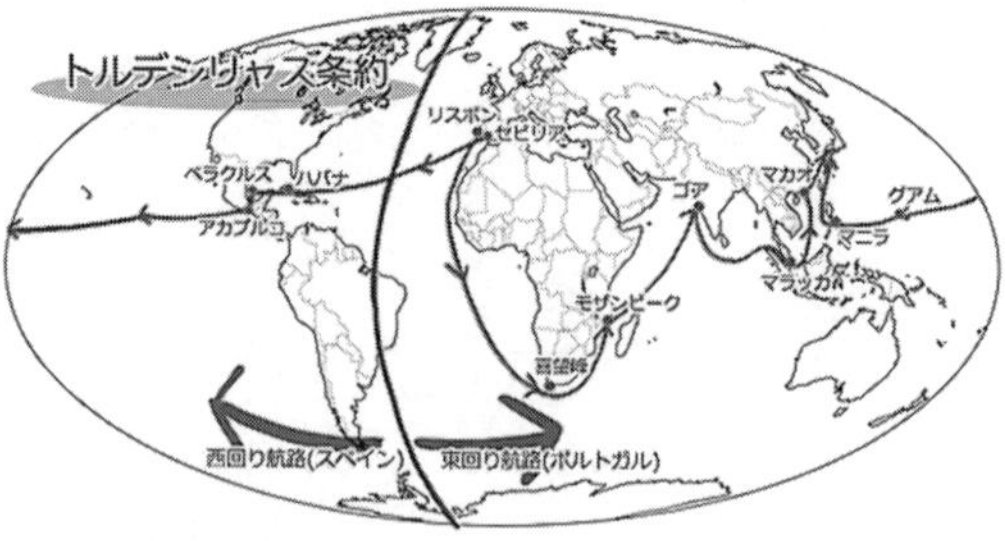

トルデシリャス条約

内容を本当に熟知しているのかどうか疑問を感じる。同様のことであるが平川氏は著書の中で「ヌエバ・エスパニア（新イスパニア＝メキシコ）副王（Virrey）」のことを「メキシコ総督（Gobernador）」（平川145頁）と間違って記述している。ちなみに、スペイン国王フェリッペⅡ世が1552年に公布した法令に、「ヌエバ・エスパニア（メキシコ）およびペルーの副王はそれぞれの担当する地域の統治者となる」と記されている。したがって、ヌエバ・エスパニア（メキシコ）の統治者は「総督」ではなく、国王の直轄領として副王領（Virreinato）（副王：Virrey）である。副王直轄領の統治下に総督領（Gobernación）（総督：Gobernador）があった。その下に行政区の末端の官僚として郡奉行（Alcalde Mayor）と代官（Corregidor）がいた。こうした間違いからも平川氏は大航海時代史の基本知識に欠けていることは明らかなようである。

話を元に戻すが、平川氏は「イエズス会とフランシスコ会の対立」の項目で「トルデシリャス条約」によって日本の支配権はポルトガルにあり、日本の首席司教はゴアの大司教だったと次のように述べている。つまり、

「こうした意見の背後にはイエズス会とフランシスコ会の勢力争いがあった。この覚書には、日本の（領土）支配権はポルトガルにあり、日本の首席司教はゴア（インド）の大司教だともある。その根拠は、世界をスペインとポルトガルで二分することを定めた1494年のトルデシリャス条約にあった。大西洋で南北に線を引き、東側はポルトガル、西側はスペインの領土支配権がある

とした。あの世界領土分割条約であった。日本に最初にやってきたのは東回りでアジアに進出したポルトガル系のイエズス会であり、その拠点はポルトガルの植民地であるインドのゴアにあった。西回りの太平洋経由でアジアに到達したスペイン系のフランシスコ会が日本に大司教区をおけば、その権利と権限を侵すことになると批判している。支倉使節団の訪問は、日本での布教権の確保をめぐるカトリック組織内部の争いと、ポルトガルとスペインの領土権の問題を顕在化させたともいうことができる。」（平川182頁）

とある。

さて、平川氏が言っている上記文内の「覚書」とは何の覚書なのかよく分からないが、「トルデシリャス条約」によると、「……日本の（領土）支配権はポルトガルにあり、日本の首席司教はゴアの大司教だともある」と、ポルトガルが日本領土の支配権を握っていたような記述をしている。確かに、1494年に「トルデシリャス条約」が締結された当時、日本の本州以南はすべてポルトガル優先の範囲に属していた。しかし1529年4月22日に批准された「サラゴサ条約」の締結時はまだポルトガル人は日本に到達しておらず、1543年の種子島来航（鉄砲伝来）で両国間の接触が開始されても、ポルトガルは日本の領土要求は行わなかった。また日本国内での布教保護権に関しては1575年にマカオ司教区が設置され、1576年1月23日付教皇グレゴリオ13世の大勅書には、日本がマカオ司教区に含まれていた。これにより日本の教会にポルトガル国王の布教保護権が及んだのである。

したがって、平川氏が指摘している日本の（領土）支配権がポルトガルにあったという指摘と、日本の首席司教（？）はゴアの大司教であるという指摘は間違いである。ちなみに、教皇グレゴリオⅩⅢ世は、1585年1月28日付で、ローマ教皇庁の明確な許可なしにイエズス会でない宣教師（フランシスコ会、アウグスチノ会、ドミニコ会などの修道会に属している宣教師）が日本へ福音宣教のために渡航することが重大破門罪のもとで禁止されていたのである。したがって、ポルトガル経由で来日したイエズス会士のみに布教独占権が与えられ、それ以外の修道会の宣教師に日本での布教活動が禁じられていたのである。ところが、イエズス会に日本布教の独占権を与えた教皇グレゴリオⅩⅢ世は、1585年4月10日に死去し、その後任として、フランシスコ修道会出身のシクストⅤ世が選任された。新教皇は1586年11月15日付の小勅書（Dum ad Uberes Fructus）をもって、フィリピンのフランシスコ会をメキシコ管区から切り離して、大聖グレゴリオの名称で独立した管区に昇格させた。この小勅書の中で新しい管区の領域として、フィリピン諸島、そのほかの地域およびシナと称する国々を定めた。しかしポルトガル保護権の領域に立ち入らないように注意を加えた。その後、1605年にクレメンスⅧ世は死去し、その後継者の教皇パウルスⅤ世は、1608年6月11日付けの小勅書（Sedis Apostolicae）を交付し、その中で彼は、グレゴリオⅩⅢ世とクレメンスⅧ世の小勅書の無効を宣言し、併せてすべての修道会の長上たちに、ポルトガル（リスボン）と東インド（ゴア）のルートか、ヌエバ・エスパニア（メキシコ）とフィリピンのルートのいずれかを使用して日本に有能な修道者を派遣することを許可し、布教保護権とイエズス会独占の2つの問題に終止符を打ったのである。

④ スペイン植民地のインディオス（先住民）は奴隷化されなかった

平川氏は自著書で「1492年のコロンブスによるカリブ海への到達を先鞭として、南北アメリカ大陸へ進出したスペイン人は、その圧倒的な火器と兵力によってメキシコやアンデスの地域を征服し、奴隷化してきた。」（平川136頁）と、スペインによる植民地政策によってインディオス（先住民）は奴隷化されたと、読者諸氏に間違った知識を与えかねない記述をしている。

1542年にインディアス法（新大陸法）(Recopilación de Leyes de los Reynos de las Indias) が発布され、インディオス（先住民）はスペイン王国の臣下で奴隷化されてはならないことが規定されていた。つまり、虐待的で道義に反する「エンコミエンダ制 (encomienda)」に代わる形で制定された。労働者が他人に直接所有されているわけではなく、（強制労働の期間を除いて）自由民のままであり、さらに労働も継続してではなく断続して行われたことから、奴隷制とは厳密に異なる。したがって、平川氏が述べているように、メキシコやアンデス地域が征服され、インディオスが奴隷化されたという事実はない。ただ、インディオスは一定の賦役を輪番制で行わなければならなかった。植民地の日常のこうした労働形態は、16世紀半ば以来、レパルティミエント (Repartimiento：分配・

割当て）（強制労働徴用制度）によって組織された。（Martinez Peláez Severo, La paría del Criollo, San, José, EDUCA, ED. 1981）。

6．わが国における「大航海時代」に関する孫引き研究の問題点
―原文書に当たらず外国文献のみに依拠した研究中心―

ポルトガルやスペインによる大航海時代の史実を知るためには、ロマンス語による原文書の読解力が不可欠である。しかしながら、日本の大半の歴史研究者は手書きで書かれた難解な古典ロマンス語の原文書を読めないという深刻な問題を抱えている。そのため大半の歴史研究者や著述者は限られた数冊の翻訳書のみに依拠して論文や著書を執筆しているのが現状である。だからといって、著者は数冊の翻訳書のみに依拠して書かれた書物や論文に問題があると言っているのではない。むしろ手稿の原文書を自ら翻字（刻）・翻訳（解読）して新しい歴史事実を見出して紹介した方が独創性（オリジナリティー）に満ちて信憑性も高まるのではないかと言っているのである。

こうした深刻な問題を解決する唯一の手段は、翻訳書の内容の信憑性や正確性の確認である。翻訳書の内容を精査せずに書かれていることをそのまま鵜呑みにして孫引き引用することは非常に危険である。近年、わが国で出版された大航海時代に関する著作物を見ても原文書に当たったものは皆無に等しい。そのうえ、引用されている翻訳文献も孫引きが多い。近年刊行された佐藤彰一著『宣教の

ヨーロッパ—大航海時代のイエズス会と托鉢修道会—』（中公新書、2018年）にもこうした問題が指摘される。同書第9章「キリスト教の世界化」で、アステカ王国の元首長の子ドミンゴ・フランシスコ・サン・アントン・ムニョン・チマルパインがナワトル語で書き残した「チマルパインの日記」を紹介している。この中で佐藤氏は、フランスの専門家セルジュ・グリュザンスキー（Serge Gruzinski）のフランス語の著書からの引用として、房総半島で遭難した前フィリピン総督ドン・ロドリゴ・デ・ビベロのメキシコ帰還に随行した京都の商人田中勝介一行の「日本人（使節団員）の衣装と風貌」について詳しく記述している（佐藤217頁）。

ところが、佐藤氏が紹介している「日本人（使節団員）の衣装と風貌」についての日本語訳の紹介は日本で初めて紹介されたものではなく、スペイン語訳から日本語へ翻訳された同一内容の日本語訳文が約40年前に既に先行研究者によって紹介されているのである。当然佐藤氏は、礼儀として先行研究について紹介すべきであり、最低限自著書の巻末に参考文献としてその文献名を掲載すべきである。

メキシコ国立自治大学歴史研究所教授ミゲル・レオン・ポルティィリョ博士がナワトル語をスペイン語に翻訳した「チマルパインの日記」がわが国で初めて日本語に活字化されたのは、林屋永吉氏の「アステカ貴族の青年が見た支倉使節」（岩波書店『図書』（1975（昭和50）年8月、9～15頁）と題する日本語抄訳によってであり、国内外において広く知れ渡っている。その後、ポルティィリョ博士によるナワトル語（原文）からスペイン語に翻訳された「メキシコにおける日本人の使節（*La embajada de los Japoneses de México, 1614 —El Testimonio en Nahuatl de cronista Chimalpahin)* と題する論文が、メキシコ大学院大学アジア・アフリカ研究所発行の季刊誌“Estudio de Asia y Africa”（XVII, Abril-Junio, 1981, pp.215-241）に掲載されている。このスペイン語翻訳文に依拠して著者も『慶長遣欧使節の研究—支倉六右衛門使節一行を巡る若干の問題について—』（文眞堂、1994年7～12頁、60～71頁）で引用している。

ここで問題なのは佐藤氏が先行研究の有無について確認してないことと、引用したフランス人セルジュ・グリュザンスキーの著書に掲載されているフランス語の「チマルパインの日記」《日本から来たサムライたち》（日本人（使節団員）の衣装と風貌について）（佐藤217頁）のスペイン語訳の原本の確認がされてないことである。つまり、佐藤氏はスペイン語による原文に当たらずセルジュ・グリュザンスキーのフランス語文献のみに依拠し、それを日本語に重訳（ナワトル語（原文）→スペイン語→フランス語→日本語）して自著書で紹介しているのである。こうした原文から幾つもの言語の重訳では原文との間に多くの齟齬が生じる恐れがある。事実、佐藤氏のフランス語から日本語に翻訳した内容とスペイン語原文からの日本語訳文にはかなりニュアンスの違いが散見される。その上、引用したとされるグリュザンスキー氏の著書を同書巻末の参考文献表（佐藤240頁）に3冊の引用文献を記載しているが、どの著書から引用されたのか明記されていない問題がある。

また、佐藤氏は「チマルパインの経歴」の紹介で引用したというJacqueline de Durand Forest著、“Algunas Observaciones sobre el Diario de Chimalpahin Quauhtlehuanitzin”（チマルパイン・

クァウトレワニツィンの日記に関する若干の考察)、"Estudios de Cultura Nahuatl" no. 25, 1995, 417-423. を参考文献一覧に掲載しているが、肝心な論集"Estudios de Cultura Nahuatl"の編集・発行元である〝メキシコ国立自治大学歴史研究所(Instituto de Investigaciones Históricas de la Universidad Nacional Autónoma de México)〟の名称が欠如している問題がある。

以上述べたことは参考文献をそのまま孫引きして、信憑性や正確性の確認を怠った事例である。さらに、翻訳本からの孫引きといえば、カルピニ・ルブルク著、護雅夫訳『中央アジア・蒙古旅行記』(講談社学術文庫、2016年)がある。この著書の原文はラテン語で書かれており、それをドーソン(Dawson, C)が英語に翻訳し"The Mongol Mission"(モンゴルへの使節)(ロンドン、ニューヨーク、1955年)という翻訳本を出版した。護雅夫氏はラテン語の原文から直接翻訳せず、それを翻訳した上記の英訳本から日本語に重訳したものである。したがって、『中央アジア・蒙古旅行記』はラテン語による原本の内容とかなり齟齬をきたしていると考えるべきである。ちなみに、護雅夫氏は、上記翻訳書の「はじめに」で、当初中世ラテン語本から訳すべきであると考え、取り掛かっだがラテン語文の難解度と翻訳の時間的な制約のため途中で断念したと述べている

7．誤訳だらけの原文史料の翻字・邦訳
―『仙台市史・特別編8．慶長遣欧使節』（仙台市発行、２０１０年）史料集の例―

さて、平川新氏の著書『戦国日本と大航海時代』の参考文献欄にラテン語、スペイン語、イタリア語などのロマンス語による原史料や欧文の文献の記載が一つも見当たらないことは、同氏はロマンス語を全く理解できないと推察される。ちなみに、欧米諸国において研究テーマに関連する原文書の翻刻や読解ができない歴史研究家はどこにも存在しない。しかし、日本では外国語ができない学者や著述家が多いため、海外の知識を得るためには翻訳書に依拠しなければならない事情がある。そのため翻訳者の語学力に大きく左右されることになる。つまり、正しく翻訳されず誤訳が多い翻訳史料や翻訳文献を使用して書いた論文や著作物には信憑性が失われてしまうのである。そこで問題なのが多くの慶長遣欧使節研究者は、転写漏れ・誤写や誤訳の字句が非常に多く散見される東京帝国大学史料編纂所編『大日本史料』第十二編之十二や『仙台市史　特別編8．慶長遣欧使節』（以下『仙台市史』と記す）の史料集に依拠していることである。特に『仙台市史』は、問題の多い『大日本史料』を底本として編集発行されている点である。『仙台市史』は、ロマンス語の翻訳を、原文史料から直接引用したものではないので一次史料集として扱うことはできない。つまり孫引き史料なので第三次史料として位置づけられ、史料価値は問題の多い『大日本史料』よりもさらに減じることになる。以降にも述べるが『仙台市史』には全体的に黙認できない深刻な誤訳や訳述文の脱漏の問題が多くある。特

に、古典ラテン語、古典イタリア語、古典スペイン語の日本語訳に重大な誤りや意味不明な箇所が非常に多く散見される。そのため論文や著書の引用文献として使用することは適切ではないといえる。

たとえば、前述のイタリア語表記の「使節一行がローマ教皇に請願した事柄に対する回答文書（教皇小勅書）」（A.S.V., Fondo Borghese, Serie IV, No.63, Lettere dicerse, 1615）の下書きの中のイタリア語の原文にラテン語文（下線―）が含まれている。このラテン語原文の語句“adiutrices”（支援）を『大日本史料』を編纂した東京帝国大学教授村上直次郎博士が“ad intrices”と転写ミスしてしまっている。そのためラテン語文全体の正確な意味を把握することができなくなり、邦訳不能のままラテン語の部分を「ポリゼンティブス・マヌス・アド・イントリチェス」と片仮名で既述している。

“Del resto se li danno indulgentie, e altari priuilegiati di mandati, perche i Gesuiti l'hanno per tutti le chiese nell Indie, eccetto l'indulgenze dimandate **“Porrigentibus manus ad intrices (adiutrices)”**

太字部分の村上訳：

……。但ポルリゼンチリブス、マヌスの贖宥は、之を許可せざる事（原文のまま）」（『大日本史料』欧文131号（348～349頁）と、意味不明の訳述となっている。

また、『仙台市史』（234号、308頁、上段）のイタリア語の翻訳担当者かまたはラテン語の翻訳担当者が（上記下線部分の）村上博士の翻刻文と邦訳を再検証しないで意味不明のまま引用して、村上訳同様に片仮名で次のように記述している。

「イエズス会はすでにインディアスのすべての教会のために、**ポリゼンティブス・アド・イントリチェスの贖宥を除いては**それらを有しているからである。」

ちなみに、上記文（太字部分）の日本語への適訳は次の通りである。

「イエズス会がインディアス（アメリカ大陸）の全ての教会のために（per tutti le chiese nell' Indie）支援の手を差しのべる（porrigentibus manus adiutrices）贖宥を除いてそれらを所有しているからである」

ところで、仙台市博物館の遠藤俊行館長（当時）は、著者の問い合わせに対し、平成30年1月23日付で次のように回答してきた。

「『仙台市史』は『大日本史料』の欧文史料を邦訳したものと（大泉は）繰り返し述べられていますが、以前にもご返答申し上げましたように、これも一方的な（大泉の）推測であり、事実誤認です」と、言い訳のような回答をしてきた。

前述した例文のように、ラテン語の原文史料からの引用ではなく、『仙台市史』には『大日本史料』と同じ〝ポリゼンティィブス・アド・イントリチェスの贖宥〟という意味不明の片仮名表現をそのまま掲載しているのは、誰の目から見ても明らかに『大日本史料』の欧文史料と翻訳史料を底本にしたことが明らかなのである。

このような『仙台市史』のすべてのロマンス語の日本語訳が『大日本史料』の欧文史料と翻訳史料を底本にしたことが確実に証明できる翻訳文は非常に多くある。ここでは紙面の制約があるので、以下の3例のみ紹介することにする。

(1)『仙台市史』（第88号、177〜178頁）のレルマ公宛支倉常長書簡（1614年9月30日付）の日本語訳文は『大日本史料』」（欧文41号、106頁）の翻刻文を底本にしている。『大日本史料』の編纂者村上直次郎博士が原文の〝prelado〟（高位聖職者）を〝Perlado〟（真珠のような、真珠色の）と誤写して掲載しているのを、『仙台市史』のスペイン語翻訳担当者が『大日本史料』の欧文史料をそのまま底本（転写）にして、次のような意味不明な日本語に訳出している。

「（教皇聖下は）世界の信徒全体の頭にして**珠玉のような方**であると聞き知って……」である。このスペイン語文の適訳は、

「……パパ様（教皇さま）は、全世界の信徒の頭であり、高位聖職者であると知っております」である。

以上のように教皇聖下を「**珠玉のような方**」と訳しているが、「高位聖職者」とではまったく

意味が違うのである。

(2) 大日本史料（欧文CLXXXVI、355頁）のスペイン語文“aver sido morida (morir：終わる、死ぬ、なくなるの意) la persecución del Japón（日本の迫害は、今全く止めり）”（原文のまま）は、村上直次郎博士が“movida（正）”を“morida（誤）”と転写ミスして『大日本史料』に掲載している。原文の正しい綴りは、“movida”（mover：動きがある、促す、活動するの意）である。『仙台市史』（第277号、344頁）のスペイン語翻訳担当者は『大日本史料』の誤謬を見抜けず欧文史料をそのまま底本にして、次のように誤訳している。

「……日本皇帝による迫害が全国的に**途絶えた**（**morida**）**という**」と、原文の正しい意味とはまったく逆の意味に誤訳している。ちなみに、適訳は、「日本の至る所で、皇帝の迫害の**動き**（**movida**）**がある**……」である。これも『大日本史料』の欧文史料をそのまま底本にして『大日本史料』と同じ間違った訳出をしている。

(3) 世に広く知られている国宝・ユネスコ世界記憶遺産に登録されているローマ市貴族院（元老院）が支倉六右衛門へ贈ったラテン語で書かれている『ローマ市民権証書』（『仙台市史』（第217号）（298~299頁））の日本語訳を翻訳担当者が次のような重大な誤訳をしている。

【ラテン語原文】

「“ad accipiendam dicti Regis ac Regni【vitelam】paternamqve cvram hortaretvr……」

【日本語訳】

「……、上述の王と王国を受けるために配慮を促すということである。」

と、日本語として全く意味不明な訳述となっている。そもそもこのような重大な誤訳をした背景には、村上直次郎博士が、『ローマ市民権証書』の原文から転写した際に本文の原綴り〝tutelam〟（保護・後見の意）を〝vitelam〟と転写ミスをして『大日本史料』に掲載したためである。それを『仙台市史』のラテン語の翻訳担当者が〝vitelam〟という語句がもともとラテン語には存在してないことを察知できず〝tutelam〟の訳出を恣意的に省略して『仙台市史』（第２１７号）に掲載したためである。

ちなみに、著者による適訳は次の通りである。

「（……カトリック全教会の司牧者、全世界の父親であり、また全能の神の御子イエズス・キリストの代理者であるローマ教皇に相応しい栄誉と敬意を表して）〝ad accipiendam dicti Regis ac Regni【tutelam】paternamqve cvram hortaretvr……〟前述の国王（伊達政宗）と（日本）王国の保護（tutelam）を父性的な配慮（気遣い）をもって（paternamqve cvram hortaretvr）受けるべきである（ad accipiendam）……」である。

このように一つの単語の意味を誤訳してしまうと文章全体の意味がまったく理解できなくなる点に注目しなければならない。

この重大な誤訳について著者は仙台市博物館に問い合わせたところ同博物館の遠藤館長（当時）よ

り、著者が指摘したような意味不明な日本語訳であること認めた上で、次のように回答してきた。

「……そこで、当方から印刷所へ入稿する前の原訳を確認したところ、「上述の王と王国の保護を受けるために慈父的配慮を促すということである」となっておりました。日本語として意味の分かりづらいところなどを校正しているなかで、必要な文言が抜け落ちてしまったのかもしれません。ご指摘いただき、感謝申し上げます」と、真実とは思えない言い訳の返答をしてきた。しかしながら、〝日本語として意味の分かりづらいところなどを校正しているなかで〟、と言っているが、vitelam が間違いで tutelam（保護）であることを最初から分かっていたならば日本語として意味不明な訳し方はしなかったはずであり、必要な文言が抜け落ちることもなかったはずである。博物館側の返答文には翻訳担当者は〝Vitelam〟が〝tutelam〟の誤写であることを最初から理解していたような説明をしているが、「……、上述の王と王国を受けるために配慮を促すということである。」と、日本語としてまったく意味不明な訳述をしていることからまずあり得ないことである。学者としての権威を失うことを恐れたのか、あるいは翻訳者のプライドを守るためなのか、著者が指摘したように〝vitelam〟の意味が解らなかったと、なぜ素直に認めようとしないのだろうか。実は、『ローマ市民権証書』のラテン語原文の日本語訳述については、約20年前の１９９８年10月、拙著『支倉六右衛門常長―慶長遣欧使節を巡る学際的研究』（３２２～３４１頁）によって紹介されている。その中で村上直次郎博士が〝tutelam〟を〝vitelam〟に転写ミスしていることを指摘し、「前述の国王（伊達政宗）と（日本）国の後見人（tutelam）を父性的な配慮を受けるべきことを勧められて、……」（３２５～３２６頁）と正しい邦訳を紹介している。『仙台市史』の巻末の関係文献一覧（619頁）に前記拙著が掲載されていることから参考にしたことになっているが、残念ながら何も反映されていないのである。仙台市博物館は翻訳の誤謬を指摘されると、それを謙虚に受け止めようとせず、校正の間違いだったとか、印刷所の誤植のせいであると決めつけて有耶無耶にしてしまうケースが多いのである。ちなみに、『仙台市史』の印刷製本を請け負った凸版印刷㈱東日本事業部（従業員5万2、500人、年間売上高1兆4、860億円）は大日本印刷㈱と並んでわが国における印刷業界の代表企業である。仙台市博物館側の言い分によると、その優良企業が『仙台市史』の編集作業で多くの「校正の間違い」や「誤植」を繰り返したとなれば、見過ごすことのできない業務上の大きな失態となる。こうした場合通常は、書籍本体の印刷製本のやり直しか、最低限「正誤表」を作成するなどして対応するのが業界の習わしのはずである。

いずれにせよ、仙台市博物館側は、外部から間違いを指摘された場合、それを無視したり、言い訳してごまかすのではなく、指摘されたことを謙虚に受け止めて正しく修正することを肝に銘じるべきである。

『仙台市史』でこのような重大な誤訳をした原因は、翻訳者の語学能力の問題だけでなく、『大日本史料』（欧文CXLI号）に掲載されているラテン語の翻字（翻刻）文を原文書と照らし合わせないで正誤の確認をせず、そのまま引用して日本語訳をしたからにほかならない。

次に、ラテン語の“Romana Civitate”「ローマ市民権証書」を村上直次郎博士が『大日本史料』で

「ローマ公民権証書」と誤訳して世に広めたため、そのまま定着してしまい現在に至っている。実はこの翻訳の誤りについて、著者は国宝指定・世界記憶遺産登録以前の25年前に仙台市博物館側に対し、「ローマ公民権証書」のラテン語原文の翻字文と邦訳文を掲載した自著書『慶長遣欧使節の研究』（1994年6月、文眞堂）を献本して訂正を求めた。しかし、当時の濱田直嗣館長に無視され、同氏に献本した拙著を突き返された経緯がある。

さて、ラテン語の“civitate”の正確な日本語訳は「市民権」なので、「公民権」は明らかに間違った訳述である。国宝・ユネスコ世界記憶遺産に登録されている重要文化財である「ローマ市民権証書」は、仙台市博物館において有料で展示されている。したがって、仙台市博物館は、同証書に記述されている間違った翻訳文を直ちに訂正し、全文の正確な日本語訳文を公表すべきである。

次いでに述べておくが『仙台市史』（第215号、288～293頁）、には、ラテン語原文から日本語訳にしたものの中に、明らかに誤訳と思われる意味不明な訳述箇所が非常に数多く散見される。そのため、これらの翻訳史料に依拠して論文や著書を執筆すれば間違いなく誤謬の歴史を後世に残すことになる。

『仙台市史』のラテン語の日本語訳の意味不明な訳述箇所は紙面に制約があるのですべて紹介できないので参考までに一つだけ紹介する。

【『仙台市史』第215号、291頁の訳述文】

「私たちが天において殉教者たちの中に入れられたと信じている彼らの受難の日を（もしもふさわ

しいなら）敬いかつ盛儀をもって祝うことです。……（中略）カトリックの信仰に心を動かされて、今も神の力と恩寵の中で、私たちは大きな困難と激しい迫害に耐えております。」

と、日本語としてまったく意味不明な訳出が掲載されている。

【著者による適訳】

「私たちが殉教者たちの中に身を置いて（inter martyres collocatos）天国にいるように満足し、もし彼らの荘厳な受難の日（passionis dien solemnen）に当てはめるならば彼らを栄誉、賛美および崇拝して祈願することです。……（中略）私たちと同様に幾人かの人たちをカトリックの信仰に改宗させて（ad fidem catholicam conversi）、私たちは神の徳と恩寵によって（in ipsa Dei virtute, et gratia）いつまでも信仰を守り続けますので、大きな困難や激しい（醜い）迫害に耐えられます（non sine magnis difficultatibus et persecutionibus perseveramus）」

以上、前述した例だけを見ても分かるように、『仙台市史』の日本語翻訳は、ヴァティカン機密文書館やスペインなどの海外の文書館に所蔵されている原文史料を底本にしたのではなく、大半は『大日本史料』の欧文史料と翻訳史料を底本にして邦訳されたことがわかる。したがって、著者の指摘は、仙台市博物館の遠藤俊行館長（当時）が指摘しているような、事実誤認などではなく、また、一方的な推測でもないので、仙台市博物館側は、著者の指摘を素直に受け止め誤謬箇所をできる限り訂正すべきである。

8.『古文書学』および手書きの古典ロマンス語原文書の翻刻（字）・邦訳の難解度

さらに、著者の問い合わせに対し、仙台市博物館の遠藤俊行館長（当時）は、「……ヴァティカン・イタリア・スペインなどにある各史料所蔵機関から、写真・マイクロフィルム等を入手し、それらをもとに各言語を専門とする複数の研究者へ翻訳を依頼して翻訳作業を進めるという手順を取っております」と、述べている。しかしながら、仙台市博物館から邦訳を依頼された研究者（言語学者？）は、果たして手書きの癖のある文字で書かれた難解なロマンス語の原文書の翻刻・翻訳が本当にできるのかどうか大きな疑問が残る。改めて説明するまでもなく、難解の古典ロマンス語の手稿文書を判読するためには、通常の語学の習得以外に、大学や大学院で『古文書学（Paleografía）』を学ばなければならない。ヨーロッパの『古文書学』の研究者は、難解なロマンス語の手稿古文書を判読できるようになるためにはまず、原文書に記述されている言語と記号を完全に習得しなければならない。すなわち、手稿古文書の字（文）体や略語・記号（gráficas）および語句転綴（anagramas）などである。これらの知識には古い原文書を判読することができるようになる『古文書学』の不可欠の要素である。

これらのうちで最も難解なのはアルファベットの様々な形の文字（癖のある字体）と略語を覚えることである。ロマンス語によって多少異なるが、字体とラテン語のように数千もある略語を覚えなければ古文書を解読することは困難なことである。したがって、ロマンス語を母語にする歴史学者でさえも大学・大学院、専門学校や歴史研究所において『古文書学』を専門に学ばなければ難解な手稿の原文書の翻刻・翻訳は困難なのである。前述した『仙台市史』に掲載されているラテン語翻訳担当者によるラテン語の日本語訳を原文と突き合わせて精査してみたが、大半の日本語訳は原文を正確に翻訳しておらず、仙台市博物館の遠藤館長（当時）が強調しているような「ラテン語学」の専門家とは御世辞でも言い難いのである。ちなみに、著者の場合、前述したようにロマンス語の古文書を読めるようになるまで30年以上の歳月をかけて通算15年間にわたる長期間の海外在住（留学・研究など）、関係各国の大学機関や研究所に客員研究員や客員教授として在籍して、「古文書学」や「書誌学（公文書学）」をそれぞれの専門家の指導を受けながら、まだまだ未熟であるが何とか解読できるようになったのである。特に、古典ラテン語だけでもアルファベットの《A》に該当する略語が125、《B》に該当する略語が71、《C》に該当する略語が111、《D》に該当する略語が72というように、各アルファベットに該当する略語が数限りなくあり、何とか理解できるようになるまで非常に苦労している。その上、古典ロマンス語と現代語ではスペルが全く異なり、古文書を正確に解読するためには現代用語とは別に古典用語を学ぶ必要があることは言うまでもないことである。

こうした事情から、仙台市博物館から邦訳を依頼された研究者（ラテン語、イタリア語、スペイン語、ポルトガル語の言語学者?）は前述したような『古文書学』や各ロマンス語の翻刻技術を習得しているとは想像し難く、手稿の原文書からの翻刻・翻訳ではなく、『大日本史料』の欧文史料に依拠して翻訳が行われたと考えるのが妥当である。

以上述べたように『仙台市史』には、古典ラテン語、古典イタリア語および古典スペイン語の日本語翻訳に多くの誤謬が散見される。このような黙認することができない欠陥が多い史料集を底本にして当該使節の研究をしている仙台市博物館の学芸員や東北大学関係者が執筆したものを真面目に信用することはできない。ちなみに、小生の半世紀以上にわたる当該使節研究で使用した畢生鏤骨の大冊『支倉六右衛門常長「慶長遣欧使節」研究史料集成』第1巻～第3巻全編の編集構成で翻訳文に必ず手書きの原文書を翻刻した原欧文を付し、両者照合の便を図り、訳文の正誤が判別できるようにした。

あとがき

本書の執筆中に著者にとって奇跡とも言える2つの大きな出来事に遭遇した。一つ目は、2019年11月23日から26日まで、38年ぶりに日本を公式訪日したローマ教皇聖下フランシスコから謁見のご招待状を受取ったことである。著者は教皇フランシスコが離日する直前の26日早朝7時に教皇聖下が宿泊していた駐日ローマ教皇庁大使館において直接拝謁する機会を得たのである。

この教皇フランシスコ聖下との面談を機会に著者は、スペイン王立アカデミー会員でセビィリャ大学名誉教授ファン・ヒル（JUAN GIL）博士との共著書でスペイン政府教育・文化・スポーツ省および青森中央学院大学の出版助成金を給付されて上梓した『"Historia de la Embajada de Idate Masamune al Papa Paulo V (1613-1620)"（伊達政宗がローマ教皇パウルス五世に派遣した使節記）』（スペイン全国の公立図書館指定図書に認定）を直接献本した。

教皇聖下は表紙を見るなり、「この使節のことをよく知っている」の一言だけで、特に著者が期待していた遣欧使節について何も語らなかった。ちなみに、教皇が日本に滞在中に公式に表明した講和（演説）の中で当該使節について語ることは一度もなかった。4百年以上前からヴァティカンと日本との間に外交交流があったとはいえ、ローマ教皇庁から見れば、ローマ教皇庁へ遣欧使節を派遣した伊達政宗は多数のキリスト教徒を迫害した張本人である。このことから心情的に賞賛できない理由があるのではないかと推察される。

日本におけるキリシタン弾圧は、徳川幕府（政府）が国法によって禁止し、禁教令を守らなかった信徒や宣教師を処刑したのであり、国際法的に見て正当化される。それに対し、伊達政宗によるキリシタン弾圧は、徳川幕府の国法による弾圧とは大きく異なる。政宗は、幕府が禁教令を発令した後も、国法に従わないで領内においてキリシタンを保護して、様々な援助を与えた。ところが、自分の身に危険が迫ると、突然、キリスト教徒を裏切り、領内で匿っていた多数のキリシタンを残酷に処刑したのである。こうした政宗の二枚舌のやり方はヨーロッパの人たちからは受け入れ難いのかも知れない。そもそも政宗はキリスト教に対する信仰心などはまったくなく、ただ自らの目的を果たすためにキリスト教を利用しようとしたに過ぎなかったのである。このことについて当時、仙台藩内で布教活動をしていたイエズス会士ジェロニモ・デ・アンジェリス神父のイエズス会総長宛の複数の書簡の中でも繰り返し述べられていた。とはいえども、時代の移り変わりで両者の関係は表面的とはいえ非常に友好的になってい

著者が教皇フランシスコ聖下に謹呈した著書と
「慈しみの大地—生きていた（後藤）寿庵の魂—」のDVD

ることも確かである。十数年前に、伊達家の末裔である伊達氏宗家34代当主が、上智大学学長を務めローマ教皇庁教育省次官だったジョセップ・ピタウ大司教の仲介で、ヴァティカンにおいて教皇ヨハネ・パウロⅡ世の一般謁見で教皇と面談し、その際に記念にロザリオが贈られている。34代当主は毎年仙台市内のカトリッヶ系聖ウルスラ学園で、教皇から贈られて家宝にしているというロザリオを首から下げて、伊達家の伝統的な仕来り等について講演を行っているという微笑ましいエピソードがある。

さて、著者が教皇フランシスコに面談した際に前述した献本のほかに、「慈しみの大地―生きていた（後藤）寿庵の魂―」というDVDを贈呈した。このDVDは2017年11月に岩手県奥州市の「後藤寿庵顕彰会」が制作し、岩手放送とBS―TBSで全国に放映されたものである。DVDの内容は東北地方のキリシタンのリーダーとして知られる政宗の家臣で水沢福原領主後藤寿庵の半生を、著者が東西学会で初めて翻字（翻刻）・邦訳したジェロニモ・デ・アンジェリス神父の5通のポルトガル語書簡の解読を通してドキュメンタリー化したものである。

次に2つ目のサプライズだが、著者は教皇聖下と面談して1週間後に突然体調を崩し、青森市内の病院に入院していたが、その5日後に駐日ローマ教皇大使から、予想もしていなかった、教皇フランシスコからの「五連のロザリオ」が贈られてきたことである。著者にとっては思いがけないというより奇跡に近いサプライズであった。

ところで、著者の半世紀以上にわたる学究生活では国内外の多数の方々から心温まるご指導とご援助を頂いた。心より深謝申し上げたい。とりわけ、著者がメキシコから帰国して日本大学国際関係学部へ奉職する際に大変お世話になった元日本大学顧問・医学博士・故ペトロ・ザビエル菅野一先生をはじめ、学位論文作成や学術研究面でご教示頂いた日欧交渉史の最高権威・元京都外国語大学大学院教授故松田毅一博士、メキシコ国立自治大学（UNAM）東洋研究所所長クノート（Knauth Muhling Lothar）博士、スペイン王立アカデミー会員でセビィリャ大学名誉教授ファン・ヒル（Juan Gil）博士および元スペイン国立高等歴史院院長コンスエロ・ヴァレロ（Consuelo Varelo）博士夫妻、研究史料の採録調査等で絶大なご協力頂いた著者のメキシコ留学時代の同国公共教育相故アウグスティン・ヤーニェス博士、元ローマ教皇庁教育省次官、元上智大学学長、グレゴリアン大学学長、故ヨゼフ・ピタウ大司教、2020年9月8日に急逝された駐日

教皇フランシスコの訪日記念に教皇聖下から直接著者に贈られた記念メダルと5連ロザリオ

ケースの表蓋には“Miserardo Atque Eliberdo”（悲惨な悲しみを嘆き、そして、克服せよ）と印字されている。

ローマ教皇庁大使故ジョセフ・チェノットゥ大司教に対し、ご冥福をお祈りすると共に、ここに深く感謝の意を表したい。これらの方々以外に、40数年間著者の学究生活を陰で支えてくれ、特に、3年半前からの闘病生活では食事療法の研究や看護・介護に身を投じてくれている愛妻の陽子に心より感謝の意を表したい。また、私が昨年12月に体調を崩して以来、大学への通勤や青森市郊外にある青森厚生病院への通院に自ら車を運転して送迎してくれている長男の嫁美樹に対しても心より感謝申し上げたい。そのお蔭で無駄な時間を費やすことなく原稿執筆に没頭することができた。

さらに、本書で使用した関係史料の渉猟と原稿の整理は、長年ヨーロッパに留学していてロマンス語にも精通している長男常長（青森中央学院大学・大学院教授、学長補佐）およびロンドン在住の次男陽一（欧州住友商事株式会社ビジネス・インテリジェンス部部長）の2人の愚息に手伝ってもらった。とくにコロナ禍の影響でロンドンへ渡航できず、英国公文書館や大英図書館における古文書の渉猟ができなかったが、次男の嫁賀楠が直接写本を入手してくれた。ここに記してお礼を述べたい。

なお、本書は青森中央学院大学「共通研究費（出版助成金）」を給付されて出版されたものである。関係各位に対しこの場をかりて御礼を申し上げたい。とりわけ、著者の学術研究のために13年間の長年にわたり海外の文書館における史料の採録調査や学術出版助成金（共通研究費）の面において特別なご援助を頂いた青森中央学院大学理事長石田憲久先生をはじめ、学園長で青森中央短期大学学長の久保薫先生、青森中央学院大学前学長花田勝美博士、現学長佐藤敬博士、同僚教授加藤澄博士、櫻庭肇事務局長には大変お世話になった。この場をかりて満腔の謝意を申し上げたい。

最後になったが、本書の刊行並びに校正そのほかの諸事万端については㈱文眞堂代表取締役社長・前野隆氏および編集部課長の山崎勝徳氏の懇篤なる御援助を頂いた。深く感謝の意を表したい。

2020年8月7日
青森の自宅マンションにて
大泉　光一

註釈・参考文献

第1章

【註釈】

註1　外務省記録『皇太子裕仁新王殿下御渡欧一件』および外務省百年史編纂委員会編『外務省の百年』上巻、外務省外交史料館、管理番号2010−095

註2　仙台白百合学園歴史資料集：第2編仙台高等女学校時代、仙台白百合学園、2014年、2月309頁

註3　渡瀬常吉「朝鮮騒擾事件の真相とその前後策」『新人』第20巻4号、1919年4月号

註4　山本正『父・山本新次郎伝』中央出版社、1993年6月

註5　早坂久之助（1883〜1959）仙台市出身、旧制二高卒業後ローマ・ウルバノ大学に留学。1917年（大正6年）司祭に叙階、1920年日本人初の司教に叙階された。1928年長崎教区長に着任。1934年（昭和9年）邦人女子修道会「長崎純心聖母会」を創立。1937年（昭和12年2月）長崎教区長を引退し、名誉司教となる。

註6　1911年（明治44年）1月19日付（河北新報）（2面8段）の報道によると、かつみの姉大泉（高橋）きみいは明治44年3月に仙台高等女学校を卒業しているが、同年1月、宮城県からの東京女子高等師範学校入学の薦擧者17名のうちの一人として官費・文科の薦擧生（奨学生）に選ばれている。

註7　大泉孝神父（1902〜1978）哲学博士（Ph.D）

出典：著者個人所有。

1902年（明治35年）4月12日、大泉徳三郎・えなの3人兄妹の次男として宮城県大河原町に生まれる。

1925年〜1929年上智大学、1929年3月ドイツ・オランダ留学。1934年オランダ・ファルケンブルヒ大学卒業。1937年6月、司祭叙階（イエズス会）、1938年7月イギリス・ヒトロップ大学卒業。1939年8月、上智大学文学部教授。1951年〜1958年理事長、1953年3月〜1968年11月、上智大学第5代学長（在任：15年）、1968年上智大学名誉教授、大学設置審議会会長（1957年7月〜1961年7月）、大学基準協会会長（1959年6月〜1975年5月）、私立学校振興会会長（1966年11月〜1970年6月）、私学振興財団運

営審議会委員・副会長（1970年7月～1978年9月）、中央教育審議会会長（1972年6月～1974年5月）、
日本私立大学連盟会長（1975年2月～1978年9月）等を歴任。
1961年6月、西ドイツ国大十字功労章受章
1962年11月、藍綬褒章受章
1973年4月、勲一等瑞宝章受章
エピソード：11年間の欧州留学で英語、ドイツ語、オランダ語、フランス語、スペイン語、イタリア語、ポルトガル語の他、ラテン語、ギリシャ語の9か国語を習得した。主な訳書にスペイン語による『聖イグナシオ・ロヨラ伝』（アントニオ・アストライン著、中央出版社、1949年1月刊）等がある。主要著書に『哲学概論』『認識論概論』『教理神学』などがある。

註8　大泉はる（はる子改名）（1914～1975）

出典：著者個人所有。

大泉豊吉・でんの13人兄妹の6女として、大正3年（1914年）4月14日、宮城県大河原町に生まれる。かつみの妹、大泉孝神父の従兄妹。1934年9月16日長崎純心聖母会入会、1939年～1949年修練長、米国ペンシルバニア州 Scranton のカトリック系大学メリーウード大学（Marywood University）（1949年～1953年）卒業。純心幼稚園園長（1953年～1968年）、長崎純心女子短期大学（現在の長崎純心大学）学長（1964年～1968年）、東京純心女子短期大学（現在の東京純心大学）学長兼東京純心女子高等学校校長（1968年～1971年）、長崎純心聖母会副会長（1961年～1973年）等を歴任。1945年8月9日、修練長時代に「純女学徒隊」の生徒たちと爆心地浦上天主堂近くで被爆。1975年8月14日、皮膚がんのため61歳で逝去。

註9　野上貢神父（1924～2014）

出典：著者撮影。

1924年4月、かつみの実姉ちめの長男として茨木県で生まれる。旧制浦和高等学校卒業後、東京大学文学部英文科および慶應義塾大学工学部を卒業後、母と内野作蔵浦和教区長（1940年～1957年）の勧めで司祭を志し、上智大学文学部哲学科と練馬の東京カトリック大神学院で哲学と神学を学び、1961年3月、群馬県桐生教会で司祭叙階。さいたま教区上福岡、川口、草加、大宮、上尾、浦和の各教会の主任司祭を務

め、２０１１年3月、司祭叙階金祝後引退。２０１４年4月逝去。享年90歳。

註10 Tokyo, 7giugno 1939, Cart. 42×29.7 cm; sigillo cartaceo aderenae, mm 54, Segr. Stato. Morte di Pontefici e Conclavi 237, cassetta 2, fasc.17（ヴァティカン機密文書館）

① コンクラベ（Conclave）：教皇選挙のこと

Caroli–Gatti, Giappone, pp. 192, 216–225: Henshali, Giappone, pp, 11–12, 157–199, 206–217, 268–275 Bix, Hirohito, passim

註11 参謀本部編集『杉山メモ』原書房、２００５年7月

本書は、敗戦の記録および機密戦争日誌と共に、大本営陸軍部の諸組織によって作成記録された最高機密に属する戦争指導関係重要書類であり、機密保持のための焼却処分を免れた貴重な第一次史料集である。

註12 宮内庁『昭和天皇実録』東京書籍、２０１５年

原武史『「昭和天皇実録」を読む』岩波新書、２０１５年9月

註13 A.A.S., vol. XXXXIV（1952）, n. 7–8, pp. 378–379.

Radio messaggio al popolo giapponese（13aprile 1952）

（１９５２年4月13日にヴァティカン放送局から日本国民に向け放送された教皇ピウスⅫ世聖下のラテン語によるラジオメッセージ全文）

NUNTII RADIOPHONICI SANCTISSIMI DOMINI NOSTRI PII PP. XII AD CLERUM POPULUMQUE IAPONIAE, IN DIE PASCHATIS RESURRECTIONIS D.N. IESU CHRISTI *

Die XIII Aprilis, A.D. MCMLII

Dum sollemni hoc die Romae ac toto terrarum orbe aera sacra Christum e sepulcro resurgentem annuntiant, horum concentuum comes, vox Nostra, Japoni, radiophonice vos alloquitur. Ad vosmet affandum vocati, libenter hisce concedimus votis, quia diu optavimus palam facere et declarare, quinam erga vos alte repositi sincerique caritatis animo. Nostro sensus inhaereant. Tanto terrarum spatio et pelagi tractu hinc seiunctis, paschale gaudium adprecantes, benedicimus vobis, Sacri Pastores, sacerdotes, missionales, omnesque Ecclesiae filii ;itemque fausta, salutaria ac bona cuncta percupimus ceteris universis, qui ex Japonica inclita estis gentes. Fatemur vestra Nos trepida amantique voluntate prosequi ;ac, quemadmodum ob tristia quae istic accidunt, Nos moeste, ita ob laeta, quae vobis eveniunt, iucundissime tangi. Siquidem voluntatis Nostrae in vos inclinatio effecit, ut omnia, quae vos commovent, quasi reciprocantes undae, in animi Nostri affectus recidant. Magni enim pendimus Japonicam gentem eiusque prisca decora et egregias laudes. Magni pendimus eius comitate conditam gravitatem, firmam in agendo et patiendo constantiam, officiorum et communis utilitatis retinentissima studia, ad ingenuas artes miram propensionem, solidum suavemque familiae cultum, cui proh dolor, nunc afferuntur haud parva pericula et damna. Aliud addimus, quod tacere non possumus. Gratulamur siquidem Evangelium —quo Quidem vobis primum a Sancto Francisco Xaverio invectum est, ac nunc a tot strenuis missionalibus renuntiatur —maiorem apud vos aestimationem, benevolentiam, oblectationem parere. Cum persuasum Nobis sit Evangelii gloriam et lumen, veritatis et caritatis plenitudinem, omnium bonorum, quae a Deo proficiscuntur, summum esse fastigium, atque Christi gratiam naturam perficere, quid salutarius, quid praestantius percupere vobis valemus et volumus, quam ut albescens lux augescat istic in meridiem? Benignissimus Redemptor, intuitus nondum exorsam saeculorum fugam, vaticinatus est multos ex Oriente convivio caelestis Regni assessuros (cfr. *Luc*. 13, 29). Utinam id optabile contingat dilectae Nobis Japoniae, pro cuius prosperis et secundis eventibus una cum his universis qui catholico nomine censentur, adsiduas Dei Numini admovemus preces: «O Rex gentium et desideratus earum... O Oriens, splendor lucis aeternae et sol iustitiae » (*Antiphonae Maiores ad Magnificat*) propitius annue Japonis, quos diligisquosque Nos etiam in Te vero diligimu Paschalia sollemnia, quae hodie celebrantur, hoc in memoriam suavissime reducunt : Divinum nempe Redemptorem, postquam iniquitate hominum, quos ad veritatem virtutesque assequendas vocaverat et allexerat, crucis fuerat patibulo affixus, ex triumphata morte surrexisse. Id christianos imprimis, at omnes etiam quotquot per terrestre hoc exsilium peregrinantur, ad vitae renovationem invitat;ad vitae renovationem dicimus, qua vitia funditus eradicentur, peccata restincta moriantur, recte componantur mores, ac quasi ver novum omnium in animis efflorescat.

Hoc, quod sacri Paschatis ritus significant, Jesus Christus, mortis victor, suo praelucente lumine suaque afflante gratia mortalibus omnibus concedat ;sitque penitus redintegratae confirmataeque veri nominis pacis ac prosperitatis cotidie auctioris auspicium optatissimum. Id vobis peculiari modo, carissima Japonorum gens, quos si praeclara facinora per saeculorum decursum tantopere nobilitarunt, recens tamen tot luctus, tot ruinae funestarunt, id vobis peculiari modo ominamur ac supplici efflagitamus prece ;ita quidem ut quam primum e perturbatarum rerum fluctibus eventuumque trepido discrimine feliciora tempora Deo favente emergant.*Discorsi e Radiomessaggi di Sua Santità Pio XII*, XIV, Quattordicesimo anno di Pontificato, 2marzo 1952–1. marzo 1953, pp. 67–68 Tipografia Poliglotta Vaticana

註14　金山政英『誰も書かなかったバチカン　カトリック外交官の回想』サンケイ出版、１９８０年、２１６～２１７頁

註15　「週刊朝日」２０１４年10月３日号

註16　清水須巳子『ベタニア修道女会とフロジャック神父』清水弘文堂、１９９１年、82～１０２頁

【参考文献】

—『創立者ヤヌタリオ早坂久之助司教の「使命」と長崎純心聖母会の「創立のカリスマ」』（初代会長様による創立当初の話：１９８０年６月３日、修練院で修練者に講和）、長崎純心聖母会、２００９年１月、１６４～１７８頁

—五十嵐茂雄『フロジャック神父の生涯』緑地社、１９６４年

—清水須巳子『ベタニア修道女会とフロジャック神父』清水弘文堂、１９９１年

—皿木喜八『軍服の修道士　山本信次郎』産経新聞社、２０１９年

—仙台白百合学園歴史資料集：第２編　仙台高等女学校時代、仙台白百合学園、２０１４年２月

第２章

【註釈】

註１　（ラテン語原文）Sane accepimus quod uos, qui dudum animo proposueratis aliquas insulas. Et terras firmas, remotas et incognitas ac per alios hactenus non repertas, querere et inuenire

註２　（ラテン語原文）Regno m et recuperato, uolentes desiderium adimplere uestrum, dilectum filium Cristoforum Colon, uirum utique dignum edandum ac tantot plurimum conmendandum ac tanto negotio aptum

【参考文献】

—ヴァティカン機密文書館（ASV）. Reg. Vat..777, f192r

— Gutiérrez Escudero, Antonio (1990). América: Descubrimiento de un mundo nuevo. Madrid: Ed. Istmo

— León Guerrero, Montserrat (2000), El segundo viaje colombino, Universidad de Valladolid (tesis doctoral)

—Suareź Fernandez, Luis: Vazquez de Prada, Valentín (1986), Historia general de España y Américá hasta la muerte de Felipe II (1517–98), Ediciones Rialp, p.627

—Vander Linden, H. (Oct. 1916). «Alexander VI. And the Demarcation of the Maritime and Colonial Domains of Spain and Oortugal, 1493—1494» The American Historical Review, Vol.22 (no 1) P.1–20

第3章

【参考文献】

—ヴァティカン機密文書館 (VERBALE della scoperta e ricognizione dei Resti mortali di Cristoforo Colombo) (mm320×220, ff.8) (Arch,Nunz, Santo Domingo, Cocchia Rocco, I fasc.1 (1) ff.159r. (CXXXVIII),163v. (CXXXIX))

—Gutiérrez Escudero, Antonio (1990). América: Descubrimiento de un mundo nuevo. Madrid: Ed. Istmo

—León Guerrero, Montserrat (2000), El segundo viaje colombino, Universidad de Valladolid (tesis doctoral)

—Suareź Fernandez, Luis: Vazquez de Prada, Valentín (1986), Historia general de España y Américá hasta la muerte de Felipe II (1517–98), Ediciones Rialp, p.627.

—Vander Linden, H. (Oct. 1916). «Alexander VI. And the Demarcation of the Maritime and Colonial Domains of Spain and Oortugal, 1493–1494» The American Historical Review, Vol.22 (no 1) P.1–20

—'Marcial Castro *"Reguero de Tumbas"*, V centenario de un genio Colón, La Aventura de la Historia, Arlanza Ediciones, S. A., Mayo 2006, PP.96–100

—Cocchia, Cristoforo Colombo e le sue ceneri Mahnlot Colombo cristoforo. pp. 168–183

—Mammarella Un vescovo di Larino, pp. 117–140

—Natalio Blanco"A Cuestas con los huesos de Cólón"Cambio veintiuno, 16de junio 2003, pp.40–41

第4章

【註釈】

註1　バトゥ（Batu）（１２０７～１２５６）はジョチ家の2代目。

註2　ローマ教皇グレゴリウスⅨ世（在位：１２２７～１２４１）イタリア中部アナーニ出身。神聖ローマ皇帝フリードリヒⅡ

世との確執で有名だが、法学者としても知られている。1230年にはドイツ騎士団へ勅書を授け、異教徒への武力行使を認めている。

註3　カダアン・トゥルゲン（Qada'an Tologen）はジンギス・カンの弟カチウンの孫でモゴル帝国の皇族。

註4　178代ローマ教皇グレゴリウスⅨ世（在位：1227~1241）神聖ローマ皇帝フリードリヒⅡ世との確執で有名だが、法学者としても知られており、1234年「新版教令集成」（Nova compilatio decretalium）を公布している。また各司教が自らの裁量で行っていた異端審問の制度を整備したことでも知られる。

註5　ローマ教皇インノケンティウスⅣ世（Innocentius IV）（在位：1243~1254）。1245年、第一リヨン公会議を開催、フランシスコ会のプラノ・カルピニ修道士を東方より来襲したタタール（モンゴル帝国）の偵察と再侵入防止工作のためにタタールの居住地方へと派遣した。

註6　ジョヴァンニ・プラノ・カルピニ（Giovanni di Plano Carpini）（1182~1252）はイタリアのフランシスコ会の修道士。1245年の第一リヨン公会議で決定されたモンゴルとの交渉役としてローマ教皇インノケンティウスⅣ世の命令を受けて東欧に勢力を拡大していたモンゴル帝国に派遣される。

註7　*Giovanni (da Pian del Carpine, Archbishop of Antivari) (1996). Historia Mongalorum Quos. Nos Tartaros Appellamus. Branden Publishing Company, 2017*

註8　モンゴル語によるギュク書簡のラテン語訳全文（ウィーン国立図書館所属）。

Dei fortitudo, omnium hominum imperator, magno Papelitteras certissimasatque versa. nobiscum=cum nobis pro pace habito consilio, ab ipso audivimus, habebaturtu papa et omnes Christiani nuntium tuum nois transmisisti. Igitur, si pacem nobiscum habere desideratis), tu papa et omnes reges et potentes pro pace, diffinienda ad me venire nullo modo postponatis. tunc, risponsionem pariter voluntatem audietis.

series litterarum, quod debemus baptizari et effici Christiani tuarum continebat. qualiter hoc facere debeamus non intelligimus breviter respondemus. Ad aliud, maxine potissime tanta occisione quod miraris in tuis litteris habebatur, quod etiam hoc non intelligimus tibi taliter respondemus Verumtamen, ne hoc omnimodo transire sub silentio Quia), littere dei) (et precepto Cyngis Chan et Chan non obedierunt), et magnum consilium habentes nuncioso occiderunt. et in minibus nostris tradidit. Alioquin, quod si deus non fecisset, ? homo homini quid facere potuisset ?)Sed, vos homines occidentis, solos vos Christianos esse creditis, et alios despicitis. sed, cui deus suam gratiam conferre dignetur), quomodo scire potestis, Nos autem, deum adorando, in fortitudine dei ab oriente usque in occidentem delevimus omnem terram). et si hec dei fortitudo non esset)? homines quid facere potuissent, Vos autem, et vestras nobis vultistradere fortitudines), tu papa cum potentibus Christianis), ad me venire pro pace facienda nullo modo differatis. et tunc sciemus, quod vultis pacem habere nobiscum). Si vero dei et nostris litteris non credideritis), et consilium non audieritis, ut ad nos veniatis, tunc, pro certo scemuod guerram habere vultis nobiscum. Post hac quid futurum sit nos nescimus. solus deus novit.

Cyngis Chan primus Imperator., Secundus Ochoday Chan, Tertius Cuiuch Chan.

註9　La Haye et Amsterdam, 1834-1835.（ドーソン著、佐口透訳註『モンゴル帝国史　2』（東洋文庫128）1968年（242〜244頁））

佐口透氏によるペリオのフランス語訳

1. Mongke tngri-yin（Monkh tengeriin）（Dans la force du ciel éternel）
長生なる　天の
2. Kucundur Yeke Mongyol（khuchin dor. Ikh Mongol）（nous le Khan océanique
力によりて大モンゴル
3. Ulus un dalai in（ulsyn dalai）（du grand peupie tout entire）
国の　海の
4. Qanu Jrly. Ii bulya（khaany zarlig Ii bulkha）（notre ordre）
カンの勅。服従せる民、背ける
5. Irgen dur kurbesu,（irgen dor khurvees）（S'll arrive a des peupies soumis）
民のもとに　到りし時は
6. Busiretugui ayutuyai（bishirtugei ayutugai）（qu ils le respectent et quils craiqnent）
慎むべし　畏怖すべし

括弧（　）内は現代モンゴル語とフランス語

出典：ドーソン著、佐口透訳注『モンゴル帝国史　2』平凡社、1968年、245頁

なお、佐口氏は、フランス語の'éternel'は厳密には「永遠」という意味であるが、「長生（長生きすること）」と訳述している。

【参考・引用文献】

—ヴァティカン機密文書館（ASV），（A.A.,Arm. I-XVIII,604〈XXXII〉（367×261mm）

—ヴァティカン機密文書館（ASV），AA, Arm.I-XV1802)

—Carpini, Giovanni, The Story of the Mongols Whom we call the Tartars, translated by Erik Hildinger. Branden Books, 1996.

—Christopher Dawson ed., The Mongol: Mission, Narratives and Letters of the Franciscan Missionaries in Mongolia and China in the Thirteenth and Fourteenth Centuries, New York, 1955, pp. 73–75

—Historia des Mongols, Paris 1961, 135. Trad, dal francese di F, Girolmoni

—Jackson, Peter, The Mongols and the West, 12211410, Peason Longman, 2005

—Marshall, Robert, Storm, from the East, From Genghis Khan to Khubilai Khan, University of California Press, 1993

—Paul Pelliot, Les Mongls et la papauté, Revue de I Orient chrétien, Paris,1923, pp.6–30

—Karl Ernst Lupprian, Die Beziehungen Der Papste zu Islamischen und Mongolischen Herrschern im 13, Jahrhundert Anhand Ihres Briefwechsels, Stdi e Testi 291, Citta del Vaticano, Biblioteca Apostolica Vsaticano, 1981, pp. 141–149

—Le Miroir Historial Vol. IV. Paris, c. 1400–1410

—Letter of Innocent IV To Guyuk Khan, A.S.V., Inv, no. Reg' Vat.21, ff.107v. -108r

—Archivio Segreto Vaticano（ASV）AA, Arm.I-XVIII, 1802

—Abraham Constantin Mouradgea d'Ohsson, Hiustoire des Mongols, desuis Tchinguiz-Khan jusqu'a Timour bey ou Tamerlan. Avec une carte de l'Asie au XIII siècle. T. I IV, éd. 2. La Haye et Amsterdam, 1834-1835, ドーソン著、佐口透訳注『モンゴル帝国史　2』平凡社、１９６８年、２２４頁、２２８頁、２３６頁、２４５頁、２５７頁

—W. Abramowski, Die chinesischen Annalen von Ögödei and Güyük Übersetzung des 2 Kapitels des Yüan-Shih., *Zentralasiatische Studien* 10, 1976, pp.151–54

—P. Jackson and D. Morgan, *The Mission of Friar William of Rubruck*, Cambridge, 1990, Hakluyt society, 2nd series 173, p. 167

—D. O. Morgan, *The Mongols*, Oxford, 1986, passim
—Aigle, D. "Les correspndances adressées par Hulegu au prince ayyoubide al -Malik al -NaaSir Yusuf. La construction d'un modéle," in M, A, Amir Moezzi, J D. Dubois, C. Jullien & F. Jullien (Eds) Pensée Grecque et Sagesse d'Orient. Hommage A Michel Tradieu. 2010, pp. 25-45
—Makkai, László (1994a). "Transformation into a Western-type state, 1196-1301". In Sugar, Peter F.;Hanák, Péter; Frank, Tibor. A History of Hungary. Indiana University Press. pp. 23-33
—海老澤哲雄「Mongol帝国の対西欧文書—グユク・ハンの教皇宛書簡について—」『歴史と地理』351号、山川出版社、1984年、1～11頁
—海老澤哲雄「グユクの教皇あてラテン語訳返書について」『帝京史学』2004年2月、59～83頁
—護雅夫訳『蒙古中央アジア旅行記』桃源社、1979年、124～125頁

第5章

【参考文献】

—Rymer, Thomas, Foedera, conventions, literae et cuiuscunque generis acta publica inter reges Angliae et aliis quovis imperatores, reges, pontifices, principes vel communitates ab ineunte saeculo duodecimo, viz, anno 1101, ad nostra usque tempora... 17voll. Londini, 1704—1717
—Rymer, Foedera, conventione, literae, XIV, pp. 405-407
—Ehses, "Romische Dokumente", pp. 153-154, n. 86
—Suzannah Lipscomb, The Year that Changed Henrry VIII,, Lion Hudson, 2009
—Suzannah Lipscomb, The King is Dead, The Last will and Testament of Henrry VIII,Head of Zeus, Ltd. 2015
—"Love letters of Henry Eight to Anne Boleyn", John W. Luce & Company, Boston, 1906
—小林恭子『英国公文書の世界史』中公新書ラクレ613、2018年
—ヴァティカン機密文書館（A.S.V）., A.A.., Arm. I-XVIII, 4098 A（LXXXVI）

第６章

【参考文献】

—ヴァティカン機密文書館（ASV), instr. Misc. 6635
—Jhon Matusiak, "The Prisoner king", -Charles in Captivity- The History Press, 2017
—Carlton, Charles, Going to the wars: the experience of the British civil wars, 1638–1651, Routledge, 1994
—Gentles, Ian"The English Revolution and the Wars in the Three Kingdoms, 1638–1652", in Scott, H. M.;Collins, B. W. (eds.), Modern Wars in Perspective, Harlow, UK: Pearson Longman, 2007
—Gaunt, Peter, The British Wars 1637–1651, UK: Routledge.. An 88-page pamphlet., 1997
—Henning, Basil Duke, ed.（1983). "MONCK, George（1608–70), of Potheridge, Merton, Devon."The History of Parliament yhe House of Commons 1660–1690 Boydell and Brewer. Retrieved 19June 2018-via History of Parliament Online
—Raymond, Joad, The invention of the newspaper: English newsbooks, 1641–1649, Oxford University Press, 2005, p.281
—Kenyon, John: Ohlmeyer, Jane, eds.（1998). The Civil Wars: A Military History of England, Scotland, and Ireland, 1638–1660. Oxford: Oxford University Press
—Russell Conrad. The Fall of the British Monarchies, 1637–1642. Oxford:Clarendon Press., 1991
—Stevenson, David（1981). Scottish Covenanters and Irish Confederates: Scottish-Irish Relations in the Mid-Seventeenth Century. Belfast: Ulster Historical Foundation
—今井宏『クロムウェルとピューリタン革命』清水書院、１９８４年
—田村秀夫編『クロムウェルとイギリス革命』聖学院大学出版会、１９９９年
—松浦高嶺『イギリス近代史論集』山川出版社、２００５年
—山本正『「王国」と「植民地」―近世イギリス帝国のなかのアイルランド』思文閣出版、２００２年
—岩井淳『ピューリタン革命と複合国家』山川出版社、２０１０年、39頁

第７章

【註釈】

註１　大明国の寧聖慈粛皇太后（孝正皇后）がローマ教皇とイエズス会総長に宛てた書簡（嘆願書）の現代中国語訳。（ヴァ

ティカン機密文書館（ASV）.AA..I | XVIII, 1790（CXVI）
大明宁圣慈肃皇太后烈纳致谕于因诺曾爵—代天主耶稣在世总师、公教皇主圣父肃笺
大明宁圣慈肃皇太后烈纳致谕于因诺曾爵
代天主耶稣在世总师、公教皇主圣父—座前：窃念烈纳本中国
女子，忝处皇宫，惟知阃中之礼，未谙域外之教，赖有
耶稣会士瞿纱微在我皇朝敷扬
圣教，传闻自外，予始知之，遂尔信心，敬领圣洗，使
皇太后玛利亚
中宫皇后亚纳及
皇太子当定，并请入教领圣洗，年于兹矣！虽知沥血披诚
未获涓埃答报，每思恭诣
圣父座前亲领圣诲，虑兹远国难臻，仰风徒切，伏乞
圣父向
天主前怜我等罪人，去世之时，赐罪罚全赦，更望
圣父与圣而公一教之会，代求
大主保佑我国中兴太平，俾我
大明第拾捌代帝
太祖第拾贰世孙
主臣等，悉知敬
真主耶稣，更冀
圣父多送
耶稣会士来，广传
圣教。如斯诸事，俱惟怜念；种种眷慕，非口所宣。今有
耶稣会士卜弥格，知d我中国事情，即令回国，致言我之差
圣父前复能详述鄙意也！俟太平之时，即遣使官来到

圣伯多禄、圣保禄台前，致仪行礼，伏望
圣慈鉴兹愚悃，特谕

註２　皇太后馬利亜…昭聖太后。永暦帝の生母。

註３　呉三桂（１６１２～１６７８）は、周の初代皇帝、明末清初の将軍。遼東で清軍に対峙していたが李自成の北京占領に際して清に味方し、清の中国平定に尽力した。平西王として勢力を揮うが後に清に背き、三藩の乱を引き起こした。周王朝を建国して皇帝を称したが、清に滅ぼされた。

【参考・引用文献】

—中国社会科学院歴史研究所編『簡明中国歴史読本』科学出版社東京、２０１８年
—神田信夫編『中国史４　明～清』世界歴史大系、山川出版社、１９９９年
—渡邊善浩監修『中国王朝４０００年史』（ビジュアル選書）、新人物往来社、２０１２年
—富谷至・森田憲司編著『概説中国史　下—近世—近現関係国際学術会議文集』所収、２００２年、79～１１６頁
—黄一農『両頭蛇—明末清初的第一代天主教徒』上海古籍出版社、２００６年

【本章の南明永歴帝統治時代の主な出来事については、本書から引用させてもらった。この場を借りて満腔の謝意を表したい。】

—潘攻愚『南明朝廷与天主教传教士共谱了一曲末』
—黄一農「天主教徒孫元化与明末伝華的西洋砲」『中央研究院歴史語言研究所集刊』67、１９９６年
—狭間芳樹「日本及び中国におけるイエズス会の布教方策」『アジア・キリスト教・多元性』現代キリスト教思想研究会、第３号、２００５年３月、55～70頁
—箕作元八「明の王太后よりローマ法王に贈りし論文」『史学雑誌』第３編第37号、１８９２年、45～53頁
—Timothy Brook, The Troubled Empre China in the Yuan and Ming Dynasties, Harvard University Press, 2010
—Bibi, Pastor, Storia dei Papi, XIV/1, P, 153
—The Atlas and Geographic Description of Chi: A Manuscript of Michael Boym（1612–1659）, Journal of the Oriental Sciety vol. 73, No.2, American Oriental Sciety,（Apr.–Jun, 1953）, pp. 65–77
—ARSI, Japonia Sinica, II, 15c. 269

—U.Badini, Science and the Jesuits in Macao, (1644-1762),in Macao during the Ming dynaty, a cura di L.F, Barreto, Lisboa 2009, pp. 249, 252, 269
—I. Pina, Jesuitas chineses e Mesticos da Missao da China (15861689), Lisbona, 201
—Chan, "A European Document on the Fall of the Ming Dynasty "16441649
—Boxer, Portuguese Military Expeditions in Aid of the Mings against the Manchus, 1621-1647
—Szczesniak, Boleslaw (1965). "The Mappa Imperii Sinarum of Michael Boym". *Imago Mundi* 19 (1): 113-115
—D. H. Shore, Last of Court of Ming China, The Relign of the Yung-li Emperor in the south (1647-62) Diss Princeton, 1976

【謝辞】
本章執筆にあたって使用した中国語原文書簡【大明国の寧聖慈粛皇太后（孝正皇后）】および中国語文献の日本語訳を引き受けてくれた愛弟子の澤居晋氏（パナソニック取締役）、福田益大・范一琳ご夫妻（三機工業上海事務所）およびロンドン在住の著者の次男陽一の妻大泉賀楠（徐賀）さんに大変お世話になった。心より感謝の意を表したい。

第8章

【註釈】

註1　『仙台市史』第236号（309~310頁）の「伊達政宗宛ローマ教皇パウルス五世書翰（案文）、（一六一六年十二月二七日付）」の日本語訳は、「……、我々は司教の任命と修道会の創設に関する貴下の要望には、主と共に出来る限り満足にいくように配慮するでしょう」となっている。しかしながら、上記原文（「quin desideriis tuis de nominationibus episcoporum, ac militarium, et equestrium Ordinum institutione（貴下が請願した（desideriis）司教の任命と、騎士団（キリスト教徒の軍団）（註）の創設に関する……）」）には、「修道会の創設」ではなくac "militarium",（「騎士団（キリスト教徒の軍団）」の創設」と明記されている。この重大な誤訳について著者は、仙台市博物館に問い合わせたところ、同博物館の遠藤館長（当時）は、印刷会社の「誤植」であると回答してきた。つまり印刷会社（凸版印刷㈱東日本事業部）が「騎士団」を「修道会」と誤植したという説明である。

註2　政宗がローマ教皇に贈った進物の内容の詳細については、拙著『史料集成』第1巻第Ⅱ部第4章、第1節「教皇パウルス5世の家計に関する小勅書及び私的文書」1616年2月17日付（ÀSV., Fondo Borghese Serie1, 27. m.136.）をご参照下さい。

【参考文献】
—イエズス会本部ローマ文書館（ARSI）, Jap. Sin. Documento, No. 15. f.31
—ヴァティカン機密文書館（A.S.V）I XVIII, 1838, Barberini Orientale)
—スペイン・インディアス総文書館（A.G.I）Mexico, 299
—スペイン・シマンカス總文書館（A.G.S）Estado Legal 2644, 37
—AGI, Filipinas 1, No. 158
—ASV. Fondo Borghese, Serie IV, No. 63. Lettere Dicerse. 1615
—大泉光一『支倉六右衛門常長「慶長遣欧使節」研究史料集成』第1巻～第3巻、雄山閣、２０１３、２０１５、２０１６年
—大泉光一『暴かれた伊達政宗「幕府転覆計画」—ヴァティカン機密文書館史料による結論—』文春新書１１３８、文藝春秋社、２０１７年

第9章

【参考文献】
A.S.V., Arm. 45, GregoXV an. III, fol. 80b, n.99
大泉光一『支倉六右衛門常長「慶長遣欧使節」研究史料集成』第1巻～第3巻、雄山閣、２０１３、２０１５、２０１６年

プロローグ

【註釈】

註1　『史学雑誌』第3編第37号、明治29年5月号を参照乞う

註2　Blandine Knegel, La querelle Mabilon Rance, Promeneur, 1992

註3　Scipione Amati, Breve ristretto delli tre stati naturale: Religioso ē Politico del Giapone, fatto, et ordinato dal Dottor Scipione Amati Romo interprete ē Relatore dell Ambasciatata del Re Idate Masamune Re de Voxu regnate nel Gipone, ヴァティカン機密文書館、ボルゲーゼ文書1、208-209、51r-90r

註4　Scipione Amati, Laconismo politico sopra il consiglio di coscienza, che combatte la ragione di stato, Roma, L. Grignani, 1648, pp 1-4

註5　小川仁「慶長遣欧使節通訳兼折衝役シピオーネ・アマーティ新史料に見る人物像とその役割―」『ディアファネース―芸術と思想＝Diaphanes: Art and Philosophy（2016）、3：63～81』所収、京都大学、2016～3～30、63～81頁

註6　シピオーネ・アマティの『伊達政宗の遺欧使節記』第2章に、「……（天皇は）（源）頼朝を（征夷大将軍に）叙任し、封土を与え「皇帝」（emperador）飫冨の称号を授けた」（onde diede l'inuestitura, &il titolo d'imperatore al Yoritomo con fondamonto,...)）とある。

註7　奥州王伊達政宗およびヌエバ・エスパニア（メキシコ）副王グアダルカサール候の間で締結された「申合条々」（案文）（＝平和協定）（Capitulaciones y asientos de `pazes entre el Rey de Voxu Idate Masamune y el Virrey de nueva españa)（慶長18年9月4日：1613年10月16日付）【出典：Archivo General de Simancas,Estado, Leg. 256-1, 2】

註8　Documento dos Jesuitas no Japão. Provenientes de Roma (A,R.S.I Jap, Sin 34, Documento No.1-5. F, 31,(Nov.30, 1619)

註9　Luis piniero, Relación del Sucesso que tuvo Nuestra Santa Fé en los Reynos del Japón, desde el año de seyscientos y doze hasta el de seyscientos y quinze, imperando Cubosama, Madrid, 1617

註10　G. Mitsukuri, Ein Beitrag, zur Gesch, der japanischen Christen im 17. Jahrh, Hist, Zeitschr, LXXXVII (1901)

【参考文献】

—平川新『戦国日本と大航海時代―秀吉・家康・政宗の外交戦略―』（中公新書）2018年
—佐藤彰一『宣教のヨーロッパ―大航海時代のイエズス会と托鉢修道会―』（中公新書）2018年
—松田毅一監訳『16・17世紀イエズス会日本報告書集』第1期、第Ⅱ期、第Ⅲ期（第1巻～第7巻）同朋舎出版、1987年
—白峰旬「『16・17世紀イエズス会日本報告集』における織田信長・豊臣秀吉・豊臣秀頼・徳川家康・徳川秀忠に関するイエズス会宣教師の認識について」（その2）（後藤重巳教授追悼号）、『史学論叢』No.45、別府大学史学研究会、2015年3月、37～54頁
—三好唯義「日本地図の変遷とインズス会報告」『歴史地理学』126号、歴史地理学会、1984年9月、36～48頁
—斎藤忠光「日本の国郡区域と新しい広域行政区画の展望」『地図』Vol.52、No.2、日本地理学会、2014年、2～3頁
—『地図』Vol.27、No.3、日本地理学会、1989年
—Kamen, Henry, The Spanish Inquisition, Weidenfeld & Nicolson, 2nd, レヴィ背 d, 1997, 11
—Kamen, Henry, "Imperio" Santillano, Madrid, 2003

— Thomas, Hugh, El imperio espanol: de Colón a Magallanes, Planeta, 2003

— Krishan Kumar, "Visions of Empire" How five imperial Regimes Shaped the world, Princeton university press, Princeton & Oxford, 2017, p.23

"... Nation and empire are not so much opposed as acknowledged to be alternative or complementary expressions of the same phenomenon of power. Empires can be nations writ large; nations empires under another names.

— Elton, G. R., ed 1982, The Tudor Constitution: Documents and Commentary, 2nd ed. Cambridge: Cambridge University Press.

— Ullmann, Walter, 1979, "This Realm of England Is an Empire" *Journal of Ecclesiastical History* 30 (2): 175~203pp.

【著者紹介】

大泉光一（おおいずみ・こういち）

1943年（昭和18年）、長野県諏訪市生まれ、
宮城県柴田郡大河原町で育つ。

《学位》

博士（国際関係）日本大学（学位記番号5534号）

《略歴》

メキシコ国立自治大学（UNAM）東洋研究所研究員、メキシコ共和国最大の商業銀行“Bancomer”銀行初代駐日代表、国際事業本部極東地域担当部長、国連多国籍企業センター客員研究員、チリ国立大学客員教授・経済・経営学部学術顧問、ペルー国立サン・マルコス大学客員教授、コロンビア国ロス・アンデス大学客員教授、スペイン国立バリャドリード大学客員研究員・客員教授、同大学アジア研究センター上席研究員・顧問、スペイン国立サンティアゴ・デ・コンポステラ大学大学院客員教授などを経て、日本大学国際関係学部・大学院国際関係研究科教授、2007年4月より青森中央学院大学・大学院地域マネジメント研究科教授。

《プロフィール》

1964年にメキシコ国立自治大学（UNAM）へ正規（給費）留学と同時に始めたライフワーク「支倉常長・慶長遣欧使節」関係の古典ラテン語、古典スペイン語、古典イタリア語による手書きの古文書をスペインやイタリア（ヴァティカン）の文書館で半世紀以上に亘って博捜し、それらを翻刻・邦訳・解読して、多くの新事実を明らかにした。また、著者はわが国で危機管理学を学問として初めて理論体系化したパイオニア（開発者）として知られており、関連主要著書に、『危機管理学総論』（改訂版）、『危機管理学研究』（2版）、『クライシス・マネジメント（危機管理の理論と実際）（3訂版）』、『行政機関・自治体・企業の危機管理対策ガイドライン』など数十冊あり、危機管理、国際テロ対策、日欧交渉史の専門家として長年テレビ、新聞、雑誌などマスコミ機関、講演会で活躍した。

【主な支倉常長・慶長遣欧使節関係単著書】

『支倉常長―慶長遣欧使節の悲劇―』（中公新書）
『支倉六右衛門常長―慶長遣欧使節を巡る学際的研究―』（文眞堂）
『捏造された慶長遣欧使節記』（雄山閣）
『伊達政宗の密使』（洋泉社）
『キリシタン将軍伊達政宗』（柏書房）
『政宗の陰謀』（大空出版社）
『暴かれた伊達政宗「幕府転覆計画」―ヴァティカン機密文書館史料による結論―』（文春新書）
『歴史研究と郷土愛―伊達政宗と慶長遣欧使節―』（雄山閣）
『支倉常長　慶長遣欧使節の真相―肖像画に秘められた実像』（雄山閣）で **2006年度第19回（一般部門）「和辻哲郎文化賞」受賞。**
『支倉六右衛門常長『慶長遣欧使節』研究史料集成』1～3巻、（雄山閣）
など多数。

歴代ローマ教皇の権勢とヴァティカン機密文書

二〇二一年一月二五日　第一版第一刷発行

検印省略

著者　大泉光一

発行者　前野隆

〒162-0041　東京都新宿区早稲田鶴巻町五三三
発行所　株式会社　文眞堂
電話　〇三―三二〇二―八四八〇番
FAX　〇三―三二〇三―二六三八番
振替　〇〇一二〇―二―九六四三七番

印刷　モリモト印刷
製本　高地製本所

http://www.bunshin-do.co.jp

定価はカバー裏に表示してあります
ISBN978-4-8309-5111-4　C0020